李世丁 沙宗义◎编著

Chinese advertisement

广告兵法

中国本土最大广告公司用兵之道

25个营销企划重案、广告创意的台前幕后

7.2亿广告额背后的最高机密

分享中国本土广告扛旗者的知识与经验

探索国际广告管理理念与本土市场文化的融合

南方日报出版社

图书在版编目（CIP）数据

广告兵法 / 李世丁，沙宗义编著. —广州：南方日报出版社，2003
ISBN 7-80652-256-5

Ⅰ.广… Ⅱ.①李… ②沙… Ⅲ.广告—公司—企业管理—经验—广东省
Ⅳ.F713.8

中国版本图书馆CIP数据核字（2003）第072480号

广告兵法　　李世丁　沙宗义　编著

出版发行：南方日报出版社
地　　址：广州市广州大道中289号
电　　话：（020）87373998-8502
经　　销：广东新华发行集团股份有限公司
印　　刷：广东邮电南方彩色印务有限公司
开　　本：787 mm×1092 mm　1/16
印　　张：20.5
字　　数：310千字
印　　数：5000　册
版　　次：2003年9月第1版第1次印刷
定　　价：38.00元

投稿热线：（020）87373998-8503　读者热线：（020）87373998-8502
网址：http://www.nanfangdaily.com.cn/press　http://www.southcn.com/ebook

序一：实战高于一切

黄升民
（北京广播学院广告学院院长、博士生导师）

广告公司的核心竞争力是什么？100个人回答就有100个说法。说创意表现有之，说资本运作有之，说科学实证也有之。广东省广告有限公司多年缄默，忽然向业界亮出了《广告兵法》，耐人寻味。

“商场如战场”是企业界流行的口头禅，广告界也如此。不过，据我观察，说归说，做归做。很多人都喜欢把“商场如战场”挂在嘴边，其实是为了给自己劳碌卑微蝇营狗苟的无聊人生抹上一层光艳而又悲壮的色彩而已。还有另外的一类人，在商海也拼搏过几回，有成功也有失败，自称好汉且喜欢数说当年之勇猛，然而，细细研读他们的业绩，多少感到有点遗憾，赫赫战功仅是三两个游击战而已，且概念大于实际，所谓战例也是一些传奇故事，商场的搏杀不过是一种英雄的独舞。与其说“商场如战场”，莫如说“商场如剧场”，追求的其实是一种轰动的表演效果。这是时下广告公司和广告人的一个通病。

剧场和战场，的确是两个完全不同的概念。前者是遭遇激情，现实与浪漫相交替，后者则是刀光剑影，生命与死亡相搏杀。一个广告公司的企业理念、组织结构和作业方式建构在前者或是后者，公司风格也完全不同。就我多年接触国内各种广告公司的经验来看，无论是本土还是4A，总体的感觉是虚多实少，包装强于内容。早几年前市场需求旺盛，这些毛病被遮盖着，只要你的包装华丽，投放达到一定规模，企业就有市场收获。但是，时至今日，市场疲软，老方法行不通了，大家都感到困惑。这个时候，省广用自己多年运作的团队经验、个案事例，归纳汇总为一部广告作业的“兵法”。从表面上说，为业内同行提供了一个可资借鉴、对照的操作模式，而进一步说，直面广告经营者的深层反省，回应了什么是广告公司核心竞争力的重大命题。

中国市场空间之浩大，结构之复杂，简单的凭经验拍脑袋和生吞活剥的洋模式必然在经营实践中四面碰壁。广告公司要克服困境，生存下去，出路无他，只能从实战中来到实战中去，反省失败，总结成功，从中摸索体味出符合客观规律的战术法则。然而，光这点还不够，还要锻造出一支纪律严明、善于群体作战的团队。在团队的顶尖，还要塑造出一个意志坚定、无私无畏的领军方阵。省广这些年来的成长壮大恰好证明了这一点，兵法、铁军和领导构成了省广不可动摇的力量的铁三角。而这个力量铁三角的惟一检验标准就是实战。

“今天的市场营销的本质并非为顾客服务，而是在同竞争对手的对垒过程中，以智取胜、以巧取胜、以强取胜。简言之，市场营销就是战争……”。上个世纪即将闭幕的时候，“定位”理论的大师抛出了惊世骇俗的“营销战”理论，一针见血指出了营销的实质其实就是战争。读大师的《营销战》，再读省广的《广告兵法》，我从中感受到两股汇合的潜流。实战出人才，实战出思想，实战出成果。

实战高于一切，就是广东省广告有限公司核心竞争力的源泉。

序二：犀利兵法，创意华章

谢世东

（合生创展集团总裁）

应该有七年时间了，合生创展和省广的合作一直延续至今，我想这个数字很能说明一些问题。七年时间，很多东西在发生变化，可是有些东西却是不变的，譬如与省广在工作中结下的深切默契，譬如说在市场上比肩叱咤风云的豪情，譬如说共同分享销售屡创高峰的喜悦……

平心而论，作为本土最大的广告商，省广不仅是一个商业上好的合作伙伴，更多的时候，他更像一个知心的老朋友，一直陪着合生创展发展壮大。七年时间，合生创展和省广一起经历了很多重要的里程——从最初的鸿景园、暨南花园开始到现在的珠江帝景、骏景南苑、华南新城、愉景雅苑、华景新城、逸景翠园——每一个项目品牌的丰满和成长以及企业品牌的进一步发展壮大，省广已然成为工作团队不可或缺的一分子，他们专业、敬业的精神感动着我们，也催动着我们共建良好合作平台。

今天很高兴看到省广的《广告兵法》出版，书中凝结了省广多年实战的经验，其中也有与合生创展共同开拓销售管理的个案，令我倍感亲切。《广告兵法》内容丰富而厚重，是犀利的兵法，创意的华章，予人诸多启迪。省广通过这本书，与业界分享自己的知识与经验，体现出“本土广告业扛旗者”的风范与气度，我们也因为有省广这样的合作伙伴而感到与有荣焉。

古人说：“奇文共欣赏，疑义相与析。”因此，我祈望业界同仁“共欣赏”、“相与析”，共同成就中国的“广告兵法”。

领兵篇 孙子曰：合之以文，齐之以武。上下同欲者胜。

谋攻篇 孙子曰：百战百胜，非善之善者也，不战而屈人之兵，善之善者也。
上兵伐谋，其次伐交，其次伐兵，其下攻城。
知彼知己，百战不殆。

奇正篇

孙子曰：兵者，诡道也。
凡战者，以正合，以奇胜。
奇正相生，如循环之无端，孰能穷之？

虚实篇 孙子曰：兵之胜，避实而击虚。
故兵无成势，无恒形。能因敌变化而取胜者，谓之神。

迂直篇 孙子曰：军争之难者，以迂为直，以患为利。故迂其途而诱以利，
后人发，先人至，此知迂直之计者也。

知胜篇

孙子曰：知胜有五：知可以战与不可以战者胜，识众寡之用者胜，上下同欲者胜，以虞待不虞者胜，将能而君不御者胜。此五者，知胜之道也。

形圆篇

孙子曰：纷纷纭纭，斗乱而不可乱也；
浑浑沌沌，形圆而不可败也。

因粮篇

孙子曰：取用于国，因粮于敌，故军食足也。
故智将务食于敌，食敌一钟，当吾二十钟，
秆一石，当吾二十石。

第一卷

领兵篇

孙子曰：合之以文，齐之以武。兵无成势，无恒形。上下同欲者胜。

译文：

孙子说：用怀柔宽仁之道，使士兵思想统一，以军纪军法使之整齐一致。用兵作战没有固定刻板的战场态势，没有一成不变的作战方式。全军上下意愿一致的就能够胜利。

温卫平案头有一部线装豪华版《孙子兵法》，价值980元。看来，这是他的心爱之物。当我们翻阅之际，他慷慨地说："拿去吧。"随后又补上一句，"看完要还给我。"

窃以为，温卫平爱《孙子兵法》爱得很有些道理。清人魏源说，《周易》、《老子》、《孙子兵法》，都是"言兵之书"，"其道旨皆冒万有，其心皆照宇宙，其术皆会天人，综常变者也。"毛泽东也认为"老子"是部兵书，他向"二战"传奇人物蒙哥马利元帅推荐《孙子兵法》，说"里面很有些好东西，一些很好的原则"。

温卫平与他的伙伴们，从中华文化的源头吸取养分，比照着现代西方管理理论、方法、技术，琢磨出一套独具个性的管理哲学、管理方法，把公司由弱小带向强大。

其实，世界上诸般学问，无论中西，其极致，或曰"道旨"都是相通的。所不同的是，《孙子兵法》不过六七千字，而各种管理著作动辄洋洋数十万言。《孙子兵法》简练、精要，很合广告之道。

时下使用率最高的词恐怕要数"知识创新"。何谓知识创新？融会中西、古今，在实践中找出行之有效的东西，就称得上创新。

1.1 只有强大才能得到尊重

21世纪头两年，全球经济景气低迷，惟独中国大陆"风景这边独好"。作为经济的晴雨表，中国广告业的迅猛发展也反映了这种态势。2002年第一季度，中国的广告花费达32亿美元，同比增长32%，以绝对优势成为亚洲广告大国及全球广告市场发展速度最快的国家。

这两年，有两点值得注意：全球企业500强齐齐向中国行"注目礼"，且以"本土化"作为开拓中国市场的竞争战略；而中国广告界则由向跨国广告公司顶礼膜拜、亦步亦趋，转为注重"本土"优势，且自信心日渐增强。2002年11月在北京召开的"中国本土广告公司发展论坛"，就是这种"本土意识"觉醒的标志之一。寻找、确立、发挥自己的比较优势，凝聚核心竞争力，成为此次论坛的焦点议题。

作为"本土广告业的扛旗者"，广东省广告有限公司董事长兼总经理温卫平先生应邀在"论坛"发表演讲，结合省广的发展历程，阐述了只有强大才有出路，只有强大才能得到尊重，只有强大才有安全的竞争、发展之道，受到与会者及多家媒体的关注。

"实干兴邦"，省广是做大做强的

邓小平说过："空谈误国，实干兴邦。"

省广是在实干中做大做强的。十年前，省广主要靠出口广告和来华广告生财，营业额8000万元人民币。十年来，省广靠改革求生存、图发展，实行了三次大的转型：

- 经营战略的转型；
- 公司所有制的转型；
- 公司治理结构的转型。

第一次转型，始于1994年，成于1996年。1994年，温卫平在广东罗浮山召开中层以上干部会议，提出假如来华广告没有了怎么办？假如出口广告没有了怎么办？假如公司业务出现全面滑坡了怎么办？针对"三个怎么办"，实行了三个转变，即把来华广告转向国内广告，由依靠进出口广告转向国内企业，由单项代理转向全面代理总体策划。这较好地制止住了因进出口业务终止而出现的严重滑坡现象，稳定了公司，稳住了人心。

1996年公司提出人才取胜，走全面代理的发展道路，先后招聘了丁邦清、王肖麟等高手并利用代理春兰长江以南广告业务的有利时机，从思想上、作风上、组织上把公司内部管理和人员推向了全面代理，总体策划的战车。这使省广成为一个全面代理总体策划并能提供全方位服务的新型广告公司。公司实现了第一次转型。

这次转型，主要表现为经营战略的转型。而支撑这次转型的"内因"则是制度创新。省广2002年以前是国有广告公司，这样的公司全国原有18家，后来大多数自生自灭，"泥牛入海无消息"。省广所以能生存、发展、壮大，全靠"体制内"的锐利改革。

1996年，省广代理春兰电器长江以南广告业务，是省广向全面代理、总体策划、全方位服务转型的标志。

1997年，为适应全面代理，总体策划的发展需要，在公司内部进行了深层次的人事制度和工资制度改革。干部能上能下，工资拉开距离，并实行年薪制，体现了按劳分配，量才使用的用人用工原则。在这一年里，随着公司发展需要，提出了商品经济、军事管理的原则。并提出了要争做本土广告公司扛旗者的目标。1998年，公司实现了由部门承包过渡到整体服务，使省广的全面代理总体策划日臻完善。到1999年，公司的营业额由1993年8000万元上升到5亿元，实现了全国本土广告公司扛旗者的目标，也为公司成立20周年献上了一个大礼。2000年，公司在以每年平均20%的增长速度发展时，没有骄傲，适时地提出了精耕细作、厉兵秣马，加大力度培养人才和使用人才，较好地与客户建立起对话平台。根据公司发展需要和管理需要，在公司内部推行了三级管理、三级策划、三级服务、三位依托的经营体系。2001年，公司营业额突破了7亿元。根据员工要求，我们及时向广东省外贸集团公司提出了股份制改造的报告，开始了公司的股份制改造工作。

改制：变有限，创无限

第二次转型，是公司所有制的改革，即由国有向民营为主的体制转型。这次转型，是产权制度的根本性改变，是具革命性的制度创新。

2002年10月，广东省广告公司经广东省政府同意，改制为广东省广告有限公司，公司49名自然人占了70%的股份，国家占30%股份。然而，改革也是一场革命。因为体制改革实际上是一场利益再分配，涉及到国家、公司和职工的切身利益，稍微不慎都有翻船乃至前功尽弃的可能。我们公司改制在保证公平、公开、公正的前提下，首先为60位内退的员工买断工龄，为改制轻装上阵创造了条件；然后在改制过程中向职工讲清楚两个问题：公司任何人都可以入股，但必须承担经济责任和经营责任。所谓经济责任，指的是想入股就必须出钱，现金交易，少个子儿都不行；所谓经营责任，指的是不管谁入股，你都必须承担经营责任，要背经济指标，绝对不能出了钱入了股就等着分红，坐享其成是不行的。在具体组织实施过程中认真做好六个方面工作，即自愿报名、部门推荐、局长公开评审、专家推荐、党委复议、职代会通过，较好地完成了改制任务。

改制以后的企业，也不是一改就好，一改就发；也有一改就死，改了就关门的现象。关键是一班人，是不是办实事做大事的。为此，我们在如下几个方面寻找出路：一是深入进行思想发动，明确阐明改制的目的是为了解决财产所有权问题，让部分职工由打工仔成为企业的主人，因为只有恒产才有恒心。二是引导职工利用改制后的有利时机，放下包袱，从零开始进行二次创业，唱好本土广告公司求生存、图发展的主题曲。三是教育全体员工，正确对待股东和员工的问题，提出“省广是我的，我是省广的”这一口号，激励省广员工以主人翁精神，把省广的事情办好。四是公司推行前端和后端经营战略，要求后端在2002年的7.2亿元基础上增长10%，解决稳定发展的问题，而前端则要成为一个有影响、有创新的广告公司。五是邀请公司外围顾问——北京广播学院丁俊杰院长、广告学院黄升民院长、上海师大金定海教授、厦门大学朱月昌教授、中山大学卢泰宏教授、赣南师范学院李世丁教授，来为广东省广告有限公司的未来发展出谋献策。六是在教授会诊的基础上，公司提出了省广分两步走的发展战略：第一步，到2005年用三年时间实现“1110”的目标，“11”是指到2005年公司营业额要实现11亿元，“10”是指到2005年公司以336人计，人均年薪要达到10万元，使省广成为比较大和比较好的公司；第二步，从2006年到2015年用10年时间实现25亿元的营业目标。七是重新整合公司八大资源，让它发挥搞大搞强的作用。八大资源即公司年营业额7.2亿元的规模资源、公司有一批长期服务的新老客户资源、具有一定规模全国范围内的户外广告资源、公司自己有几个亿的媒体资源、公司有200个专业骨干为公司目前总人数的75%的人才资源、有严谨的军事管理制度等管理资源、有良好的财会状况资源、有较好的公司体制以及内部激励机制。

2003年是公司改制之后实行股份制经营的第一年，又是公司分两步走发展战略的关键年，只要能完成2003年各项任务，就能按时完成2005年目标。

抓大事，干实事，顺利完成第三次转型

2002年，省广人几经努力基本按照公司要求完成了股份制改造，实现了公司平稳地由单一国有企业向股份制企业的过渡。公司在2001年7.2亿元的基础上，不论营业额还是利润又有较大幅度增长，这一增长深刻地证明广

东省广告公司已冲破了7.2亿元的瓶颈，向新台阶迈出了生死攸关的一步。

但是，经过几个月的运作却发现不少问题。最大的问题是新的股份制公司运作机制基本上还是原来国有公司的东西。这表明公司所有制虽然变更了，但人的思维方式还没有完全变过来，思维的惯性仍然不小；“两步走”的战略规划虽然制定了，但支撑战略规划的公司运作机制尚未完全确立。

薄弱环节决定未来，最短的木片决定木桶装水的多少。3月初，公司召开中层干部会，部署第三次转型相关任务。

转型，首先是思维的转换。第一是“清理”，清理一切不合时宜的阻碍公司发展的思想、观念、方法、制度。第二是“梳理”、“扬弃”，把公司现有制度中仍然有生命力的部分传承下来，发扬光大，即如列宁所说的：“不要在倒脏水时连孩子也一起倒掉。”比如说，公司改革求生、不断进取的精神，三级管理、三级策划、三级服务的管理模式，贴身服务、快速反应的机制，人才激励与约束的系列制度，与时俱进的超前创新意识和危机防范的忧患意识等等，是省广得以由小变大，由弱变强的根本。这些东西，已融入省广的血液，化为省广的性格气质和行为方式，成为公司文化的重要组成部分，因而不仅不能丢弃，还应使之更加系统化、规范化、科学化。

在总结经验、分析问题的基础上，公司又提出了实现第三次转型的对策及当前必须解决的问题：

1. 建立期权制度与员工奖励基金制度。这两个制度的强度要对想来省广的人产生足够的吸引力，对想离开省广的人则足以让他走得心痛。

2. 制订符合市场发展规律及行情的工资制度。

3. 建立培训中心，解决人才培训、人才储备及稳定问题。

4. 逐步实行部门经营的公司化，走集团化之路。这是“一石双鸟”之道，它既为公司发展、壮大创造了空间，也为人才的个人发展创造了空间，为优秀人才的升迁提供了管道。

5. 强化公司的知识管理，建立公司知识库。公司在经营中所创造的知识，是公司的Know-How，是极为重要的核心竞争力。对内，它是极为珍贵的培训资源，对外则体现为公司的竞争力及公司的形象力。这同时也是使公司成为“铁打的营盘”，“人”去而“楼”不空的重要保证。

6. 重新组建公司策划中心，实现“三角顶一台”，即策划、市场、媒介支撑业务局。

7. 整合公司媒介资源，成立三赢传播公司。实行媒介购买的策划化及媒介策划的购买化。

8. 公司经营与公司后勤服务分离，实行后勤服务社会化，解决冗员问题。

1.2 策划队伍建设要略

一个现代化的广告公司由市场调查、策划创意、设计制作、媒介服务、客户服务五大要素组成，其中广告策划是五大要素中的首要因素，是公司的灵魂，策划是个纲，纲举目张。省广通过多方努力，建设了一支有组织有纪律、识大体顾大局、高水平高效率的策划队伍。

一、省广通过转制，实现内联外引，包装上市，资本经营。这是省广求生存、图发展的必由之路，也是保证省广长治久安、持续发展的战略决策。因此，广告公司总体上要实现管理科学化、经营专业化、员工知识化，这就要求策划人员应达到专业内行、管理专长、市场先知、服务到家的境界，所以在策划队伍中打造高、精、尖、诡的人才是公司策划队伍建设的核心内涵。

二、正确的政治路线决定之后，干部就是决定的因素。策划人员的选择（包括市场策划、广告策划、媒介策划、客户服务人员）必须建立在扎扎实实地做人、认认真真地做事、勤勤恳恳地搞好本职工作的基础上。做人是根本，有德无才之人不坏事，有才无德之人会败事，无才无德之人不成事，德才兼备之人能兴事。广告行业是“食脑”的行业，用脑则用心，心到则事成。这种心要出自公心，这种公心就是：公司为我想到了一切，我要为公司做好一切。公司推行岗位责任制，就是要考核每一个员工的工作价值，让人感受岗位价值，体现人生价值。公司给个人提供一个发展空间，施展才华的舞台；而个人则为公司积累资源，在这个舞台上演一幕幕有声有色的佳作，从而实现双赢。

三、在三级管理、三级策划、三级服务、三位一体的运作机制中，广告策划处于中心地位，因此加强对策划人员管理是保证公司运作机制成功的重要一环。策划人员管理主要是政治上和业务上管理。政治上要强调小道理服从大道理。中国是在中国共产党领导下的社会主义国家。在目前条件下，稳定和发展是压倒一切的大道理，要把国家前途以及个人发展紧密结合起来。在这个大前提下要正确处理好以下几个关系：一是社会环境与个人成长的关系，社会环境是个人成长的根本条件，成才是为社会作贡献；二是付出与得到的关系，付出之后得到劳动报酬，是生存需要，要想得到，首先必须付出；三是做人与做事的关系，老老实实做人，认认真真做事，是社会要求的个人素质表现；四是做事与个人成长的关系，一滴水不是一条河，但每一条河都是由每滴水汇成的，大凡有作为的人，都十分注重做好每一件事；五是个人与集体的关系，将军的红星是士兵鲜血染红的，个人成功是靠集体智能铺就的，这个道理大家应当很明白；六是名与利的关系，一般而言，有名会有利，但如果单纯追求名利，惟利是图，其结果是名利双无。只有处理好上述关系，才有正确的价值观，才能正确理解个人成长与公司发展息息相关的道理，才会越干越感到自己不足。

四、公司三级策划人员通过三级管理来实现。公司策划创意、设计、市场、媒介总监在公司总经理领导下授权开展各自业务管理工作，并对总经理负责；各业务局总监、策划指导、设计主任对公司相应的总监负责；各业务局策划人员、设计人员受所在业务局长管理，对其局长负责；各分管总监有权决定业务局长的岗位工资、奖金分配；各业务局长有对所属策划人员、设计人员以及员工的工作、工资、奖惩等项的决定权利；各局策划人员、设计人员以及员工必须对其局长负责，同时要接受公司策划总监丁邦清的业务指导以及工作指挥和协调。

五、公司积极支持成立培训策划人员俱乐部，组织“论坛”，并在论坛当中开展思想业务讨论。鼓励策划人员通过俱乐部形式与经理室进行公司发展战略讨论，通过俱乐部选派策划人员出国考察、学习深造，通过俱乐部参加评比等项活动，从而使策划人员多出人才、早出人才、快出人才。组织形式由公司牵头，每年拨出一定的活动经费，有一个常设会员为骨干，保证月月有活动，活动有收效。

六、万丈高楼靠坚实基础，要建立一支有组织有纪律、识大体顾大局、高水平高效率的策划队伍必须从选才、育才做起。为此，公司在选择、培养策划人员方面必须坚持八种制度。一是策划人员选拔制度。条件是来自重点大学，本科以上学历，经过笔试面试、实际考核，身体合格的专业人才；在社会上有一年以上实践经验者，可免半年见习期，且工资从优。二是策划人员使用制度。策划人员应具备专业知识、管理才能、协调能力、领导水平，使用基本原则是唯才是用，高才重用，有才无德坚决不用。三是策划人员工资制度。实行按岗取酬，按业绩晋升晋级，按贡献论功行赏。四是策划人员奖励住房制度。五是建立策划设计专业人员档案制度。专业档案是策划人员的业绩记录，是晋升晋级凭证，是竖碑立传根据。六是策划人员充电制度。公司策划指导设计主任级以上人员原则上在3~5年之内都应有一次外出学习机会，近距离如中国香港、台湾以及泰国、新加坡、马来西亚等地。七是坚持策划人员出作品、出成果奖励制度。通过组织评比，按得奖级别由公司给予奖励。八是策划人员统一管理使用调配制度。为充分发挥策划人员作用，平时分散到各局工作服务，需要时集中起来统一攻关。

七、坚持优育、催生、换血的策划人员淘汰制度。优育就是选人要准，用人要狠，提拔要快，待遇要高；催生就是通过开路子、压担子让其早成才、快成才、成高才；换血就是物竞天择、适者生存，对无所事事、无所作为、心不在焉之人淘汰出局，腾出位置调进新人，保证策划队伍的活力和激情。日后，局长选择，公司级干部选择，都要重点在策划人员中选拔和提升，从而加速公司员工队伍年轻化、知识化、专业化进程。

八、策划队伍建设是一个系统工程，是关系到公司长治久安持续发展的大事，必须动员公司全体员工来关心、帮助、爱护，策划队伍要不负众望、不辱使命。具体来讲：一是要想引得凤凰来，首先栽好梧桐树，要从根本上树立市场条件下用人观念、用工观念，从根本上抛弃铁交椅、铁饭碗、铁本子（文凭证书）；树立新的真正的能者上、庸者下，年轻上、年老下，为了公司发展主动让贤让位、让待遇的思想；老同志要给新同志、年轻人树立一个令人钦佩、敬重的形象。二是敞开大门、打扫厅房、抹净桌子，迎接有志、有识、有才之士来公司共创未来。俗话说，铁打营盘流水的兵，美国总统都有任职期限，何况我们这些一官半职之人。事业是永存的，职位时间是有限的，看到公司事业不断地发展，就是退下来也应引以为荣。三是为了事业发展，每一个员工都要有培养和造就接班人的义务和责任感。人总是要老的，这是不可抗拒的自然规律。老一点的同志用自身表率作用去带领、引导新人老老实实做人，认认真真做事，本身就是为公司培养各种各样的接班人。四是公司要以全国最大的以资本经营的模式来设置内部架构，培养各级接班人。一旦时机成熟，就把他们推向第一线，成为广告高人。

九、在岗位上的各级策划人员要不断地学习，不断进步，逐步向高、精、尖、诡方面迈进。如果停滞不前，不思进取，毫无疑问，他的事业生命也是短暂的。广告行业是朝阳行业，是年轻人的事业。年轻的策划人员刚刚从学校走向社会，走向广告岗位，由于各种原因，他很可能一举成名，或者有一些收获；但如果他不练好内功，打好基础，必定是昙花一现。一些收获的人，应当精耕细作，厉兵秣马，用雄厚扎实的功底去开创未来。

1.3 5A广告新理念

1A：Aim

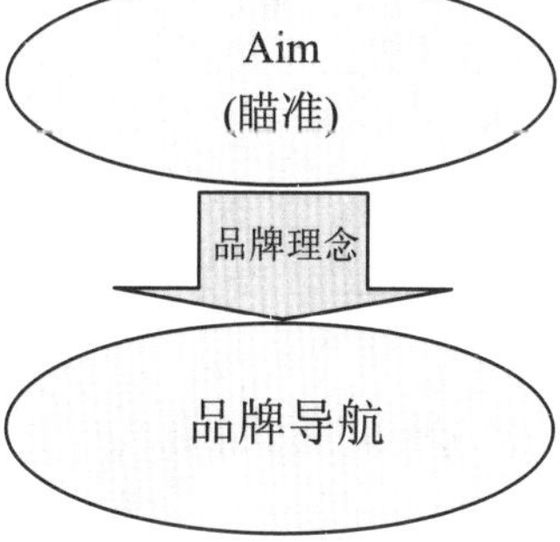

方向决定了品牌的生存。因此，品牌服务的核心就是品牌导航，即在多元化的市场机会中寻找出最有利于品牌发展的方向，并以直接有效的方式命中目标。

2A：Attractive Affect

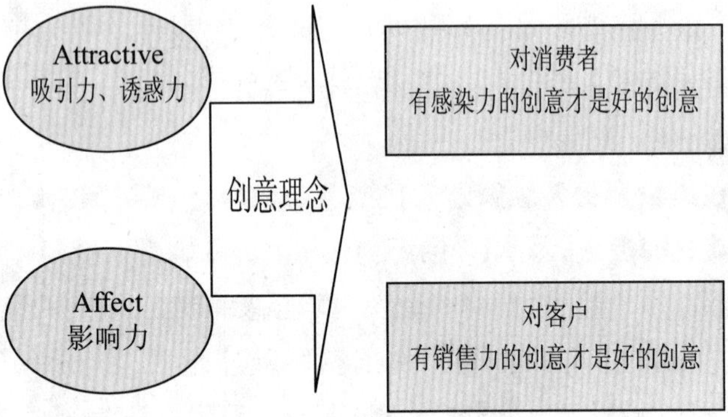

我们坚持这样的观点：广告创意的最终目的是促进销售。但我们并不放弃对创造性的追求。

对目标消费群没有感染力的创意，不是好创意；在目标市场没有销售力的创意，不是好创意。一个好的创意必须兼具感染力与销售力，并让两者迸发出威赫光芒。

3A：Anytime Anywhere Anything

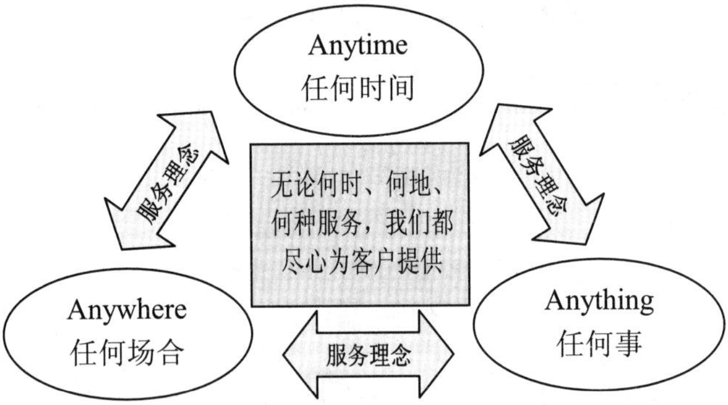

无论何时何地何事，永远增值服务。

客户需要是我们服务的惟一前提。

客户一分投入，我们十分努力，力争百分效果。

客户的形象经过我们的服务得以升华，我们的价值在为客户的服务中得以体现。

我们因客户的需要而生，因客户的成长而发展。

我们与客户必然是风雨同舟，甘苦与共。

拥有市场是我们共同的生命。

4A：A A A A

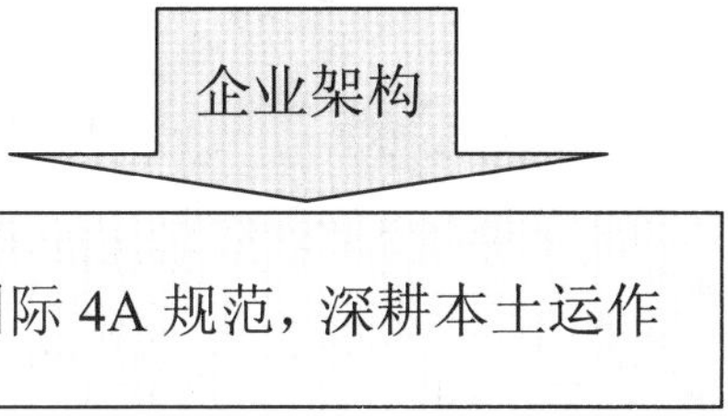

吸纳国际 4A 标准，实行具有本土强大优势的规范运作。

在省广，每一个品牌都拥有自己的品牌服务组。通过品牌业务局对客户总监负责，客户总监对总经理负责的三级负责制，最优化地整合公司资源。

省广还以业务局为中心，建立策划创意局、市场调查研究中心、媒介中心三个支持平台。策划创意局为客户和品牌服务组提供建议和策略，市场调查研究中心提供最新的市场动态和分析，媒介中心提供媒介策略和最优化的媒介组合投放。

5A：A A A A A

我们倾注创意、创异的心血，浇灌 5A 级作品，成就客户的品牌形象，成就创亿元的行销力。

这些 5A 级作品，还赢得了行业殊荣，历经时间磨砺，成为我们实力的见证，并以此塑就广东省广告有限公司卓尔不群的品牌形象。

1.4 创新十大提倡

只有创新，才有发展。

什么叫创新？创新就是：敢想前人不敢想的事，敢做前人不敢做的事，敢于否定自我，甚至曾经成功的东西。十大提倡就是创新的具体表现：

提倡标新立异，反对照搬照套；
提倡独出心裁，反对固步自封；
提倡敢于否定，反对唯上、唯老；
提倡独立自主，反对随声附和；
提倡新人新事，反对清规戒律；
提倡一点化，反对一般化；
提倡先声夺人，反对面面俱到；
提倡后来居上，反对因循守旧；
提倡公平竞争，反对照顾关系。

1.5 领跑者（十则）

强有力的公司，一般都有强大的文化。省广亦不例外。

如果说价值观是公司文化的灵魂，那么公司“领跑”人物则是价值观的化身，是组织力量的缩影。他们是公司的中坚，伟大的带动者。用温卫平的话来说，就是只有“有学的，才有赶的。表率作用，力量无穷；

榜样作用，有无穷力量！”他们通过以下方式来强化公司文化的基本价值：

- 展现成功的可能性；
- 提供员工学习的榜样；
- 作为公司形象的象征；
- 建立绩效的标准；
- 公司组织的强大“黏结剂”。

温卫平其人

一、“在是是非非中前进”

我15岁当兵，1966年参加援越抗美，1979年又参加中越自卫反击战，任通信处副处长，1983年转业到地方，1993年从机关到公司工作。

当时我有两种可能，一是到深圳一家公司，一是到广东省广告公司。党组织同意我到深圳那家公司当总经理兼党委书记。但深圳那家公司是广东跟北京外运的合办单位，一切手续要经过北京同意。在征求对方意见时，他们把我打入冷宫，为什么呢？你温卫平是人事干部出身，从来未搞过业务，你担任不了公司的老总，建议另派总经理。这个时候正好广东省广告公司老总退休了。那我就要求去广告公司。当时有人说，广告公司非常复杂，又是小公司，搞得好又没什么前途，搞得不好就要臭名昭著了。我说，我去搞。一拍即成，就这样，我到了广东省广告公司。

所以说，我的工作并不是很顺利：在是是非非中摸索，在是是非非中前进，在是是非非中发展。我是个有争议的人。

二、“我的职责是铸造企业灵魂，建立运行规则”

我始终对自己作为一个广告公司老总有一个积极的心态，我的心很坦然。对我们的专业人员，对客户以及对任何人，我都如实讲。我是军人出身，广告这个领域我是新兵，但我这个新兵不是被动的新兵。不能说我不懂就完了，我要学。我跟丁邦清讲：丁邦清，你在省广这么长时间，你最忠诚的学生是谁？他答不出来，他不可能答出来。我说，你最忠诚的学生首先应该是我，温卫平。他说，喂，怎么可能？我说你丁邦清讲的任何一个观点，任何一个方法，任何一堂课，我都是从始至终听的。你丁邦清很多东西我都在跟着学，而且我应用得非常好。我自己曾经不懂，并不是坏事。承认自己不懂，虚心向人家学，先当学生，然后再当先生未尝不可。这一点我非常坦然。

我认为一个领导者首先是搞好管理。管理者就是管理者，他不是一般负责，而是负总责；这一点没有什么含糊，不要推辞。管理者是管人的，管具体做事的人。我的职责是铸造企业灵魂，造就人格健全的员工，建立运行规则。我不可能和丁邦清一样去搞创意，去谈客户，没有必要。你丁邦清去谈好了，就等于我谈好了。很多领导者就怕失去自己的权力，凡事亲力亲为，什么都想自己插手，实际上不可能。如果什么事都要你去做，那要这么多总监和人才做什么呢？这个公司为什么要搞这么多人呢？要以"无为"管有为，这个才是对的，这就是我始终坚持的原则。很大的事我都放手让他们去搞，我只需要管好这些人就行了。这些人的思想，这些人的脉搏，这些人的动静，老实讲，我非常清楚。在部队20年，我学会了做人，在人事处我学会做事。做人要老老实实，做事要认认真真。把这两点带到省广，我就学会了管这些人，通过这些人去做好任何事情。他们把事情做好，不就等于我做好了？省广这几年发展这么快，人家说这个老总一点功劳都没有，谁信？我想一个老总的好坏，决定了这个企业的沉浮。是不是所有的事都是你老总的功劳呢？那你不能这么说，下面这些总监，几百号人他们什么都没干？不可能。作为一个老总怎么去调动这些人的积极性，把整个集体搞好，才是他该干的事。

三、军事化管理

我们在省广实施军事化管理，其中一个背景就是我们公司领导班子大部分是军人出身。我是20多年的老兵。我们的传统行为会影响到我们现在的做法。比如广东人的普通话永远是带着广东味，北方人的广东话也能听出北方人的味道。当军人时间长了就会养成一种习惯和做法，比如我现在走路，总是挺胸收腹。

广告公司有三个特点和军队非常默契。第一，快速反应。军队取胜的法宝，是分秒必争，一个命令下来，就要马上行动。广告公司也一样。比如投标，别人要求你5天，你说：不行，10天。那这个机会就让给别人了。一个市场调查人家要3天，你说，不行，要一个月。这个机会又没了。没有项目策划，又没有了市场调查，那你还能生存下去吗？第二，团队精神。军队从来没有单兵就能打仗的，要打胜仗都要团结一致，上下一条心，令行禁止。如果某一个广告公司把所有的希望都寄托在某一个人身上，这个公司迟早会彻底垮台，你信不信？军队讲究集体作战，广告公司的团队精神很重要。像我们公司上山封闭的集体创意活动。大家都出创意，把专业的人才集中起来才能出最优秀的方案。这也是团队精神。第三，纪律。你说广告公司没有纪律行吗？要完成一个任务拖三拉四，张三来李四不来。晚上要加班加点，设计的来了，创意的不来，客户人员来了，创作人员不来，这怎么能做好广告？所以，广告公司也应该讲纪律，这一点非常符合军队的做法。

几个共同点，融合在一起，都跟军队有相似点。既然相一致，就给我们提出一个问题：为什么我们不在这个基础上提高一步，实行军事化管理，把这个队伍练好，队伍好了，公司就有战斗力；有战斗力了，当然营收增加，员工收入就会增加，积极性也就高。

但我们不是叫员工每天都去排队向左向右看，我们不可能搞这个东西。我们只在思想灌输、意识形态、工作作风方面，引进军队管理的精髓。在公司的每个人、每件事中养成一种雷厉风行的习惯。如省广上山封闭作业，是我们在没有先例的特定环境下创造出的一种训练方法。公司里头乱糟糟的，大家不可能去专心创作，那只能相对集中人力、时间、地点到一个山上作封闭式的投标前准备。在投标中，怎么表现省广的品牌、风貌、精神，穿什么衣服，戴什么领带？这都是军队的要求。可是，在工作过程中，员工的家属来探望，公司的领导都会很热情地接待。情到意也就到了，意到了，这种凝聚力也就出来了。

我们并不说定下多少多少条军规，而是把作为军人的作风，传递到具体的每一个工作环节中去。

丁邦清：一个常点倒烟头的学者

“丁老师，你的烟头点倒了”。在整体策划项目头脑风暴和沙盘作业会上，常有人出此言。被人称为丁老师的乃是省广副总经理、策划创意执行总监丁邦清。他从武汉大学拿了硕士学位南下广州；在商学院任教5年，最年轻，却担任了教研室主任；且独立承担广东“八五”青年学者扶植基金项目，发表了一系列颇有创见的广告学、传播学、哲学和经济学论文；现在又担任中国广告协会学术委员会常委，全国广告展、全国报纸广告展、广东省广告展、广州4A奖评委。在省广平均年龄只有20多岁的年轻群体里获称老师，倒是顺理成章。

从丁老师常倒点烟头这一细节，不妨看出两大本质来。一是从业特别投入，直至走火入魔。他常声称：“凡事必认真，从业必敬业，莫言觉悟，乃天性使然。”他常有此类“金句”从策划局里“走私”出来：“广告的绚丽之花，是广告人用心作容器，用血去浇灌的。”“只有十分敬业的人，才能得到事业的一份尊敬。”“呕心沥血，熬更守夜就是一个以广告作为事业而不是作为职业的人的人生炼狱。”云云，由此领了个“工作狂”的封号，在1997年小天鹅整体策划中，他连续数日通宵达旦，在最后演讲时，抱病上阵，坚持以微弱的声音预讲。此事在省广的客户中传为佳话。他的部下则敬畏地称他为“一头狼”。他的哲学逻辑是——如果把狼消灭，羊就会生病；有了狼的追逐，羊才会更强壮，奔跑更快。也许是这种搏命精神的传染，策划创意局的年轻人迅速成长，一年内在全国、广东省、广州市就获得了35个奖项，有的获奖作品被中广协指定送法国戛纳节参展。二是常打反牌，倒行逆施，时出惊人之语，出乎意外，使人顿然醒悟。在人人言必称创意时，却妄言创意本身无所谓好坏，若一个不体现策划意图的创意，就如同一个不体现战略的战术一样，不仅无益，反倒有害。其人文弱书生，却酷爱兵书，每遇人说起《三国》，必言诸葛孔明一生打反牌必赢，反之必败。的确，商场如战场，要辅佐企业决胜于商场，出奇方能制胜。兵者，诡道也，诡道乃是反其道。他许多成功的广告案例，或许得益于这种反牌之举。

从20世纪80年代涉足广告以来，无论是作为丽珠得乐系列广告和“格力电器，创造良机”格力系列广告，还是作为“骑虎驱豹，威猛凛凛——春兰摩托”，“健康是金，能吃是福——金福米业”，“起步，就与世界同步——广州本田”，“星河湾，一个心情盛开的地方”的广告语，或是作为总监春兰、小天鹅、科龙、广州本田、健力宝第五季、水井坊、海天味业、丽江花园的整体广告策划创意，他“搏命”的天性和“逆反”的思维特征都得以充分显现。

作为学者型的广告人，其秉性难移，嗜书如命，他自订“每周一书”的铁律。常语：“人生苦短，常恨夜长。”成为广告人后，夜读恶习变本加厉。信奉“搏于外尤贵精于内，讨诸理论尤贵达于事”。鼓吹广告人应手捧理论，躬身实践。作为学者出身的广告人，他深感我们民族企业的广告费与国际一个大品牌一年数亿美元，甚至十来二十多亿美元广告费相比，实在是太稀少，太珍贵了，如果还浪费在我辈之手，实乃犯罪。提倡在追求广告效益最大值时，不可忘记还要追求客户广告成本的最低化。这也许是诸多广告主喜爱与他交朋友的缘故吧。

戴书华：融入广告业

笔者问戴书华：“浸淫广告 12 年，什么事让你最有成就感？”

他说：“我完全融入这个行业了。”

这个回答让笔者意外。身为公司副总经理，分管着五个部门，几乎占了省广的半壁江山。他年年超额完成任务，可谓公司功臣、重臣。他辖下的四局，在广州房地产界声名赫赫，随意拿个案例来显摆显摆也够有“成就感”的了。本期待他拿件很 NB 的事来展现他的成就感，谁料他咋就抛出这样一句话来呢?

此公说话向来有分寸，既然这样说了，这话肯定是“其中有深意”了。且听戴书华如何表白。

我的经历很单纯，学校、部队、广告公司。部队 20 年，呆得最长，其间上过军事指挥学院，受过中级指挥员的系统训练。转业后，就到了广告公司，一直呆到现在，并打算一直呆到退休。我干一行爱一行。转业，是组织决定，不是我的选择；到广告公司来，则是自主选择。

俗话说，隔行如隔山，又说隔行不隔理。“隔”与“不隔”，全凭心领神会。根本问题是态度，或者说你爱不爱所干的这一行。爱，则能倾情投入，用心深研。只要钻进去了，你会发现，行与行之间，在基本道理或规律层面其实是相通的。我感到军队与广告就有许多相通之处，譬如，孙子说“齐之以武，合之于文”，“上下同欲者胜”。省广将这个原理创造性地转化为公司的“军事化管理”制度，就得到业界、学界的赞许，誉为“管理创新”。这方面，公司总经理温卫平有许多精妙见解，令我获益良多。

有些分量的广告人多数认同这样一个道理：做广告，功夫在广告之外。所谓“世事洞明皆学问，人情练达即文章”。人情练达，或者说得“现代”一点——人与人的沟通，这是最难的。目标市场、客户、同业、员工，不都是一个“人”字吗？时下，大家把中国加入世贸后本土广告公司与国际4A公司的人才竞争，看成是“生死攸关”的大事。人才，是广告公司最重要而又最动荡的因素。动荡，尤以“新生代”广告人为甚。但我们若以“浮躁”一言以蔽之，就未免失之于简单化。据我了解，年青人30岁以前都想增广见识：在本土公司呆呆，再到跨国公司呆呆；国内呆呆，再到国外逛逛；做做打工仔，再做做老板……待甜酸苦辣、世态炎凉都品味过后，人也到30岁了，就该“三十而立”了。别只说他们很叛逆，骨子里还有孔夫子的观念在呢！

为留住人才计，我十分注意与“新生代”沟通。通常做法是动之以情，晓之以理，再尽可能地创造条件让他们增广见识。这样做后，想走的大概可以留住50%。执意要走的，也不强留，好聚好散；出去的人，在外打拼几年后，也有不少再回到公司来。为了不使人才流动产生过大的振荡，公司订立了一套对策，诸如人才储备、体制改革、待遇和培训等等。

沟通工作难做，但只要坚持诚信原则，一般说来，可以做到“沟”而能“通”。鼠窃狗盗者，成不了大事。省广所以能成为本土广告扛旗者，坚持诚信原则是其成功的根本原因。我本人坚持“宁可天下负我，而我不负天下”的信条。

譬如说，对客户我们坚持双赢的游戏规则，实话实说。与客户交往，比的不是谁更聪明，比的是谁更老实。

省广在房地产推广方面声誉卓著，因此有许多开发商找上来要求合作，有的甚至将他的几个楼盘全交给我们，这的确让我们显得很“牛”。但我们是否应该统统接下来呢？我们没有那样做。全接下来，当然会进账多多，但我们有那么多资源来做好服务吗？因此，我们实行“计划生育”，为客户好，也为公司好。

有时，选择退出也是坚持诚信的表现。我们曾成功地推广了一个非常具震撼力的楼盘，但是在后续的推广中，客户咨询顾问公司的意见与我们相左，而我们又认为其意见不妥，我们主动地退出。好合好散，说不准日后还会成为好伙伴。

再譬如，对同业守诚信。因为我们在汽车广告方面的声誉，有客户极为热情地要我们代理其汽车广告。我们仔细地研究了其原有代理商的广告，认为其策略正确，市场效果也不错，就婉谢客户之美意，建议不要频繁地更换代理商，这样对大家都有利。

这样做，并非说我们不要利益。其实，我们每做一件事都是从公司根本利益出发的。比如说，《孙子兵法》是部兵书，但你若把它仅仅看成一本“打仗的书”，那就错了。《孙子兵法》的精髓是从维护国家的根本利益出发，上上之策是“不战而屈人之兵”。从这个意义上看，孙子的军事思想是“非战”的。你看，说着说着就说到兵法上去了。其实，我感到做广告是我军人生涯的延伸，就像品牌延伸一样自然。

融入，融汇，融通。“融”则不隔，“融”则通。戴书华，堪称得“道”之广告高人。

陈钿隆：咬定青山不放松

陈钿隆从小就梦想当将军。因为腰圆膀宽，在大学时，伙伴们也就顺溜着叫他“将军”。谁知造化弄人，别说当将军，就连当兵也没混上，只好扯几尺绿布，做件“军装”穿穿聊以自慰。

有趣的是，他在省广遇上了同样没有做成将军梦的温卫平。但不同的是，温卫平是真正的解放军校官，这令陈钿隆心仪不已。温卫平也了解到陈钿隆爱说“没有攻不下的山头”，是位执著、不服输的人，倒真有一股军人气质。在陈钿隆刚干业务那会儿，正值全民拉广告年代，企业纷纷挂起“广告人免入”的牌子。1988年，省广成为“亚洲游泳锦标赛”

的广告代理，陈钿隆被派往广东西部招揽业务，吃尽了苦头。在一家卷烟厂拉赞助，被厂长好一顿臭骂，还被保安员抓着赶了出去。换个人，恐怕谁也受不了这般凌辱。可是，陈钿隆就像弹簧，压力越大反弹也越强。厂长的态度，反而激起了陈钿隆的斗志，咬定这个山头，不攻下它决不罢休，结果陈钿隆胜出。粤西之行，他不仅赢得了不少客户，更坚定了他的这种信念。

陈钿隆与温卫平没有任何渊源，全凭他那“咬定青山不放松”的劲头与一次次的胜出，而被温卫平看好，把他从业务员提升到部门经理、业务局长、副总经理。每年提一级，速度之快，连温卫平都戏称他是坐直升飞机上来的。眼下，他执掌业务一局、本田局、业务八局、天能公司和成都分公司的事儿。

问他职位变了，感觉变没变？他说，除了感到责任更重了，工作更忙了，身心更疲惫了之外，其他没变。其实，也不能变。肩上压的担子越重，你就得越像拼命三郎般打拼。不过，现在打拼与过去单打独斗不一样，得时时处处从公司的发展战略、整体利益着想，因而多了几分战战兢兢。

就说陈钿隆执掌下的广州本田的品牌服务吧。虽说是与世界级品牌亲密接触，但却一点也不浪漫。许多广告公司都想与这个世界级品牌“亲密”一回。有的广告公司虽然在竞标中失败，却仍然在不停地向广州本田暗送秋波。省广欲要“专美”，能不战战兢兢吗？陈钿隆继续娓娓道来。

服务广州本田五年来，虽说很累，但我们自己也在服务过程中学到了很多东西，使我们的服务日臻完善，更加规范化、国际化。通过广州本田的品牌服务，省广在汽车业界树立了良好的专业形象，并促使我们为避免客户冲突形成了解决之道，与多家汽车客户建立了合作伙伴关系。

我们凭快速反应、贴身服务，硬是把一件件看来“不可能”的事变成了现实，从而赢得了客户的信赖。

建立成都分公司是一个好的注脚。因为省广代理了“托普”和“炎黄在线”广告业务，在成都成立了省广办事处。恰逢国家强力推进西部大开发战略，成都市也为配合“西部论坛”召开，大力开展市容改造。当我们得知成都市公交公司要改造繁华路段公共汽车候车亭的消息之后，立即看到其中的商机，于是决心为之一搏。

当我向成都公交公司丁总递上名片时。丁总咕哝着哪有以一个省的名称作为广告公司名称的？我从她的眼神中看出了不信任。丁总在全国公交系统是出了名的女强人，实干、铁面无私，在当地有“铁娘子”之称。任由省广人百般解释，她硬是不相信，合作事宜就更是免谈了。我也不是轻言放弃的人，便祭起“没有攻不下的山头”这个信条，一路强攻硬打下去。

总算抓住一个机会，“铁娘子”到广东公干。我们一再相邀都遭拒绝，我干脆把车子开到她下榻的宾馆，诚请她拨冗到省广看看，哪怕只看十分钟。盛情难却之下，她终于到公司来看了。当她确信省广是中国本土最有实力的广告公司之后，就显现出她那“古道热肠”的可爱一面，当即斩钉截铁地认定与我们合作。但她有言在先，这是政治任务，改造工程必须在10月15日前完成。这意味着必须在不到一个月的时间内，完成第一批65座候车亭改造。对此，很多人都认为是不可能的。而我们坚信“态度决定一切”，只要下定决心，排除万难，就没有什么“不可能”。我们启动快速反应机制，各工序同时交叉作业，24小时施工，终于如期完成任务。当成都市领导看到本市的繁华路段平添了一道道亮丽的风景线时，对成都公交公司和省广称赞有加，多家当地媒体争相报道此事，“西部论坛”上，来自世界各地的专家、代表亦甚为赞赏。省广则趁热打铁，延揽当地人才，适时地将省广成都办事处升格为成都分公司，为省广的西进战略建立了一个桥头堡，省广因此也多了一个不可小视的、新的利润增长点。而当地媒体则称省广是“南方来的一条狼”。

好一个“南方来的一条狼”！陈钿隆本身就像一条狼，睁大眼睛，准确地扑向猎物，咬住不放。除了没有把“将军梦”变为可能，其他想做的事他似乎都做成了。

郝建平：不解之缘

当了20年兵，然后到省广当副总，原以为一离开军营，与“兵”的关系就划上了句号。离开部队之后才知道，无论你到哪里，都离不开“兵”的影响，这辈子算是与“兵”结下了不解之缘。

原来也觉得部队的一套同广告没什么联系，但是，到省广之后，却发现它们之间联系多着呢！比如说，做广告讲的是了解市场、快速反应，这与部队打仗就有相通之处。

有人说，“秀才遇到兵，有理说不清”。其实，这不过是浮浅的陋儒之见。实际上，我们与“秀才”们有着很强的互补性，也可以说我们之间是“天仙配”。比如说，策划、创意人员有较强的创造性思维能力，但是也往往表现出散漫性，我们实行军事化管理之后，建设起一支招之即来，来之能战，战之能胜的团队。当时的省广，不像现在这样人才济济，很大程度上是靠团队致胜。印象最深的有两件事，一件是“春兰”的夺标战，再就是广州本田的夺标战。

“春兰”夺标战，当时，公司让我做备战的组织工作。我们把20几号人集中到白云山上，切断一切对外通讯联系，白天黑夜连轴转，通过激烈的脑力激荡，终于拿出了制胜的策划案。此役，对公司的发展意义重大，是公司步入“全面代理，整体策划”的一个标志。“上山下乡”，后来就成了公司独特的作业方式。

广州本田的夺标战，省广面对十几家国际4A公司，历时三个月，经四轮搏杀，战况之惨烈，被业界称为“世界大战”。此役，我们仍采用“上山下乡”的作业方式。不过，这次作业我们显得多了几分成熟，多了几分自信。

春兰、本田之战，对公司的发展有举足轻重的意义。在这两大战役中，我们建立起整套作业方式和作业流程，这是公司专业化的标志之一。再者，此二役的胜利，让我们信心大增。其三，产生了“一花引来百花开”的效应。“春兰”夺标之后，全国著名的家电品牌纷纷与我们合作。本田之战，让我们有了与世界级品牌合作的机会，增广了我们对汽车的认识，成就了我们在汽车广告方面的专业形象，国内许多汽车厂商都希望与我们合作。

春兰、本田之战，对我个人来说也有非同寻常的意义。它验证了我的民族广告心结，我们生于斯，长于斯，我们本身就是这块土地上的消费者，难道做广告还做不过国际4A公司？我认为，做广告就是与消费者沟通，难道与国人沟通我们反而不如外国人？我就不信这个邪。

其实，世界上许多学问都是相通的。就说兵书吧，先哲们就说过，《易经》、《老子》都是“言兵之书”，毛泽东主席也说过《老子》是部兵书。换句话说，哲学著作与军事著作是相通的。那么，广告与军事相通又有什么奇怪的？看来，我与军事的确结下了不解之缘。

李崇宇：分享人生

李崇宇，是位“行尊”级广告人。现任省广副总经理、广旭广告公司总经理。

1980年，李崇宇加盟省广。此前，他是广州31中学副校长。但是，没想到他却来了省广，从业务员做起，一直做到副总经理。他说：“民谚曰‘树挪死，人挪活’，用时下的话说，改变就是进步。”

从中学校长到广告公司业务员，在1980年来说这改变是否大了一点？他说：“在教师、校长的岗位上，传道、授业、解惑、管理，从本质上讲，也是传播、沟通。这与广告是相通的。只不过做广告，挑战性要大些。正因为改变要面临挑战，所以，改变也很精彩。”

从中学校长到业务员，从业务员到副总经理，从本土广告公司到境外广告公司，李崇宇所经历的改变，是一个个跨越式的改变。跨越，自然很精彩。1994年，他被借调到香港华润集团属下的中国广告公司任副总经理，执掌全盘工作，更具价值的是他从此有了经营国际广告业务的经验。

李崇宇比较低调，不太张扬人生的精彩，却崇尚“分享人生”，乐于跟同事、员工、客户分享自己的经验和知识。他说：“我们应该分享人生，而不应该愤世嫉俗。因为愤世嫉俗就意味着拒绝。”

他说，与同事分享，可以互相补充，共同进步。为此他经常策划、组织、指导不同专业的员工到国内外强势的广告公司、媒介公司去考察和学习，增长知识和才干。在香港工作五年，他还常常将香港及国际广告的资讯与省广分享。

他说，与员工分享，可以提高员工素质，提升公司凝聚力与竞争力。执掌广旭以来，他把两位总监提升到公司副总经理的岗位上来，并与公司员工一道跑市场、跑客户、跑比稿，当他们再次拿下东南汽车这个大客户时，温卫平总经理高兴得致电祝贺。对于广旭的发展，他充满信心地预测，三年内要实现年营业额3个亿，进入IAI创作实力50强前十名。

他说，与客户分享，可以增进公司与客户的相互了解，密切客户关系，提高工作效率，达到“双赢”的目的。广旭在融合国际广告理念与本土市场经验基础上提炼出来的“品牌、广告策略六面体魔方”，是广旭的“秘密武器”，但是，只要与客户建立了合作关系，他们就毫不犹豫地将“魔方”与客户分享。这既提高了客户的广告水平，又减少了沟通障碍，使公司与客户的伙伴关系更为紧密。

“分享人生，将使自己的人生和他人的人生变得更为精彩，何乐而不为？”李崇宇如是说。

曹雪：只有逗号

真有这样的主儿，舍弃执掌了13年的教鞭，辞退副院长的官禄，远离校园恬静生活，携妻挟子举家投奔受苦受累的广告圈。此君姓曹，名雪，原是无锡轻工大学设计学院副院长。

1999年3月，曹雪离校出走，曾在南京广告、设计界“一石激起千层浪”，引起一场轰动。为挽留这位高才，学院“一哥”多次与他促膝谈至子夜，几十名学生更是挨个打电话要求“曹老师不要走”。曹雪竟不为所动，如期启程。当时有懵懂之人士请教曹院长缘何这般“大动作”，平日儒雅的曹雪甩下一句很酷的话：“我到省广找死去了！”

“找死”自有“找死”的原委，生性不甘平庸、总好挑战自己的曹雪，把自己在学院的前途看穿了：“如果在学院干五六年，结果会是什么模样？心里很清楚，预想图都已经画好了，没有什么新鲜感。而到省广，未来五六年却是个未知数，挑战性强，也很刺激。”

有两件小事可诠释他这种“叛逆”安逸和“贪婪”求知的天性。早几年，当儿子呱呱坠地时，取个什么名成了曹家争论焦点。曹雪文人世家，前辈们名字过于大雅。曹雪认为名字其实就是一个符号，好叫易记就行，还是来点大俗的吧，就叫曹加拿。此名果真叫绝，叫一遍，就挥之不去，亲友恐引他人之歧义，朝家里拿？太私有化了吧，曹雪一言定乾坤，管它姓私姓公，不争论，强化记忆最重要。另一件我行我素的事是名片设计。在学院时，曹雪名片的正中位置印有一个鲜红的大逗号，曹雪解码道：“我鼻子上有颗痣，这个逗号是我的个人标识，不会与别人混淆，逗号也意味着人在路上，永远在途中。”为此，他将在学院时荣膺的世界首次金属饮料罐再利用设计比赛大奖（当时美国纽约四家媒体推介该件作品）、全国优秀工业设计作品一等奖、“华东大奖”包装设计银奖、十一届亚运会宣传画入选奖等奖项，一股脑塞进箱子里，一切从零开始。

自打曹雪撤除自己的资历、权威屏障后，就与自己的学生站在了同一起跑线，原来的师生关系演变为同事关系（省广有10位他的学生），会不会输给自己的门生，他要赌一把。借此，他还要寻求一个长期悬在心头未解的答案，就是验证自己从教13年的方向对不对。无论从哪方面讲，挑战在所难免。

在省广的这些日子，曹雪有节奏地释放自己的潜力，很多时间是泡在企业里，创意设计厚积薄发，在服务于春兰、小天鹅、科龙、红桃K、快译通、一品堂等一连串的大客户中，作品越做越精彩。只是他本性未改，直言：在客户面前绝不能做奴商，言听计从。从专业角度讲，客户不是上帝，否则要广告公司干什么？如果一味应承，没事就相安，稍有闪失就大祸。与其这样，不如坚持“真理”，因为我们是在对客户负责。在为广东一家客户做POP设计时，他与客户观点相悖。于是反复向客户游说，坚持按他的销售终端设计方案出街，市场验证果然奏效。他最反感行业以圈来划分领地，主张“跳出圈外看广告”。他认为，广告是面向大众的，消费者都有自己的观点，在市场面前没有一个人敢称自己永远是权威，并鼓动同事出创意前多到商场逛逛，看看商品，感受人气。

主持红桃K保健品项目设计时，为摸清该产品农村市场销售状况，曹雪专程去湖南县级城镇走一回，与农民兄弟坐在田埂大谈该产品功效，方知农民把它当成仙药——小孩考大学时当补品喝，胃疼了当灵药服。正是在这种群体环境中，他灵感大发，优秀的广告作品接连问世。主创的“第五季”手势篇，更是以其独到的创意表现力，征服对手、客户、消费者。最令曹雪欣慰的是，客户已经认同、接受、敬慕他，有的客户指定非由他“操刀”不可，曹雪含金量飙升。前不久，一项业务完稿后，客户特意多付了5万元，原因是这套设计方案是曹雪指导下完成的。

眼下，曹雪又领军前端广告局30个年轻人，要打出广告运作的一片新天地。这主儿，永远都是“在路上”。

康安卓：魅力女上司

在省广，实在有太多优秀的女性。她们的风采、学识、修养、魄力让人折服。说说她们，真是再自然不过的事了。只不过MM太多，先说哪一个好倒是叫人头痛，还是先看看康姐康安卓吧！

所谓的“粉领”已经没有太多人津津乐道了，一个“粉面含春威不露”的女上司才是更入时的话题。

康姐的工作和管理更多带着女性化的一面，给公司军事化的管理注入了一份柔顺剂：练达，又有几分天真；铁腕，又有着女性的娇柔；教导自然换成了交流，微笑代替了严肃。可一旦遇到原则性问题，则决不退缩，“柔能克刚”，这也正是女性的独有魅力。

“她世纪”的女性决不因年龄而色衰神伤。没有谁会相信，鱼和熊掌不可兼得，但美丽与成功在天平上同等重要。康姐的女性魅力和她的专业能力一样令人刮目相看。她虽已人到中年，却风采依旧，举手投足间露出成熟女性浑然天成的魅力。岁月的风尘不是腐蚀而在雕琢她的风采，增加她的内涵，磨炼她的心志。

康姐这样一位魅力女上司让人感到亲切。她乐观开朗，对人一视同仁，不存偏见。作为公司上层，对于新来的同事，无论熟悉与否，总是笑靥相迎，所以，许多人愿意与她交朋友。在她的影响下，财务部和公司一样，蒸蒸日上。

历届广告先生、广告小姐

8年前，选美之风，风起云涌，各种名堂层出不穷，广州也有以“XX花城”为名号羞羞答答的变相选美活动，而“名模”、“超模”之类的评选则更是不计其数。

不知哪根神经受到选美信号的刺激，有人嚷嚷“有这么多什么小姐，为什么不选选广告小姐？”此言一出，响应者众，而且不只要选广告小姐，还要选广告先生。于是，有了省广第一届广告小姐、广告先生的评选。

当然，广告小姐、广告先生的评选，不以脸蛋、身高、三围、肌肤为标准，凭的是敬业精神、工作业绩和人格魅力。评选程序则是：每年由公司各部在评优的基础上分别提出人选，再由公司全面衡量、比较，择优选出广告小姐、广告先生各一名。入选者由公司表彰、奖励，并将其肖像和事迹悬挂公司于15楼大会议厅，永远彪炳公司青史。

自第一届评选起，至今已连续评选七届，分别选出广告小姐、广告先生各七名。此举，已成为公司盛典之一，并显现出强大的生命力，成为：

- 公司文化的一种有形的表达；
- 公司形象的象征；
- 公司价值观与工作绩效的标准；
- 无可争议的领跑者；
- 客户力争的合作伙伴。

历届榜上有名者为：

1996年度广告先生——陈钿隆
1996年度广告小姐——胡川妮
1997年度广告先生——丁邦清
1997年度广告小姐——郭伯钱
1998年度广告先生——王肖麟
1998年度广告小姐——杨缨
1999年度广告先生——夏跃
1999年度广告小姐——肖虹
2000年度广告先生——容志光
2000年度广告小姐——刘扬
2001年度广告先生——何滨
2001年度广告小姐——李云霞
2002年度广告先生——许言
2002年度广告小姐——李翠

相关链接：国际广告领袖的三种类型

国际著名广告公司的领导人，一般可分为三种类型：其一是创始者本身是广告超人，如奥格威、李奥·贝纳、伯恩巴克等等，他们是广告操作层面的大师，即所谓内行。

另一种，是意志坚强不屈，具有独特人格魅力的“统帅”型人物。他们在广告操作层面并非专才，你看不到由他们主创的著名案例，但他们却给公司铸造灵魂，造就人格健全的员工，使整个公司“气吞万里如虎”。日本电通的“广告之鬼”吉田秀雄即是这种人物。

第三种，即全球性广告集团公司的领导人，这类领导人一般具有财务管理、资本运作的专业背景。WPP集团的马丁·索绪尔即为此类领导人的代表性人物。全球性广告集团是应全球性广告主的需求而诞生的。经过十多年运作，此类广告公司的弊病也日渐显露。例如，日本著名广告学者植田正也就批评说，在马丁那里，只看见“财务一杆枪”的经济至上原则，而现在的广告业正处于“制度疲劳”的状态，广告公司和广告主都已经忘却了什么是最重要的东西。植田正也指出，广告业始终是知识密集型产业，肩负着挑战新事物的重要使命。广告的宗旨在于解决广告主的IDEAR问题。而现在，实现这一宗旨的是一群Hot-shop公司。这是一群创意锐利的小型公司，奥美、DDB都曾经是这样的公司。进入21世纪以来，靠资本运作的一些全球性广告集团正面临偿债的压力。

1.6 学习：广告人的生活方式（四则）

“学习，是省广人的生活方式”。这是吴骏华加盟省广后对公司的第一印象。省广是一家善于学习的公司，正是这一点，使省广能与时俱进，能在剧烈的竞争中，由弱小变为强大。

> ·有完备的培训制度。制度规定，公司从领导到每一位员工都必须定期接受规定时间的培训，不同的是，按职务、业务性质的不同，培训时间的长短，培训内容、方式有所区别。
>
> ·有明确的培训任务、目标。每次培训，都必须完成“功课”，并检验、评估效果。
>
> ·有灵活多样的培训方式、方法。“走出去，请进来”，是吸收外部知识，包括国外的、国内的、同行的、专家的、客户的；公司内部的纵向、横向之间的相互学习，除了“制式化”的培训之外，尚有策划、创意大赛，策划论坛等多姿多采的培训学习方式。最为人称道者，是对新员工的“魔鬼式”培训。

进步，就是永不停步

“今天你进步了没有？”

这是一句被抄袭了无数次的问候语，也因为它被无数次抄袭，恰好证明了它被无数人所认同。窃以为，“今天你进步了没有？”堪称21世纪的第一问候语。

21世纪，是知识经济的世纪。人非生而知之，而是学而知之。学习，便是获得知识的动力。学习，使人进步。

改革，无疑是最具重要意义的进步。公司今天的发展得益于改革。广告公司是纯粹的“食脑行业”。最重要的资源自然是人才，如何使人才达

温卫平总经理给顾问们颁发证书

孙大伟在省广讲课

省广人在戛纳

到最佳效果？温卫平总经理抓住了“人”这一环节作突破，通过识才、选才、用才，调动人才积极性。同时又抓住了人才的最佳组合，“挽弓当挽强，用箭当用长”，几次改革，解决了管人的问题。早改革早受益，省广人体会最深。

俗语说“隔行如隔山”，这是对庸人；还有一句话——“隔行不隔理”，这是对聪明人。所以，如果在部队能当好指挥员，到地方也能当好企业家，军队锻炼人，到企业，就把带兵的道理拿来办企业。而国企不适应形势最大的问题是工作纪律比较松散，没有“商场如战场”的意识，就会失去很多商机。

军队管理似乎与地方不搭界，但有共通之处，军事化管理在企业转化为力量、效率、效益，更适应现代化商品经济需要。“兵贵神速”，道理相通。这是我们在管理上的进步。

当然，有一个角色转换问题，手段就是要不断学习，进入角色。

“学习”二字值万金，古往今来，洋人国人对学习重要性的精辟阐述实在太多，“学而优则仕”、“学而优则富”、“书中自有黄金屋”、“书中自有颜如玉”都是真理。进入信息社会，知识经济时代，一股学习台风席卷全球，没有一个人敢说我的知识够用了，我不用学习了。学生在学，老人在学，最忙的是企业人员，因为获得利润的点子是重要资本，更要挤时间学。现在的问题是，许多高学历的人危机感重于低学历的，有几位大学的教授，年纪才30多岁的都在惊呼这个世界发展太快了，一不小心就落后了。丁邦清老总并不比其他同志多一个脑袋，除了一点点天分，主要是好学、强学、多学。

21世纪省广任重道远。一个知识型的公司，要策划人家，首先要策划自己；要策划自己，首先自己要充电。于是，“对话平台论”油然而生，“员工素质提升年”随之而来，系列培训每月一课徐徐展开。

省广是一家学习型的企业，过去的辉煌靠学习，以客为师、以友为师、以对手为师，求知于敌、求知于客、求知于史。过去，春兰、小天鹅、本田在付给我们佣金的同时，也让我们吸取了比佣金更多的精神营养。今后，仍然要从所有客户、从成功企业成功人士处吸取智慧，使省广从外延到内涵进一步丰富起来。

学习使人进步，进步，就是永不停步。

省广首届项目策划大赛

省广展望未来辩论会

省广举办中国本土广告公司未来发展走势研讨会

省广举办中国媒体产业发展暨广告经营研讨会

"咖啡心情"——省广内部培训

钢铁是这样炼成的

——省广新员工招聘、培训直击

南方的7月，火热多情。34名来自全国19所重点大学的骄子在这个火热的日子走进了省广大门。

在众多广告公司纷纷大裁员的大背景下，省广于2000年一次性招聘了34名大学生，呈现勃勃生机，与一些日渐式微的国企广告公司形成强烈反差，有人说，34人意味着是一个中型广告公司的阵容。如此大手笔，如何书写呢?

一、过关斩将的招聘法

2000年一开春，急剧膨胀的业务量，令省广人再次将目光锁定在目标学府，本着招聘“四化”标准，即年青化、专业化、知识化、个性化原则，并参照原校友的表现情况，省广人事资源部会同策划创意局头头奔赴全国19所重点院校，物色意中人，足迹遍布中南、西南、华东、华北、东北。这几位不速之客到高校向千余名应聘生“暗号照旧”接上头后，接下来便是条件苛刻的资质过关。

第一关，笔试，也是初试。当招聘人员分别将“蓄谋已久”的1.B试卷分派给应聘生后，这些久经考场考验的应试高手才发现，这是一份在自己学海生涯中最难把握的试卷：不是由于它的开放试题，而是因为它没有标准答案，考的是想象力、创造力，要求标新立异、闻所未闻，课本所学内容一点也用不上。

如一填空题：（限十六个字）“我们从______看自己。”

虽然每位应试者都能在规定时间完成卷面，但基本功优——突显现，层次高下一目了然，纷纷中招落马者不计其数。一所名牌大学的学生处处长对此颇有微词，质疑道：“我们的学生还要你们考试？”

第二关，面试，也就是复试。招聘人员从千余份试卷中筛选出50名合格者，通知来广州面试，并注明往返车马费由省广支付。有此优惠待遇，复试者欣然而至，有人宁可放弃考研究生，也有在初试被淘汰的不服者要求省广再给一次复试机会。对此执著的热血青年，省广为之感动，答应给予复试，但往返车马费需自掏腰包，即使这般，也有勇者前来。

面试少不了面谈，面谈简明扼要："你为什么要做广告？"竟有痴心汉语惊四座："我这辈子只做两件事，一是做广告，二是自杀。"值得一提的是到省广面试，并不是看相，而是让其参与3周实战，跟班作业，即在考完书本阶段，再考实际操作能力，3周后听取品牌项目组、业务局长及与合作同事的各方意见，给出综合得分，决定去留。

二、赛马中相马的培训法

才抵羊城，行装未解，被录用的34人又行色匆匆朝省广顺德培训中心开拔，接受为期一周的强化培训。培训全程时间是按分钟来计算，培训形式采取军事化管理，培训内容涉及员工手册、公司理念、组织纪律，重点是客户工作、媒介企划、市场调研、策划创意，培训考核则以实战演练检验成效。

笔者信手录下7月13日一天培训生活镜头，引诗佐证：纸上得来终觉浅，绝知此事要躬行。

清早6时30分，晨光明媚，34人已列队集合完毕，开始早操，青春的脚步在顺德这块珠江三角洲富裕的土地上"咚咚"作响。

早上7时30分，如厕、洗漱、早餐，人人都像冲锋。

上午8时30分，培训中心会议厅里34人"正襟危坐"，虔诚聆听。

这天安排的是策划创意课，主讲人为省广策划创意"三巨头"丁邦清、王肖麟、曹雪。丁邦清几句开场白足以让34人心律加速："你们知道客户卖一件产品能挣几元钱？而我们经手的广告费动辄成百上千万元，你能掉以轻心吗？战友在前线浴血奋战，我们策划创意如果输送的是哑弹，那是犯罪。"34人大气不敢出，面色庄严。不一会，满堂恣情笑声，丁邦清肯定是讲了个令人捧腹的段子。

中午12时30分，大家匆匆吃过午饭，偷得一日半时闲，作短暂小憩。

下午2时正，课程继续。紧张依旧。

傍晚6时，晚饭过后，是一天中轻松一刻，大家三五结伴，在顺德街市悠然漫步，聊聊周边新闻，侃侃搞笑话段子。

晚上8时，培训中心会议厅灯火璀璨，丁邦清和副总经理郝建平开始布置项目策划创意任务，34双眼睛全神凝视，34个大脑狂卷风暴。

深夜2时，周边一片寂静，培训中心各宿舍的灯光仍不知疲倦地亮着，沙沙的笔声也不知在凌晨几时才会停顿。这情景很容易让人做赛马联想，赛场上，但见栅栏一开，马群奋蹄，携风挟云，这是力与智的较量，不多会差距分明，名次揭晓。

三、1/4管理是悬在新老员工头上的利剑

此前，培训的第一课是员工守册中的1/4管理。在省广的管理体系中，1/4管理是省广早出人才、快出人才、多出人才的利器，其核心就是让优秀的更优秀，把落后的淘汰出局。1/4管理对新老员工一视同仁，提出“没有危机感就是有危机”，因为“你今天不生活在未来，明天你就会生活在过去”。

1/4管理的措施就是每年1/4的员工调高工资，1/4的员工调低工资，1/4的员工工资不动，1/4的员工调整工作岗位。在欢迎34名新人的大会上，总经理温卫平就讲了这样一番意味深长的话：“省广是国营企业，但是个按市场经济来管理的企业。你们34人进了省广并不是等于进了保险箱，省广不是解决你们的就业问题，而是购买你们的知识产权。你们34人虽然是过五关斩六将筛选出来的佼佼者，但也必须严格按1/4管理来考核，培训结束后还有半年的试用期，这对你们来说是一个坎，看你们能不能迈过去。你们中间如果有2/3能成材，我就谢天谢地了，有1/2成材，我也很开心。”正是在1/4管理中，省广实现了在流动中提高队伍素质，在流动中完成队伍改造。有了这样的一支技术过硬、作风过硬的队伍，省广取得了为高手服务的资本，搭建起与高手对话的平台，诠释其“品牌导航、服务保驾”的企业理念。

“选人要准，选才要精，用人要狠，待人要情”是温卫平的用人准则，现已成为省广选才用才的信条，正是有了这种真正建立能发挥人最大创造力的环境和制度，从而保证了人才成长的“三快”，即从大学到社会进入角色快，从书本到实践能力提高快，从为客户创造市场到广告作品获奖成果出得快。

四、广告新人如是说

顶住了省广笔试、面试、培训的“三板斧”，熬过168小时食不甘味、睡不安寝、“刻骨铭心”的日子后，34名省广新人苦与乐、悲与喜，各有一番滋味在心头，在培训结业前夕，他们真情流露，实话实说。

张琼（武汉大学中文系）：为什么选择省广，因为想给自己一个机会，一个飞翔的机会。最能限制人自由的是他自己的心灵，而最能束缚一个人心灵的是对自己的无知。能最大程度地了解自我，释放心灵所有的能量才能使自己获得真正而完全的自由。而省广就像一片高渺无垠的天空，能飞得多高，飞得多远，全凭心灵的张力和你所付出的努力。

傅豪（四川美院）：广东省广告公司是我的初恋情人，我对她并不是一见钟情，而是经过多次的接触和各方面的了解，我才觉得省广是适合我的，我也是适合省广的，虽然我和省广都存在着一些自身的不足，我希望省广能助我纠正自己的错误，弥补我的不足，帮助我成为一个成功的广告人。我也希望自己能填充省广的空白，让省广成为最有实力的广告公司。我想，经过我们双方的努力，都能做到、做好，并且永远不再分开，成为最理想的组合。

刘正堂（哈尔滨师大装潢系）：作为一名新毕业的大学生，一来便受到了公司领导的亲切关怀，紧接着便又投入到疯狂的创意中，熬通宵写创意。我不知道别的企业是不是也这样，我也不想知道。因为我觉得这样严中有爱、注重效益的公司有潜力，是我体现人生价值的归宿。

张鑫（广东商学院市场营销专业）：从培训的紧密程度来看，几乎可以算是“悲惨生活”，每天6时多定时起床，还要定时跑步，定时早餐，8时上课，紧张得连上洗手间都像冲锋，晚上还要通宵达旦地出创意，悲从心起。不过，经历了这种军事化的培训，今后工作中的压力再大，也压不垮我们。在培训生活中，最苦莫过于每人出三次电视创意和35条广告语了。最终，30多人的近千条广告语被否定后，真有点“欲哭无泪”的感觉。也许广告人就是这样，像丁总监所说的“客户之所以对我们要求苛刻，是因为市场对客户要求苛刻，消费者对客户要求苛刻”。

记得在为“水井坊”酒出广告语的艰苦时期，大家实在想无可想了，一个同学脱口而出“水井坊一开，井水冒出来”，语惊四座。到了正式讨论广告语的晚上，有一个同学不知受了什么启发，突发一句“水井坊酒，在你成功的路上挖一口井”，所有的人都一愣，继而大笑，大赞这个同学有跳跃性的思维。作为一个广告人，压力是不言而喻的。我体会到工作中苦中有乐，以苦作乐的广告人精神。

彭永健（同济大学广告系）：每个人都免不了要死亡，与其被无情岁月腐蚀我的生命，不如让之尽情地燃烧，在世间释放些许光芒。我的梦想是，成为一位优秀的广告创意人。带着梦想，我从上海来到了广州，一座充满着机遇与挑战的城市，省广给了我一个尽情发挥的舞台，我戴着创意的镣铐在南方的天空轻舞飞扬。

林勇（四川大学新闻系）：在我眼里，省广是一所拥有大师、大楼与大爱的广告大学。就大师而言，管理大师、策划大师、理论大师、创意大师比比皆是。独有15层大楼的广告公司也是非省广莫属。那什么是大爱呢？中科院院士、英国诺丁汉大学校长杨福家认为：让人们拥有安心工作的环境，营造一个以人为本的氛围，这就是大爱。融洽的工作氛围，富有人情味的管理，和谐的人际关系，弹性的休假制度等温馨的举措，处处透出省广作为一个广告人大家庭的味道。

外派生活四季拾趣

外派时间：2001年7月至2002年7月

外派地点：河南省新乡市

外派人员：策划、设计、文案各一名

初来乍到

根据最初的想象，外派生活是一种流放，而流放的地点往往是穷山恶水之地。到真正置身新乡的时候，才发现这里并没有想象中那么荒凉，跟中国所有的小城镇一样，它也充满了人间的烟火气，心中暗自庆幸：“还好，尚在人间。”

及至与客户见面，客户的第一反应是“咦，省广怎么派了几个小朋友过来？”心里又不禁暗暗较劲：一定要以自己的实力赢得客户的认可。

经过近一个月的磨合，与客户之间渐渐熟悉，我们小小的办公室成了一个友好的交流中心。由于办公地点与客户相邻，因此日常工作的交流非常方便，客户经常来到我们办公室直接沟通工作，近距离的服务令一些紧急的任务也能有条不紊地进行。

夏季篇：新乡风味

在新乡安营扎寨后，当然要开始探寻这里的风土人情，夏天里，我们最大的收获就是每天都可以享受物美价廉的水果大餐。

先是甜美多汁的蟠桃——那种柿饼一样的奇特形状还是第一次见到；接下来是绝对廉价的西瓜（在新乡西瓜都是用汽车载着卖），甜美的味道和两毛钱一斤的价格成为无法抵挡的诱惑；而松脆清甜的红枣则是这里的特产，可惜当季的时间太短，那种一流的香甜滋味令人想念至今。

此外，烩面、炒凉粉、红焖羊肉等风味小吃，也体现了完完全全的新乡特质——实在。

秋季篇：难忘加班

秋天是冰箱、空调行业年度大盘点的季节，同时，也是备战新的销售年度的关键时期。短短几个月的时间里，就有空调、冰箱两个订货会需要紧急筹备，客户着急，我们面临的压力也更大。

兵不容缓，为了不贻误客户的商机，及时完成订货会所有宣传物料的筹备，省广一方面积极调动公司资源在后方作战，一方面增派了两名精英力量带着设备到前线支援。订货会筹备战役拉开之后，“加班”就成了我们整个秋天的主题。

加班的日子里，大家将工作和生活融为了一体，上班、下班的概念已经被我们淡忘，除了短短几小时的休息，所有时间都泡在办公室里，每个人才真正体会到了“披星戴月”的含义。某个凌晨，当我们从办公室回宿舍时，居然幸运地在满天星斗中看到了流星，原来，那天刚好是狮子座流星雨降临地球的日子。

冬季篇：午夜凶铃

朋友、家人都不在身边，外派生活，最难忍受的就是枯燥和寂寞。特别是寒风凛冽的冬季里，人的心情往往会受天气的影响，变得灰暗、郁闷，莫名其妙地感到孤单。于是，“午夜凶铃”就常常在冬季的深夜里响起来。

我们的房间里都安装了内线电话，虽然大家住得仅有一墙之隔，但平时联系却喜欢通过电话。当深夜12时左右，所有人都睡意正浓的时候，我们常常会互相打电话，漫无边际地聊天，聊啊聊，渐渐地，睡意也就聊出来了。

有趣的是，在白天，大家除了工作、吃饭之类必须沟通的事情外，反而不怎么搭话，也许都想将白天的话省下来，留到晚上填补时间吧。

春季篇：洛阳牡丹

春暖花开，告别了沉闷的冬季，人的心情也变得开朗起来。久闻洛阳牡丹的大名，因此特地到洛阳去领略国花牡丹的风采。

可惜我们没有遇到好天气，出门时风和日丽，一转眼就多云转阴，还遇到了非一般的倒春寒，结果我们到了洛阳的第一件事不是直奔公园看牡丹，而是直奔商场买衣服。

风中赏花倒是别有一番乐趣，所有的牡丹都用大的防风棚遮了起来，但却怎么也掩不住它们的天姿国色。看牡丹在寒风中争奇斗艳，倒令人暗暗佩服它们的风骨，牡丹的雍容气度的确名不虚传。

7 月告别

7月，回到广州，外派生活结束。在新乡度过的365天，将永远成为我们人生中一段特别的记忆。

我的广告梦想

在被“不做总统，就做广告人”的虚假广告蛊惑之前，我的职业是记者。因此在成为一名广告人之后，体验到的心理落差非常大，而这种落差是基于某些客户对待广告公司的态度产生的。

作为记者，工作中往往会受到采访对象的尊重和欢迎；而广告人，却常常遭受客户的冷遇和批评。反反复复的修改，改得面目全非，三天两头的比稿，通常劳而无功，许多被广告公司宠坏的客户已经忘记要尊重广告公司的辛勤劳动和专业意见，而善于妥协的广告人也失去了坚持的专业态度。

因此，我的广告梦想就是：让所有的客户学会尊重；让所有的广告人学会专业的坚持。

经历风雨见彩虹

——一个广告人的成长之路

四年前，我坐在她的对面，她给了我一个非常隐蔽的白眼；两年后，当我再坐到她面前……

准确的说应该四年零四个月之前。

广州白云机场，我的躯体有生以来第一次被潮湿而闷热的亚热带空气包围，像装进了罐头，然后在瓶底哐地印上生产日期—— 1998/10。

T恤、牛仔裤、凉鞋，静止的20秒钟，忙碌的机场搬运工。

T恤、牛仔裤、凉鞋，颠簸的20分钟，我和一车同事赶着去和客户开会。大约是我到广州后的2个月，我和同事们来到广州某房地产公司。忘记了会议的主题，也忘记了会开了多长时间，我只记得，偌大的一个会议室，坐满了人。所有领导都讲完了，最后一个议程是各个小组和各个楼盘的项目老总们见面，单独沟通（这个客户是一个非常大的集团公司，旗下有四五个地产项目）。

于是，我就和我的客户经理、美术指导面对面地和我的客户——A房地产公司老总——开始了一次极其类似于政审的谈话。

“我叫许言，我将负责这个项目的广告策划。”

“你刚毕业吧，外地人吧。”客户从我的外表、衣着、口音已经摸清了我的“底”。

“你了解广州楼市吗？你知道我们这个楼盘目前面临什么样的问题吗……”

客户的连珠炮明显表达了她现在遇到了困难，心情不佳，想要寻求一个在广告专业上有一定资历的人帮她一起解决， 而年轻又没有经验的我让她非常失望。我清楚地记得，我当时非常理解她，但我没有办法让她信任我，只能一个劲地说：“对不起，我会尽快熟悉市场和项目的具体情况。”

整个谈话，我真的记不清了，我似乎一直怀着一种内疚的心态。一直到会议结束，我的心情是平静的。只是觉得客户一直没有正眼瞧过我，这让我感到自卑。事后有些想不开，毕竟咱从来没遭遇过呀。

说实话，客户的眼睛其实挺漂亮的，但是，那瞳孔旁的白色太残忍了一些。

时间过得很快，没有人开导我，我也没有太在意这次尴尬。在后来的合作中，我也尽心尽力地工作。时间过了一年，因为复杂的原因，公司和客户（整个集团公司）解除了合作。我和我的客户一年的合作也就结束了。

那一年里，我没有创作出什么格外出色的广告，只有一个促销策划被收入了当年的《房地产广告策划实录》里。幸运的是我已经渐渐地被客户接受，到现在我也不知道，是什么原因让她在两年之后，也就是2000年又和我合作，是当初我的勤快、谦逊吗？……我还是别往自己脸上贴金了。

2000年12月。天桥上，冬天的广州让我已经想要回家过年了。我一个人走出饭馆，正要回公司加班，手机响了，电话那头传来的是客户的声音，好久没联系了，我一下子没反应过来。不过当我反应过来后，我知道，明年又要多一个客户了。

春暖花开的季节，我戏剧性地又一次出现在我的客户面前，因为还没出正月，感觉就像是一次拜年，大家都很客气，气氛非常热烈。

当我又一次坐在她的面前，我的客户像长辈一样地说："许言成熟了。"

之后的一年里，我依旧忙碌地工作着，我像以前一样对待我的客户，惟一不同的是，我还要同时兼顾另外四个项目。不知道是我成熟了还是机会成熟了，整个2001年里，客户的销售业绩非常好，好得连他们自己都不相信，而我也为客户赢得了一个全国性广告评比的金奖。这一年我和客户一起创造的这个品牌，成为整个社区中最好的品牌（客户的楼盘是个非常大的社区，每年都有一个新的品牌推出）。时至今日，很多业主还很自豪地说："我们是这个社区中的精神贵族！"

现在，我的客户很紧张我被调到其他部门，这让我沾沾自喜。

从两年前客户的轻视到两年后客户的重视，从旁人的角度看这似乎充满了戏剧性。但我的的确确感到无话可说，能写这么多已经让我疲惫不堪了。

经历风云风雨见到彩虹的人，想到的是到哪里换一身干净的衣服。

经历了四年，总有些东西值得自己记忆，只不过凑巧有点像蹩脚的电视剧情节。希望对广告新人有点帮助，坚持投入、放弃自尊，如此而已。广告界大师们，你们可别当真！

终于，写完可以交差了，我已经抽完半盒“中南海”，断断续续拖了总编半个月，期间我爬过了广州4A七八间公司完成了两个比稿和一个提案，我快不行了。一个靠红牛活着的人是多么可怜，我如同行尸走肉般地熬到了年底，广告已经成了毒品。好在我还有一个大脑，它依然在思考，虽然上帝在微笑。

1.7 仪典：广告公司的行为文化

仪式、仪典，是公司的行为文化。凡是在文化方面强有力的公司，都在公司创立行为的仪式和仪典。仪式和仪典，在公司的作用是显而易见的：

- 显示公司的做事方式；
- 给文化以一个有形的，具有凝聚力的外貌；
- 是公司文化价值观的戏剧化过程；
- 提供了场所和剧本，在混乱中带来了秩序。

没有令人激动的事件，任何文化都会枯萎，创造性的、个性独具的仪式和仪典，则是浇灌公司文化之树的甘霖。

一、狂欢省广

春节团拜会

文艺晚会、K 歌大赛

二、青春省广

五四青年节省广帅哥、靓女们纵情银滩

三、活力省广

新员工在 20 公里拉练途中

省广登山比赛的优胜者

省广的帅哥在潜水

省广的MM玩高山蹦极

四、温情省广

三八妇女节，省广的MM们在旅游胜地玩得开心极了

省广不只是大人的，也是baby的。在儿童节，省广给baby们过节。在baby的节日里， 还进行“大赛”，温卫平总经理给孩子们颁奖

亲，就是都是省广人，上下一家亲。

情，兄弟姐妹，有情有义，讲情讲义。

简单而言就是：

团结协作，共勉共励。

迎来送走，永不改变。

亲属朋友，一视同仁。

——温卫平对“亲情关爱”的阐释

当员工离开公司时，公司不仅不怨恨，还设宴欢送，有功之臣则赠送一个生肖纪念品。因而，年年有人走，也年年有人回。无论走与回的人，都难忘省广的好。

第三卷

谋攻篇

孙子曰：百战百胜，非善之善者也，不战而屈人之兵，善之善者也。

上兵伐谋，其次伐交，其次伐兵，其下攻城。

知彼知己，百战不殆。

译文：

孙子说：百战百胜，算不上高明中最高明的，不经交战而使敌人屈服的，才算得上高明中最高明的。

用兵的上策是以谋略制胜，其次是以外交制胜，再次是歼灭敌人的军队，而强攻敌人的城池则是下策。

既了解敌人，又了解自己，百战都不会有危险。

将“谋”与“攻”组合成一个范畴性概念，是孙子的首创，其精髓是以智谋取胜，而不只是以力取胜。换句话说，即先谋后攻，谋定而后动。最高明的“攻”，则是“不战而屈人之兵”。孙子的军事思想，其实是“非战”的，用兵是为了取得利益，不战而使人屈服，则可使利益最大化，或使损失最小化。要做到这一点，必须以实力为后盾，并知彼知己，谋定而后动。“上兵伐谋”，但这“谋”不是拍拍脑袋，“眉头一皱”就“计上心来”那么简单的，而必须以厚实的资源为后盾，在知彼知己的基础上所出的“谋”，所划的“策”，才会创造价值。省广人在征战中频频奏凯，其源盖出于此。

2.1 核心竞争力在哪里

——市场中心优势与职能分析

一切商业广告策划始于市场，也终于市场。广东省广告有限公司市场研究中心，正是以广告为导向，以市场为核心，通过系列的行业、品牌研究、市场调查及营销策划，对内服务于公司的广告策划，对外服务于客户的市场经营，努力实现广告的市场价值。

市场中心的资源优势

一、信息资源优势

市场中心依托五大信息系统和丰富的咨询案例，通过自身多年不断的探索积累，以及与各行业协会、研究院所的广泛交流，现已建成涵盖汽车、家电、医药、房地产、食品、IT通信等各行业和品牌的信息库。

1. 慧聪平面媒体监测系统。包括各行业和品牌平面广告投放资料。监测范围覆盖全国一、二、三级城市，共1600多种平面媒体。

2. 央视媒体监测系统。包括各行业和品牌电视广告投放资料，电视广告片汇编。

3. 智洋信息大世界。包括行业动态信息，各行业和品牌的平面广告稿、软文汇编。

4. CNRS全国读者消费调查。包括各行业和品牌的竞争情况，消费者人文特征，消费者媒体接触情况等。样本覆盖全国36个重点城市，涉及70多类产品近4000个品牌。

5. IMI消费行为与生活形态年鉴。包括各行业和品牌的消费者消费习惯以及行为特征，各城市消费者的日常生活形态，样本覆盖全国21个重点城市。

二、专业人才优势

专业的服务依靠系统的理论、工具和信息资源，更依靠一流的专业人才和管理机制。市场中心在多年的项目服务中，形成了科学的三级人才结构和内部质量控制体系，培养了一支具有不同专业背景和不同研究领域的专业团队，他们中既有市场调研、行业分析和营销策划的精英，又有来自市场一线，具有丰富项目管理和实战经验的专家，实现了项目整体运作的高素质、高效率和高水平。

1. 三级人才结构和品质监控。中心研究人员分为高级研究员、主任研究员和研究员三个级别，分别承担项目的战略规划和营销策划、市场调研和行业品牌研究、市场信息收集和信息处理等专业任务，并对不同层次的项目成果进行审核评定，实现了不同专业、行业，不同研究水平的系统组合和合理分配。

2. 专家顾问团。中心特邀中山大学、武汉大学、华南理工大学等多所院校的知名专家教授组成专家顾问委员会，为中心的整体运作和重大项目的实施给予必要的技术指导和其他支持。

3. 广泛交流，不断提升研究能力。中心除了不断积累，总结出一整套完整的资料分析模型和研究工具外，还加强了与其他研究机构、专业媒体的交流、学习与合作。公司市场总监林三卓长期担任《销售与市场》的特邀评论员与专栏作者。2001 年，由中心主编的《中国行业市场研究报告》一经推出，就得到大众青睐。此外，关于《中国家电销售通路研究》、《广州本田市场策略研究》、《中国联通八省市场调研》、《中国行业品牌报告》等研究成果均获得客户及业界人士的一致好评。

三、客户及品牌资源优势

中心根植于省广，服务于省广，并通过省广雄厚的经济实力、广泛的行业客户和良好的社会关系，同广州本田、诺基亚、新飞、中国电信、中国联通、健力宝、合生创展等众多知名品牌建立了密切的合作关系，积累了丰富的行业、品牌资源和服务经验。

1. 家电行业。新飞、小天鹅、春兰、长虹、科龙、华凌、三洋、奥克斯、三菱重工等。

2. 机动车行业。广州本田、长安铃木、金杯汽车、春兰汽车、昌河北斗星、五羊本田、风行汽车等。

3. 房地产行业。合生创展（华景新城、珠江帝景、骏景、帝景苑、愉景雅苑、逸景翠园）、广州奥林匹克花园、丽江花园、星河湾、华南新城、汇景新城等。

4. IT 通讯行业。中国电信、中国联通、诺基亚、波导、炎黄在线等。

5. 其他行业。健力宝、蓝月亮、曲美、水井坊、海天味业、广州药业、红桃 K、伊利牛奶、中国银行、农村信用合作社等。

市场中心的服务职能

一、 市场信息信息服务

1. 行业动态监测及信息分析。收集信息涵盖政策法规、科技发展、品牌竞争、最新行业动向等。就一定时期内的市场格局、市场发展预测、消费动向以及新品推出等情况进行分析，对竞争品牌市场动作做出点评，提出建设性的建议。

2. 广告监测及策略分析。监测全国各地平面广告情况，提供各品牌广告图片和广告投放资料。提供指定行业、指定品牌的广告投放情况，分析其特定时期的广告投放特征，包括总量、区域、媒体、品牌、日期等，把握其重点市场。

3. 品牌信息收集分析。提供行业主要品牌的软性文章和关于某一品牌的专题报道，包括企业形象、人物、品牌、产品宣传、促销等，帮助客户准确把握竞争品牌最新产品、企业发展和重点市场动态，并提供针对性的动态点评。

二、 市场调查与研究

1. 市场环境分析。市场容量、市场渗透率、市场份额、行业集中度、产品生命周期、品类发展指数、品牌发展指数等。

2. 竞争分析。市场结构及竞争格局、竞争品牌市场地位、品牌资产地位、在消费者心目中的地位，全面了解竞争对手的实力。

3. 消费者研究。目标消费者人文特征及生活形态，消费者使用和购买产品种类、规格、包装、频率、数量，时间、场合及地点等。

4. 媒体研究。目标消费群确定、目标消费者媒体接触习惯、媒体类别选择等。

5. 企业研究。研究指定企业和品牌的全面情况，包括企业规模，成长过程、公司架构、主要产品及特点、产品销售网络、重点市场、广告投放策略及企业优劣势分析等。

6. 专项调研 。就特定专题、特定项目进行区域性的或全国性的市场调研。

三、营销诊断、策划及战略咨询

1. 营销诊断。检验产品概念、市场定位、营销组合；明确企业使命、远景和发展目标，明确企业自身的核心竞争力；制定可供实施的发展战略，为企业实施发展战略提供支持；进入或退出某些市场的战略实施方案。

2. 营销策划。包括产品、价格、通路、促销规划；新市场开发和上市规划；营销组织和内部管理框架设计；制定销售队伍管理和销售激励机制；建立完整的市场营销体系和管理流程等。

3. 营销战略咨询。担任常年营销管理和执行顾问；进行营销职能咨询；组织营销培训、行业研讨、交流等。

提高综合解码能力的必要

市场研究，一方面是对行业信息、市场信息和广告资料的广泛收集和整理，一方面则是对各类信息的深度分析和提炼，也就是对各类信息的“综合解码”能力。显然，后者比前者更为复杂、重要，也更具挑战意义。因为，只有将大量的信息变为科学的、具有针对性和创造性的结论与指导策略，信息才能实现其商业价值。而面对同样的市场信息，谁能努力提高“综合解码”能力，谁就能更好地发挥这些信息的价值和作用，谁就能更好地占据优势和主导，为广告策划服务，为市场经营服务。

在多年的客户服务与市场实践中，广东省广告有限公司市场研究中心，更加坚定了“专业、敬业，高效、实效”的服务理念，进一步明确要扎根市场，吃透行业，贯通广告，为客户提供高水平的、可操作的市场分析报告和营销、战略解决方案，实现与客户的共同成长，强化在市场上的核心竞争力，并在竞争中领先。

2.2 市场心法为何物

——“开着门做广告”

市场之“心”

市场是个既简单又复杂的东西，易睹芳容却难觅芳心，要想成功驾驭市场，一要有心，二要有法。省广凭借对理论的探索和经验的积累形成特定的市场心法，以此为基础的广告活动常能产生良好效果，帮助客户创造优异业绩。所谓“运用之妙，存乎一心”，观念、意识、思维方式或者说眼光、境界是做好专业的前提。因此，省广主张“开着门做广告”，一切从市场中来，又回到市场中去，这已成为省广策划和执行广告活动的习惯思考和作业准则。由此，市场理念贯穿于客户服务的全过程，较为显著地体现于广告作业的几个环节。

一、营销检视

广告是整体营销系统中的一个环节，是促销的一部分，要产生良好效果，首先有赖于产品、价格、通路等要素的有效组合，然后才是广告本身的策划水平。因此，广告策划之前进行系统的营销检视可以避免无效广告出现。曾有家一流家电企业准备推出集合八项先进功能于一身的空调新产品，当时正值省广担当该企业广告代理，省广并未就广告而思考广告，而是以是否“适销对路”的原则检视产品、价格等因素。诊断结果：真正需要和喜欢八项功能集于一身并接受相应价格的消费者寥寥无几。省广建议：按群体偏好将八项功能拆开，规划系列产品，每款产品突出一至两项主要功能，分别满足不同群体的不同需求，此建议亦为厂家所接受并经事实证明行之有效。

二、策略导向

对任何一项产品、一个品牌的推广活动，省广必坚持创意以策略为前提，策略以市场为导向。务使“对谁说”对得准，“说什么”说得对。通过细分市场进而选择目标市场，结合自身特点，寻找目标消费者所需要的并与竞争对手有差异的定位点，使广告策略植根于市场之中，植根于消费者心中。

三、表现测试

策略环节解决“对谁说”，“说什么”的问题，创意表现则解决“怎么说”的问题。省广坚持创意以策略为前提，同时必须符合目标受众的价值判断和审美情趣，达致一定的感染和煽动效果，务使“怎么说”说得妙。表现测试的职能就在于它限制了创意人的“随心所欲”，却换来了“随消费者的心，同消费者之欲”，正因为市场才使广告成为商业艺术。

四、效果评估

广告是一项商业投资，省广常常把客户的广告预算当成资本，而不是费用，资本讲究最佳投入，讲究产出效果。为此，省广的媒体策划和促销活动一贯坚持有效受众、有效传播、有效销售的原则，效果评估则是执行这一原则的保证。省广代理了六年的诺基亚，每年5000万元左右的广告投入，对广告效果评估坚持不懈，客观定量地评估广告的沟通效果和销售效果，并根据评估结果调整或改进广告策略和媒体组合，保证广告的有效性和投入产出效果。

市场之“法”

如果说“心”是指观念、意识、思维方式，是做好专业的前提，那么“法”则是指方法、技巧、执行方式，是做好专业的保障。省广对市场的运用可以从三个角度来体现:

一、高度把握，高度保证前瞻性。

对行业的发展和消费趋势的宏观把握保证了“广州本田”的市场定位具有竞争力且在几年后愈显威力。广州本田刚上市时，公务购车占有较大比例，由于公务购买能力强，奥迪、红旗、别克以及桑塔纳基本定位于公务用车。但是从行业发展和消费趋势分析，一方面私人购车发展迅速，另一方面行政机关公务用车由于定编严格，档次将受到限制。为此，广州本田锁定企业中高层管理者、私营业主、专业人员、自由职业者等几类人士为目标消费者，而他们的共同特点是商务交际。因此把广州本田定位于商务（职业）精英的轿车，既有别于公务用车，又有别于家庭轿车，这为广州本田的热销埋下了伏笔。可见前瞻性的市场把握决定了品牌形象的生命力。

二、深度掌握，深度保证准确性。

消费需求的多样化和消费潮流的多元化要求广告策略必须对消费行为、心理有更深层的了解。对于广州本田的定位，在对中高级轿车消费者的分析中，不仅仅停留在职业、收入等人文方面的聚类，还深入到消费者心理深处，发现这类人士尚处于成功但未达到高峰的状态，因此定位点从体现人文意义的“商务精英”这样一个阶层状态进一步深入到体现心理特征的“效率、进取、创新”的心理需求。这是一个把人文特征与心理特征深度结合的例子。而“第五季”的提出则是对消费潮流深度演绎的结果。茶饮料是一种时尚饮品，众多品牌在“时尚”卖点上大做文章，但是直白“时尚”是不够的，而“酷”、“小资”、“日流”、“韩流”又有跟风之嫌，所谓潮流在于创造，时尚在于引导。于是“第五季”成为又一种时尚。

三、广度涵盖，广度保证整合性。

一种体现是产品联动，随着企业更多的推行相关多元化，尤其是对于一牌多品的情况，广度涵盖可以避免各品类产品的分散推广。比如家电企业，一个品牌可能覆盖空调、冰箱、洗衣机等产品。洗涤用品企业，一个品牌可能覆盖物体清洁用品和人体清洁用品，如果各自为政将不利于形象统一且浪费资源。另一种体现是群体扩展。根据品类发展的不同阶段，跟随消费群体使用行为的变化制定相应的策略。在对国内某知名减肥产品的策略分析中，市场人员发现，减肥这一产品的实际使用群体并不一定是肥胖群体；相当一部分服用减肥产品的消费者，本身已经拥有了美好的身材，她们只是希望通过服用减肥品去控制、保持她们的体态。针对这一独特的女性减肥心理，我们制定了“维持装”的产品策略，即减量包装的减肥产品，在常规减肥产品减轻体重的基础上，通过服用这一产品维持体重，保持美好身材，通过“减量维持体重”的思路吸引消费群体。产品一经推出，大受此类减肥消费群体的欢迎。这一产品的成功，并不完全在传播策略的成功，其中的市场策略和产品策略起到的作用是不言而喻的。通过新产品的推广，一方面扩大了原来减肥群体的使用量，让产品的销量得到明显提升；另一方面，将过去的减肥群体范围大大扩展，从“身体减肥”的群体扩大至“心理减肥”的群体。从市场反应来看，该品牌最终能够成为国内数一数二的减肥品牌，与这一策略对市场的广度理解与把握不无关系。

一言以蔽之，市场是检验广告的惟一标准，只有对市场的深层次理解，才能对客户进行深层次服务。

2.3 战略制高点在何处

——行业市场研究

市场研究的核心就是要发现企业市场营运成功的可能性，以及其在市场中盈利和成长的价值来源。而市场营运，或称市场运作，则指企业进行的较高层次的市场活动，包括市场进入、退出、整合、提升等重大市场行动。随着市场的深化，我国的市场营销活动必将从初级简单的营销走向高层次的市场运作，“市场营运”将成为营销领域的新潮流，行业市场研究将成为引领新潮流的重要切入点和推动高层次营销活动走向成功的重要因素。

我们认为，一个企业要真正找到在市场运作中的“兴奋点”和价值链的“关键点”，绝对离不开行业市场研究，特别是应用性的市场研究只有在一定的行业范围内才显得更有操作意义。只有通过对行业成长性、行业结构、行业价值拓展空间等问题的纵深研究，才能真正发现那些便于企业进行市场运作的“优质市场”，方能真正把握市场跳动的脉搏，只有通过深刻的行业市场研究，方能把握广告策划和项目市场运作的战略制高点。

行业市场研究的重要使命之一就是要研究构成这一行业市场系统的市场运行状况和演进趋势。进一步说，行业市场研究的意义在于这一行业在发现市场化演进过程中有些什么样的市场热点和机会。

实际上，尽管行业市场研究的直接目的一般有以下几方面：一是了解行业自身作为一个系统的要素构成及联系，以及这个系统的演变及其发展趋势；二是了解作为系统构成的单个要素——即类似于细胞的企业——的发育成长及健康状况，从而明了各单个企业在系统中的分工、地位及其存在的价值；三是了解行业在整个国民经济大系统中的地位、变动及其存在价值。但就目前我国的行业市场研究情况来看，大量的行业市场研究报告基本上都流于一般的行业背景介绍、行业周期分析、行业市场容量预测、行业发展前景分析等内容，而对一些重要的行业分析要素考虑不够。具体见下表。

应重点关注的一些重要问题	已经给予关注的研究报告比例
该行业的市场化程度及竞争水平	12%
该行业的行业寿命周期	40%
关联行业及其替代程度	20%
行业核心竞争力	15%
行业的技术来源与传递情况	5%
行业的区域转移与扩张空间	10%
行业的平均利润率	25%
行业内企业的分布	30%
行业内新企业的进入和老企业的退出情况	3%

表1　100份行业市场研究报告重点关注情况的问题

虽然上述统计资料所涉及的观察指标不够全面，但它至少反映一点，我国的行业市场研究大多处于表面分析和简单的资料介绍，如多少家企业、产量多少、预测的市场容量多少等，一般都会得出有远大发展前景和投资价值的分析结论。而一些无论投资者还是市场操作者都极为关注的重要资料却很少涉及。同时，有些行业市场研究资料，如市场容量分析，得出的方式也值得考究，例如，某“洗手液行业市场研究报告”在分析该行业的市场前景时是这样推导的：洗手是人们日常生活中的常事，一个爱清洁的人每天至少洗手16次。保守一点估计，以人均每天洗手4次，每次花费0.02元来计算，每年人均洁手用品就达到近300元，市场容量相对可观，而且，随着人们收入的提高，每次洗手的花费将会更高……显然，这种市场容量分析缺乏科学性。同理，越来越多的行业投资价值分析报告，往往只是唱唱赞歌，而很难看出其投资价值在哪里？如何获得？

因此，无论是基于市场营运的考虑，还是基于行业市场研究水平的提高，行业市场研究都大有改进的必要，而且要遵循下列原则。

一、研究时必须注意严肃性、科学性

这里，最关键的一点就是必须关注中国经济的整体环境，从而在研究假设中，必须考虑相关因素。我们必须克服脱离一定的假定条件和研究前提，随意引用、推理和分析的缺陷，走科学分析之路。

二、研究对象和范围应拓宽

不同的研究对象取决于不同的研究目的。为了达到一定的研究目的，研究时必须要有明确的出发点、核心目标、研究步骤、体系框架和逻辑主线。否则，常常会发生研究目标与研究思路背道而驰的情形。

行业市场研究除了关注市场营运外，还要关注不同行业间的协同等问题。为此，行业市场研究至少应涉及以下一些内容：

1. 行业环境分析。行业环境是对企业影响最直接、作用最大的外部环境。

2. 行业结构分析。行业结构分析主要涉及到行业的资本结构、市场结构等内容。一般来说，主要是行业进入障碍和行业内竞争程度的分析。行业进入障碍涉及规模经济、产品差异优势、资金需求、转换成本、销售渠道等等问题；而行业竞争程度主要涉及企业数量、产品成熟程度等内容。

3. 行业市场分析。主要内容涉及行业市场需求的性质、要求及其发展变化；行业的市场容量；行业的分销通路模式、销售方式等。

4. 行业组织分析。行业组织分析主要研究行业对企业生存状况的要求及现实反映，主要内容有：企业内的关联性、行业内专业化、一体化程度、规模经济水平、组织变化状况等。

5. 行业成长性分析。行业成长分析，是指分析行业所处的成长阶段和发展方向。一般从六个方面去把握其特征：行业所需资源的供应来源和要求；产品品种和功能结构；行业的核心竞争力；主要生产过程及所需技术；行业平均利润率和边际利润率；行业经营风险和盈利能力分析等。

当然，这些内容还只是常规分析中的一部分，而在这些分析中，还有不少一般内容和特定内容。例如，在行业市场研究中，一般应动态地进行行业寿命周期（参见图 1）的分析，尤其是结合行业周期的变化来看产品市场销售趋势与价值的变动。

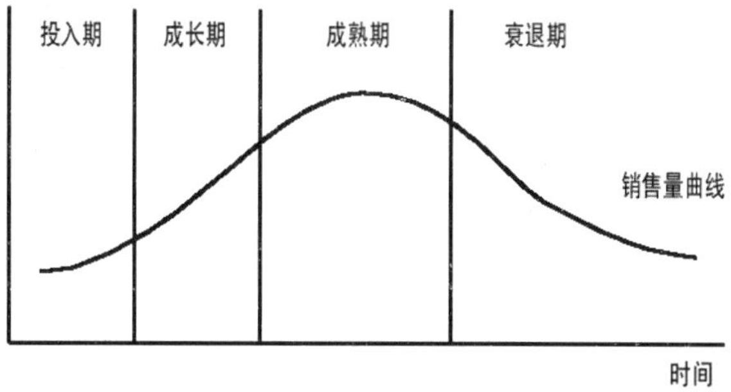

图 1　行业生命周期与销售量曲线

三、加强对行业的纵深研究

我们认为，行业市场研究分为一般性研究和专业化研究、浅表性研究和纵深研究。只有进行纵深研究才能真正发现公司的价值形成和来源构成，因为，通常情况下，通过一般的财务资料和市场资料，进行一般的经营能力、盈利能力、抗风险能力分析，据此也很难判定一个公司的真正价值。

要进行行业的纵深研究，必须建立在深入调查的基础上，进行大量的基础研究和实证分析。

例如，对于不同行业的市场集中度与资本利润率的关系的研究，也就是行业的价值链研究，就属于这种内容。再如，对于相邻市场之间的行业关联度及其替代关系研究，也属于这类。下图给出了某一行业分析相邻市场的参照系（参见图 2），可见，要分析它们之间的联系，并不简单。

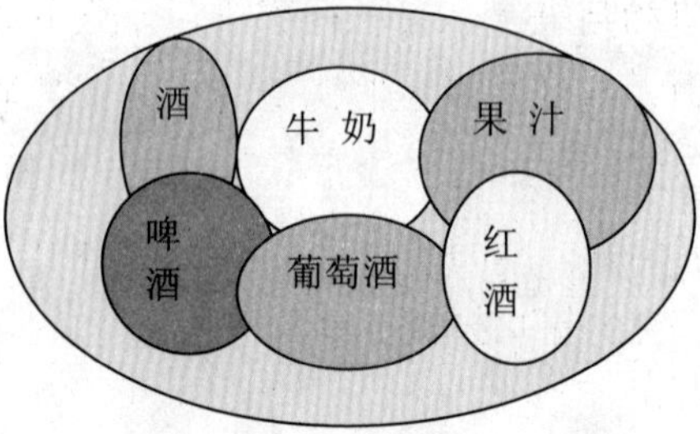

图 2　相邻行业市场的关联假设与替代程度

再如，对于不同行业间的技术传递和转移过程，是直接关系到不同行业的兴衰和转化的过程，因此，对于这一问题的研究，也是纵深研究的范围（参见图 3）。

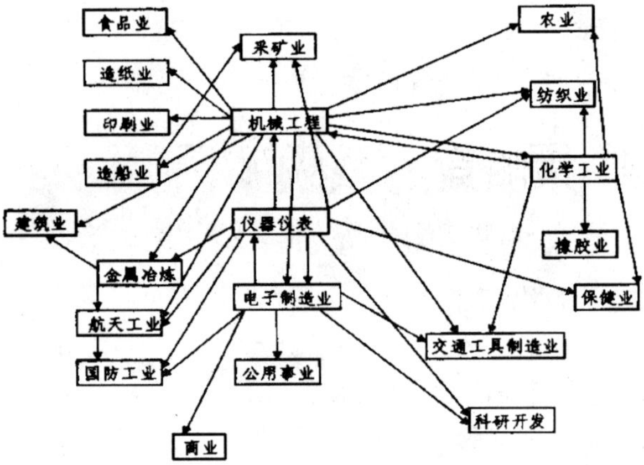

图 3　技术在不同行业间的传递与转移

四、加强行业市场研究的力量。

目前，国内从事行业市场研究的主要力量有两方面：一是全国 600 多家市场研究公司、营销策划公司、管理顾问公司以及近万家广告公司和比较专业的市场调查公司；二是全国各证券公司、基金管理公司和投资咨询公司。例如，世界最大的市场研究公司之一的益普索公司在中国的分支机构，就有专门的行业市场研究队伍，而且在 10 多个行业进行长期跟踪研究，有了一批相当有价值的研究产品。

然而，目前我国的行业市场研究才刚刚起步，研究力量薄弱且分散，缺少规范的研究方法体系。有些人盲目地进行行业分析，不是根据市场上对行业市场研究的供给与需求状况进行安排，行业市场研究的水平偏低，进而导致缺少竞争力，导致大量粗制滥造的产品（甚至伪劣产品）出现。有些行业市场研究随便套用一些方法而不是根据自己的研究目标，选择合适的研究方法和研究框架，从而使研究结论成立的科学性大打折扣。有些人对运用行业市场研究的基本分析工具及基本理论缺少训练，进而所作的研究也缺少专业性。

在这方面，省广市场研究中心充分借鉴国外以及香港、台湾的经验，进行明确的行业分工，一般每个研究人员关注的行业不会超过三个，甚至一个人研究一个行业，并成为这方面的专家。这样，就逐步形成了自己的研究品牌和效应，进而有力地推动了项目策划和项目服务的开展。

2.4 策略竞争力从哪来

——品牌定位分析

消费者、品牌自身、竞争品牌组成了“品牌策略金三角”，可以为品牌定位确定方向。在品牌宣传的过程中，只有清晰把握了品牌的方向，才能使品牌不至于落空（参见图 1）。

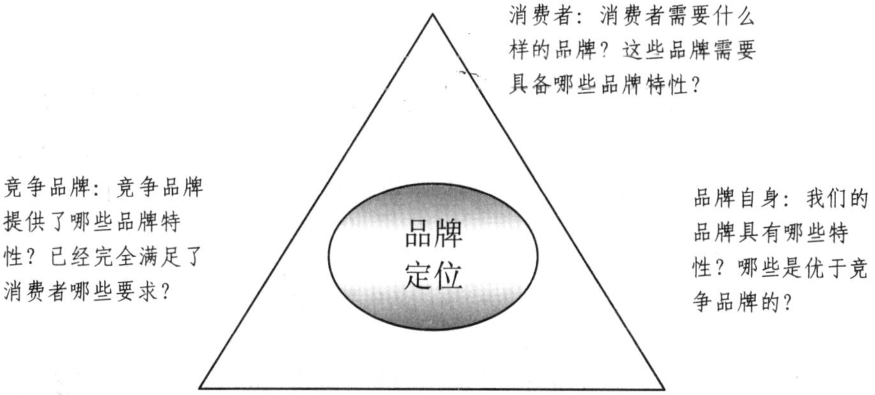

图 1　品牌策略金三角

品牌在进行了有效的定位后，需要进一步进行展开，这里面就包含了两个方面的工作。一方面是品牌识别系统的建立，通过对企业内部、外部的合理分析，得出品牌识别的核心；另一方面是品牌传播工作，需要通过一系列的品牌传播工作和品牌表现手段，将品牌核心进行有效的传达（参见图2）。

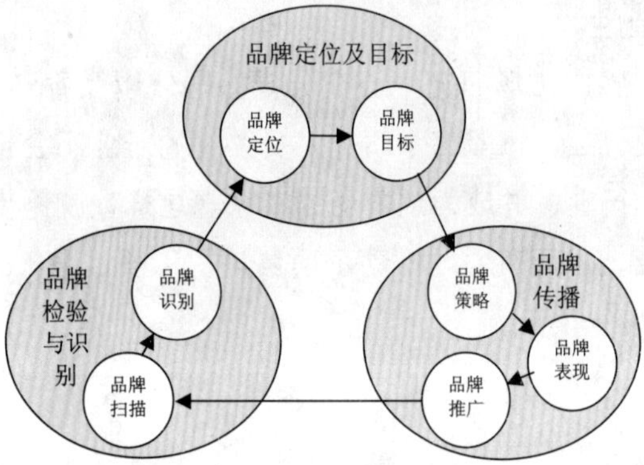

图2　品牌定位、检验与传播

接下来，我们以新飞品牌定位分析方案来探讨一下企业如何在市场中获得自己的策略竞争力。

新飞案例：消费群体转变

一、消费群体结构发生变化

城市市场与农村市场向二元化的趋势发展。

1. 城市市场电冰箱的普及率很高，需求不大，但购买力强。市场以产品的更新换代和品牌的相互转换为主要特征。

2. 农村市场虽然普及率低，但仍处于市场的启动期，需求一般，购买力较弱。首次消费为主，中低端产品继续受到市场关注。

二、产品消费发生变化

作为家庭消费产品，冰箱与家庭组成情况紧密相关，161～230升容积的产品大幅度提升，带动了整个冰箱市场的增长。需求的主流市场为中等容量冰箱，大容量冰箱增长幅度不大，小容量产品目前未被市场看好。作为更新换代消费产品，中高端产品逐渐成为市场的主流，低端产品市场增长不大。

三、消费群体趋势变化：

1.冰箱拥有情况变化趋势（参见图3）。

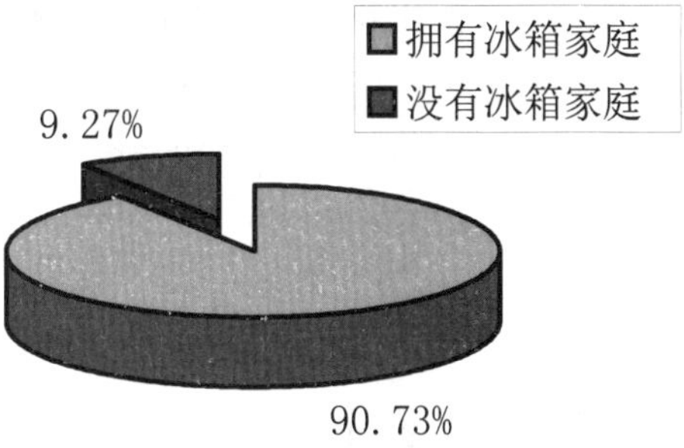

图3　冰箱拥有状况

截至2001年，已经有90.73%的城市消费者拥有冰箱产品。同时，调查显示，绝大部分的消费者（95.05%）并没有考虑购买一台以上的冰箱，现有市场的饱和程度高。随着市场的进一步发展，城镇居民冰箱产品的拥有率将进一步提高，市场保持稳步增长的趋势。市场的竞争将围绕几大主流品牌争夺有限的市场份额展开。

2.冰箱购买群体未来趋势。根据消费者数据分析可知，未来几年冰箱消费群体将呈现出以下两大趋势。趋势一，更年轻。现实消费者跨越各个年龄层，预购消费者以年轻群体为主。趋势二，更高的价格承受能力。预购冰箱群体对冰箱价格的承受能力高于冰箱产品的现实消费群体。

3.消费者心目中理想品牌形象。消费者心目中最理想的家电品牌是服务完善、具有高科技含量、有信誉的知名品牌。因此，科技和亲和力是最能打动消费者的品牌形象核心。同时，流行时尚的品牌元素要求，也反映了消费者在心理满足层次的品牌需求。图3中深色部分是新飞品牌可以利用与强化的品牌优势。而品牌亲和力与产品核心技术方面是塑造家电品牌不可或缺的元素。

四、小结：新飞群体矛盾论

1.品牌知名与品牌美誉的矛盾。新飞已经成为冰箱领域的领导品牌之一，有着广泛的品牌群体，一定的品牌知名度，但是这些知名度是否能够转化成品牌发展的后续动力，存在着矛盾。

2. 现实群体与未来群体的矛盾。现有品牌消费群体是否就构成新飞品牌未来的主要人群？从销量来看，从市场表现来看，这两个群体是一致的，可是从品牌塑造的角度看，这可能是一对矛盾。

3. 产品元素与品牌元素的矛盾。在传播的过程中，如何将产品推广的元素有效地融入到品牌元素之中，让广大消费者认同，是家电企业共同遇到的问题，新飞作为一个家电品牌进行传播需要解决这一对矛盾。既让消费者购买产品，又提升了品牌。

新飞案例：竞争品牌态势

一、品牌卖点与技术趋势结合

无论是国产品牌还是洋品牌，都把技术作为 2002 年的王牌。通过技术形成卖点，成为各个冰箱品牌相互区隔的趋势。

西门子推出 0℃生物保鲜冰箱，伊莱克斯在全国范围内上市 E 系列电脑冰箱，海尔力推全频太空王、007 系列冰箱，新飞推出数码神鹰、聪明语鹰系列，容声（科龙）推出精锐一族数码通系列和“分立多循环”、“制冷制热双高效”等技术。

从品牌技术趋势也可以看出：未来冰箱产品诉求靠单一功能将难以打动消费者，不同品牌技术的同质也严重制约了品牌诉求差异化。需要将多个功能捆绑、深挖，并且与消费者生活等多方面联系起来，才能真正打动消费者。

二、品牌购买集中化品牌所占比例（%）（参见图 4）

根据市场反馈，在二次购买行为中，购买将向两类品牌集中：一是行业领导品牌，以海尔为主要代表，成为市场主流品牌，其他知名品牌还包括容声与新飞；二是国际知名品牌，主要为西门子与伊莱克斯，在消费能力许可的条件下，国际知名品牌正越来越受到市场的青睐。

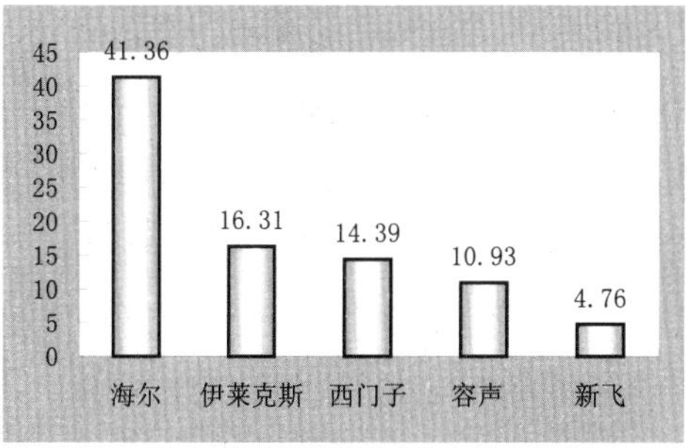

图4　品牌购买集中化品牌所占比例

三、主要品牌2002年度推广策略比较（参见表1）

	海　尔	容 声/科 龙	美　菱	西门子	伊莱克斯
推广策略	突出国际化的品牌形象，全球第二的冰箱销量；重视售点气氛的营造通过产品对消费者进行形象推广树立高科技的品牌形象。	利用全新的多立分循环技术吸引消费者；为满足不同细分市场，不同产品对技术有所侧重，加强了整体竞争力。	突出产品的差异化，“纳米冰箱”区隔其他品牌；加强企业内部成本管理，获取产品的成本优势。	主推高档次产品；坚持技术创新，将最新的冰箱技术应用于新产品上；把零售终端作为促销的重点，POP售点布置，突出高科技、高档次、时尚化气氛。	利用全球化的品牌背景，加强品牌“科技领先、实力超群”的形象；不断为品牌注入活力并形成竞争的差异化优势。

表1　主要品牌2002年度推广策略比较

四、未来冰箱品牌竞争能力构成要素

冰箱品牌竞争能力构成要素主要包括几方面。

技术和产品创新能力。从目前中国市场的冰箱产品来看，中国冰箱的技术水平已经处在世界制冷业的前端。国产冰箱中，已应用了一些尖端边缘技术，如海尔的银色变频冰箱、全频网络冰箱，科龙的生态保鲜冰箱等。在欧洲，海尔全频太空王冰箱的日耗电量仅0.48度，几乎只有欧洲A级能耗标准的一半。国内几大主要冰箱企业不断推陈出新，环保、抗菌、保鲜、变频、网络等新型冰箱层出不穷。这种创新速度让在中国还没有发展起来的洋品牌很头疼，由于规模小、投入少等局限，他们在中国市场推出的产品基本上只是尺寸、容积上的变化。

价格竞争能力。科龙就提出了“将电脑冰箱卖到机械冰箱价格”的口号，对现有冰箱市场进行冲击，而一些进口品牌通过大比例的现金折扣和高附加价值的促销活动，也取得了一定程度的竞争优势。

本土化能力。国外品牌意识到在中国市场做服务很难，所以推出了“家庭保养师”、“售后零服务”等理念，做到位却很难。国外由于社会专业化分工很细，有专门的机构来做这些，而在中国，这些工作必须企业自己来做好。哪个品牌具有本土化的服务能力，哪个品牌就具备了竞争的优势。

本土化产品开发能力。若同时具备本土化的产品开发能力，就可以随时根据各地情况的不同进行针对性的产品开发与终端管理，保证各个区域市场运作的灵活与高效，从而各个击破。

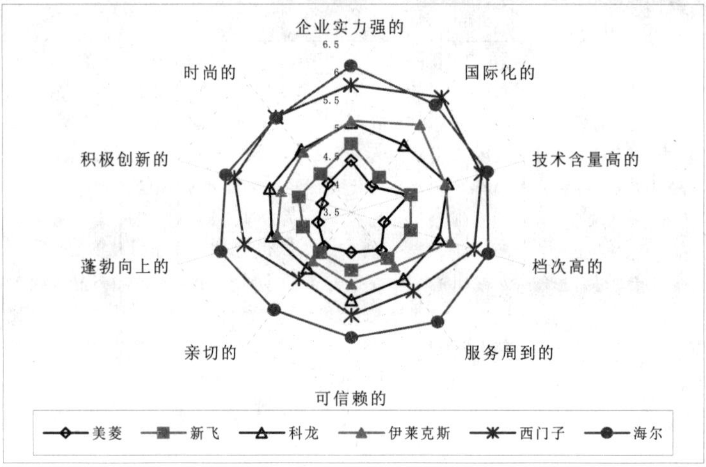

图5　冰箱品牌形象调查

五、家电品牌形象分析

海尔：服务完善的和富有实力的，高档的、高技术含量的，中国造的国际品牌。

科龙：较高技术含量的、有实力、可信赖的。

新飞：企业实力稍微突出，但总体感觉模糊而指标值表现一般的。

西门子：国际化品牌、强有力的品牌支持多元化产品，突出产品的优质。

伊莱克斯：国际化的和高档次的。

美菱：消费者对该品牌缺乏了解，各项表现一般。

六、家电品牌形象分类（参见表2）

家电品牌类型	品牌	描述
国际品牌	索尼、松下、三菱等	稳固品牌：拥有强有力的品牌形象与地位，并且能够支撑产品线的多元化，品牌内涵的多样化。
	伊莱克斯三星等	跳跃品牌：品牌正在进行阶段性的跳跃，达到品牌内涵与品牌外延的明确与清晰。
国内品牌	海尔	国内已经形成鲜明品牌个性的品牌，有稳固的品牌形象与品牌内涵，基本能够支撑品牌的后续发展。
	科龙、美的等	处在品牌个性与内涵的形成期，目前已经具备一定的品牌形象。
	新飞、华凌等	原有品牌形象在发展的过程中，个性由清晰转向模糊。
	海信、格兰仕等	短时间内形成品牌个性，并逐步进行品牌的延伸，达到品牌效益的最大化，但是品牌个性与特征仍然模糊不清。

表 2　冰箱品牌形象比较

新飞案例：新飞品牌处境

一、新飞冰箱品牌现状

1. 新飞冰箱拥有率（%）（参见图 6）

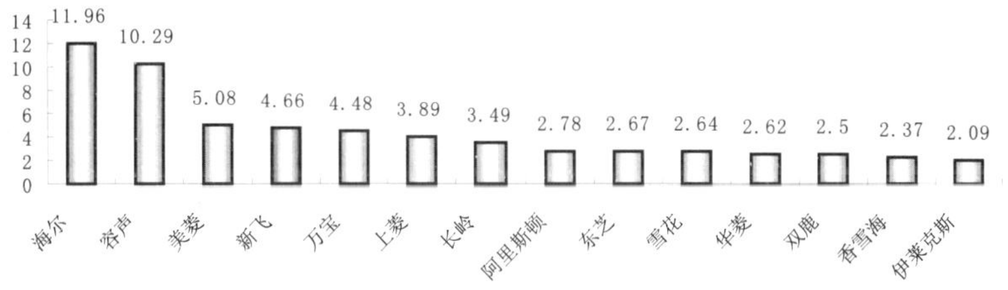

图 6　新飞冰箱拥有率

海尔、容声成为消费者目前主要拥有的品牌，其他品牌如果要扩大市场份额，必须抢夺市场领导品牌的升级换代用户。

2. 竞争品牌发展趋势。根据年龄与收入的定位关系数据分析，可以发现：国际知名品牌的定位更为年轻化、时尚化，更为新一代消费者所接受；而包括海尔、容声在内的国内品牌，消费群体有老化趋势。

3. 消费者对新飞品牌的总体认知。

（1）消费者品牌认知模型（参见表 3）

品牌认知的层次	品牌商品力
品牌联想	消费者认为该品牌有特色，并对该品牌的相关属性产生联想
品牌忠诚度	消费者在对该品牌品质认知的基础上对品牌形成的偏好
对品牌品质的认知	消费者对该品牌产品质量好坏和档次高低的认知
品牌的知名度	消费者对品牌的熟悉程度

表 3　消费者品牌认知模型

（2）品牌知名度（在冰箱领域）（数据来源：2001 年 6 月市场调查）（参见图 7）：

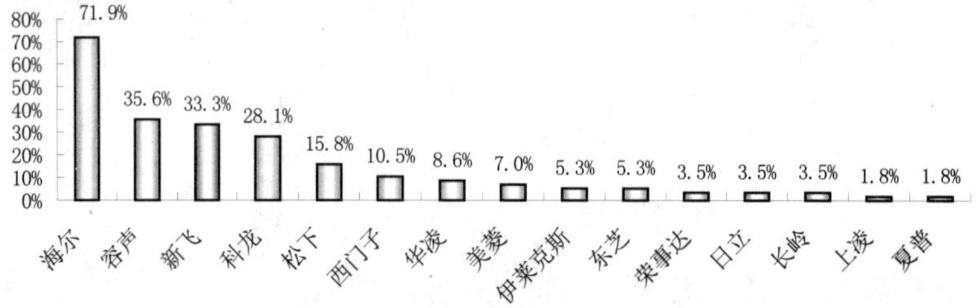

图 7　冰箱品牌提及率排名

海尔凭借其强大的品牌影响力，在各个家电领域（包括冰箱）都处于领先的位置。新飞品牌在冰箱市场的无提示提及率位居前三甲，在市场中具有较强的影响力。

新飞作为绿色家电领航者的地位没有得到强有力的建设，认同度不高。消费者认为，新飞就是冰箱，产品品牌在很大程度上替代了企业品牌。这是新飞进军空调领域面临的障碍和新飞迈向多元化的阻力。

（3）品牌美誉度（数据来源：CMMS2000 数据）（参见图 8）：

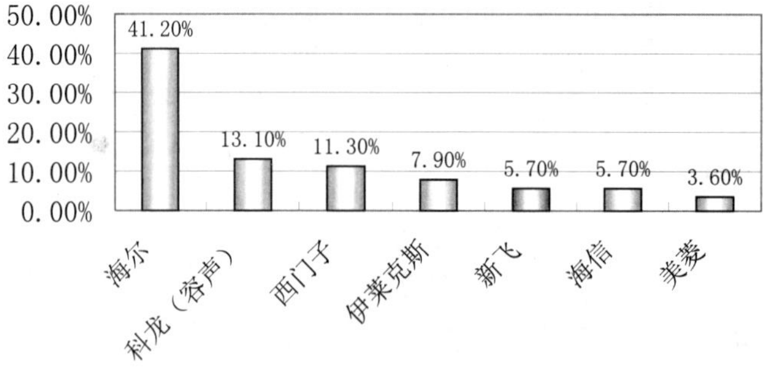

图 8　消费者心目中理想品牌

将CMMS数据中主要家电品牌进行数据分析，可以发现不同家电品牌的消费者满意程度。在主要品牌中，海尔作为成熟品牌，获得较高的消费者满意度。同时也可以发现，较为宽泛的产品线与较为多元化的品牌内涵有机会获得更大的消费者满意度（参见图9）。

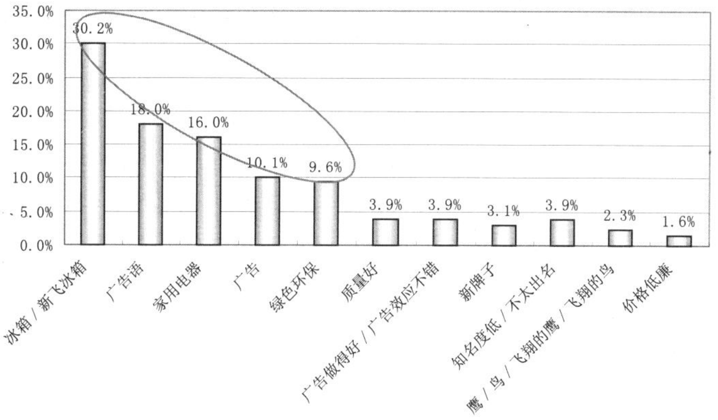

表9　消费者对新飞的联想

（4）品牌联想（数据来源：2001年6月市场调查）：

第一品牌联想：在新飞品牌给消费者的联想中，“新飞冰箱”成为消费者第一品牌联想的内容。

主要品牌联想：广告语、家用电器、广告和绿色环保是消费者对新飞的主要品牌联想。广告语方面，新飞广告语简单易懂，在环保产品方面，新飞走在冰箱企业的前列，这些都成为消费者记忆深处的主要联想点。但同时，品牌联想明显老化，内容需要更新，品牌价值需要提升。其中绿色元素可以作为新飞品牌与其他品牌的鲜明区隔点。

二、新飞品牌体系构成：

1.新飞品牌识别元素分析（略）

2.品牌识别模型（参见图10）

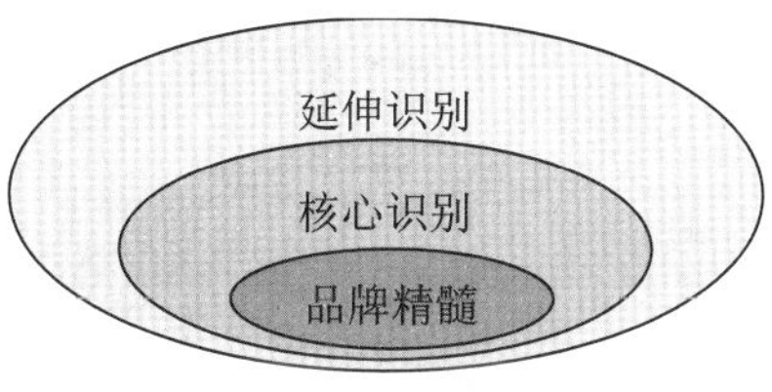

图10　品牌识别模型

3. 新飞品牌识别系统建立（略）

三、新飞品牌的层次构成（略）

总结：从核心层向外逐层演化，清楚地界定了新飞品牌，从品牌性格到品牌概念到具体产品的逻辑关系。在传播中保持对此层次关系的清晰认识，最终的结果是：新飞等于“绿色生活方式”，“新飞给消费者带来绿色生活！”实践证明，省广的市场策略和广告策略、创意表现是锐利有效的。2002年第一季度，新飞冰箱销售位列行业第二，其广告作品亦荣获第九届中国广告节银奖与铜奖。

2.5 广告公司了解广告主吗？

——广告主在进步，广告公司要提速

处于历史的洪流中，反思经验和教训对未来发展提出策略性方向与新观点。它一旦转化为精神和物质力量，就可在一定程度上清除广告环境的内外障蔽。

思考广告主的快速进步现象，我们不妨对中国广告20年三个发展阶段对市场的作用稍加回顾。1979年～1986年是企业回报率最高阶段，特点是只要企业花钱做广告就有回报；1987年～1994年，企业只要花足够的钱做广告就有回报；1995年至今，企业花足够的钱做广告也未必有钱赚。这是广告主与广告公司今天共同面临的难题。

广告主在进步

为什么花足够的钱构筑的品牌、市场占有率、营销网络的壁垒会发生动摇？由于市场环境大变，相对过剩经济时代的到来，暴利不复存在，造成中国消费者接受新品牌的能力很弱，在市场占有率背后付出的是利润代价，新经济动摇传统经销商的根基，这些都使得企业随时面临洗牌。为规避风险，企业努力调整营销战略，市场这只无形的手将广告主推向进步的“快车道”。

进步之一，引进高才管广告

谁在企业管广告一直是广告公司关注广告主的热点。如今，享有“名牌的天空”美誉的珠江三角洲主流企业，广告领导层和执行层人员都发生了质的变化。首先表现为企业内部广告机构“清理门户”卓见成效，近年来主管广告人员已由前些年“市井百态”般的非专业人员向广告行家转化，广告专业毕业的本科生、研究生纷纷效力企业，乃至国际广告公司的一些精英也改换门庭，摇身变为广告主。广告公司中院校派的新生代实际上是向他们的师兄、师姐交功课，广告公司实力派的中生代穷于招架曾是同一条战壕战友的“飞刀”。2003 年，珠三角主流企业提出“人才国际化战略”，对人才引进做出了“高层次、国际化”的明确规划，着手大规模“买脑”，营造出企业的老总“交班”、新一代企业家登上“前台”的新经济景观。中国著名的营销专家屈云波曾出任科龙营销副总裁，近期又有上百硕士生汹涌流进广东“美的”大门。广告主的高质素使其广告和市场知识及经验迅速提升，逐步弱化了对代理广告公司的依赖。随着企业对营销战略和品牌战略越来越高的要求和期望值，广告主抛弃知识不足的代理公司，转向专业咨询公司的趋势已露端倪。

进步之二，潜心研究消费者需求

广告主开始反省，把“炒作”或急于求成的“点子”和“策划”当成提升品牌知名度的误区，将品牌更多地看作是一种企业与消费者的关系，对品牌是由企业、市场环境及消费者共同建立的规则有了深刻认识，从而注重培养消费者对品牌忠诚度，努力拉近与消费者的距离，实行亲情化策略。

以家电行业为例，由于目前空调技术上差异并不大，但质量与售后服务有很大差异，后者在短时间内看不出来。TCL 从远期市场出发，耗资 380 万元培训安装服务人员，认为“服务好了，就是好的广告”。

美的则投资 10 亿元巨资“触网”，筹建国内第一家专业家电信息服务与销售网点，开展直接面对消费者的业务。这于广告公司而言是一种预警，企业直接面对消费者也就意味着企业可能抛弃中介机构，广告公司的伙伴地位也就岌岌可危。

伊莱克斯在中国冰箱行业坚如盘石的壁垒中，直逼传统四强海尔、容声、美菱和新飞。其中重要的因素就是伊莱克斯从来没有根据成本定价，首先考虑的是消费者的接受程度，只考虑要不要进入这个目标消费群，从消费者立场出发，实施反向操作。

新飞冰箱将箱体内活动升降格改进的细节，说明企业熟知消费者心理，寻找市场机会，组织资源，提供能够满足用户需要的产品、服务。

进步之三，与世界大环境迅速对接

新经济正在改变整个人类的经济，包括传统的农业经济和工业经济，使整个人类经济步入了一个崭新的时代。当广告人还在沸沸扬扬地讨论中国加入WTO后的对策时，广告主已经与国际接轨，走在全球化新经济的前沿。

前不久，海尔总裁张瑞敏为来自哈佛等68所世界著名大学的百余位教授上课，提出“创新就是创造资源”、“只有淡季的产品没有淡季的市场”。这与广告公司习惯性将市场划分为淡旺市场截然相反，创新意识鲜明超前。

由于高技术改变了人类获得物质的方式，变得更容易、更方便、更便宜、更快捷，广告主开始寻求把物质产品概念包装升华为满足消费者高层次的精神需求。广州奥林匹克花园董事长郭梓文认为，“家”不是居住的最高境界，倡导一种先进的生活方式才是开发房地产的最高境界，在“卖的就是生活方式”的理念下，奥园在“丽江花园”、“广州碧桂园”这些明星楼盘板块中脱颖而出，演绎了中国房地产最精彩的商战，这种高智创新是一种只可意会、不可言传的东西。

可以说，广告公司面临一个对话资格问题，广告公司与广告主必须处在同一个对话平台，倘若仅凭广告套路的“三把斧”与高手对话，将会失去对话资格。一旦出现这种局面，广告公司的命运极有可能沦落为广告策划执行公司乃至广告完稿公司。

广告公司要提速

业界资深人士将广告主与广告公司的关系喻为“一条绳上的蚂蚱，一起跳才能跳得高”。现实中，广告主与广告公司之间的关系是利益大于价值，广告主认为广告公司过多计较经济上的利益，往往忽视有形和无形的价值。由于广告主的进步，客观上促使广告公司“提速”。

其一，创造市场的根基在于市场。广告公司为广告主的策划要防止创造市场激情有余，调研市场深入不足。为此，广告公司应着眼于由“AE”向“AP”的角色转换，由客户为中心向消费者为中心转换，熟知消费者，为消费者进行广告策划。广告公司在为企业策划前，深入市场往往蜻蜓点水，凭直觉主观办事的不乏其人其事。不少广告公司创意人员标榜自己的策划是依据消费者的角度来构思创意的，可是，在实际中却并没有这样做，一接触到产品就会有意无意地把消费者抛到一边去，纯粹为创意而创意。曾有位广告人为客户提案，开宗明义分析市场部分；客户却让其打住，“市场我们比你更清楚”。最近，以变频空调机起家的海信强势推出五款更先进、更高品质的特价机，此举一开始就站在空调发展趋势的前沿，奠定了竞争优势，也是对广告公司遵循低价对品牌伤害理论的否定，佐证理论的东西要在市场接受检验，发现真理。

广告策略能否有市场实效，将成为广告主选择广告公司的标准，业界流行的比稿，不再是广告主选择广告公司的最佳途径。

其二，赋予服务概念新的内核。广告主对广告公司的要求越来越高，范围也不仅仅局限于广告领域，而是正延伸至促销、公关、营销领域。服务概念的延伸，要求广告公司服务能力的扩张。广东省广告有限公司近期对中国家电销售通路作了一次全国性调研，起草了18份调研报告，涉及广告领域之外的通路模式、销售政策、通路管理等，为广告主提交了宝贵的前沿销售情报，有力地支持了广告有效策略。

其三，提升销售与提升品牌兼容。一般认为企业追求的就是把产品转化为品牌，这是广告主眼中至高无上的价值。但是中国市场环境造成了市场竞争以价格为主，而且，企业如果没有销售就不能生存，品牌和销售这两者关系到底是一种什么状态？珠江三角洲企业家认为，没有销售主义，企业就活不到明天，只有销售主义那么企业的明天跟今天一样，没有进步，仍然生活在低层次。一方面，企业要今天活着，另一方面，企业又要追求明天的进步，让明天更美好。所以，企业既要销售主义又要品牌主义。这既是中国企业面临生存与发展的双重任务，又是对广告公司能否实现“两个提升”的检验标准。广告主的进步从一个侧面印证如何适应充满变量的市场，同时也警示了广告公司谋略生存之道。

2.6 不成怨偶成佳偶

——客户与广告公司之佳偶守则

客户与广告公司之间合作不同于贸易公司之间合作，后者在瞬间成交，是亏是赚，彼此都无话可说。当客户与广告公司订下契约后，两者实际上就已经形成一种伙伴关系，或者称为“婚姻”关系，其相处的时间可能是几个月、一年、几年甚至几十年。广告公司特别是稍正规的广告公司，企业特别是优秀的企业，都希望两者之间的关系不应该是单纯的短期的一锤子买卖的关系，而应该成为类似长期的伴侣的婚姻关系。即使是双方都把彼此之间的关系当作婚姻关系，但也会像人们形容婚姻一样：相爱容易相处难，怨偶很多佳偶少。

客户与广告公司是否能成为佳偶，取决于合作双方。对广告公司来说，有以下佳偶守则：

1. 批评与自我批评

广告公司对自己的策划与作品，不要等着客户去批评，而应该自己发现不足，消除瑕疵，不要敝帚自珍，不要抱着“孩子都是自己的好”的心态。在客户没有指责之前，自己预先改正。自我否定固然很痛苦，但等客户否定不仅痛苦而且还失去信任。创作人员首先必须认为自己的作品是完美无缺的，才可以提交。只有先对自己多批评，客户才可能对你少批评。多一些自我批评，是成为佳偶的前提。

2.预测创意的效果

所有的客户都关心广告的效果，客户对创意的关心，其实就是对广告效果的关心，也可以说客户对广告效果的关心远远大于对创意的关心。如果有条件，在提交给客户之前，尽可能多做一些测试，包括消费者测试和经销商测试，这样既可以完美创意，又可以帮助客户进行判断选择。在提案的时候，压力主要在广告公司身上，一旦提案通过后，压力更多的是在客户身上。很多客户常常抱怨广告公司顽固坚持在市场上明显站不住脚的观点与创意。

3.设身处地为客户着想

孔子说：己所不欲，勿施于人。不要把自己都不能认可的创意提交给客户，不要把自己都没有信心的创意提交给客户，不要把自己都认为缺乏市场效果的广告提交给客户。为对方着想，换位思考。没有一个广告人因为广告失败而破产的，却有不少客户因为广告失败而破产的。广告公司很自然地关注广告的创意效果，而客户一般倾向关注广告市场效果。所以广告人在关注广告的创意效果时，也同样关注广告的市场效果，就一定与广告主有更多的共同语言。

4.保持真诚的态度

广告公司要把自己当作客户的伙伴，真诚是最好的介绍信。以诚待人不仅仅是在表达上，更是体现在行动上。真诚的态度不仅是语言的态度，更是工作的态度。真诚的态度，首先是把工作做好，不要粗制滥造，即使是平面广告的小样或电视广告的故事版，也应该制作精美。创意水平的高下是一回事，完稿的认真程度是另一回事。真诚的态度，其次体现对客户的关心，特别是对客户事情上的关心，对其需求上的关心，不重视或掉以轻心是所有的客户都不能容忍的。真诚的态度，也体现在语言上。真诚的态度体现在语言、语气、语调上。盛气凌人和低三下四都不是一种真诚的态度。

5.重视客户的意见

重视客户的意见，首先体现在认真倾听客户的意见。一般客户在听完提案以后都会提出不同的意见。广告公司应该注意听取客户的意见，哪怕是非常尖锐的意见。不要一听到反对意见，就害怕创意被枪毙，立即进行反驳。认真倾听客户的意见，首先是表明对客户的尊重。认真倾听客户的意见，是因为客户与广告公司所站的角度是不同的，兼听则明，可以使广告公司更准确地了解客户的信息。认真倾听客户的意见，还因为客户所提的意见，一定

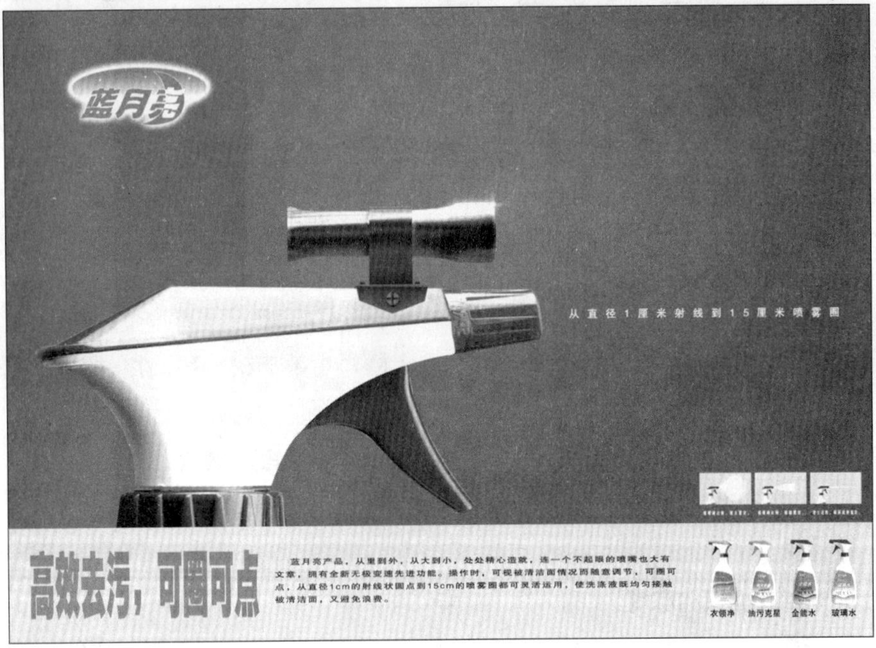

有其某些方面的理由。当然有些理由不一定是正确的，但有些理由可能是正确的，但被广告公司的创意人员忽略了，应该加以改正。即使客户提出非常不正确的意见，也要注意倾听，去分析其提出这些意见的原因。

6. 开诚布公是必需的

开诚布公是长期合作的必要条件。对对方的意见与看法，要及时沟通，不要等积怨深了才想到去解决，那时就可能积重难返了。开诚布公也体现在利益上，广告公司应该把自己收入公开化，使客户明白那些工作是怎么收费的，为什么这样收费。俗话说：先小人后君子。有的广告公司

开始与客户合作时，为了争取客户，为了取悦客户，所报的收费标准很低或者标准模糊，后来只好靠做小动作，这样是很难长久的。

对于广告客户而言，有以下佳偶守则：

1. 给对方一个利润空间

一个合格的广告主应该给予广告公司一个合理的回报。双方的关系是互利互惠的关系。当一个广告公司处于无利可图甚至亏本状态时，它的工

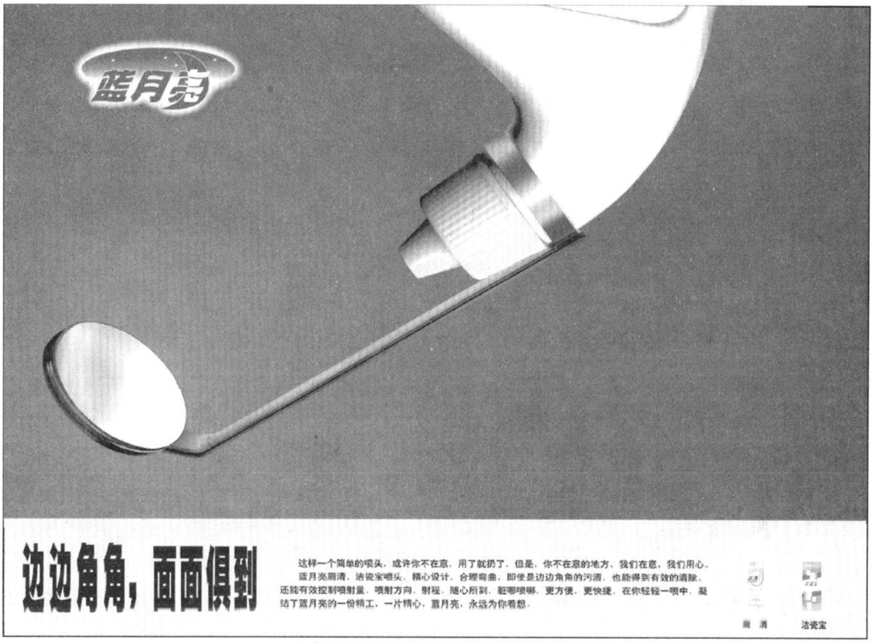

作状态只有三种可能：一种是通过偷工减料来减少亏损或获取微利，比如降低人员的级别，减少创作时间等；一种是在恶劣的心情下开展工作，以一种消极的情绪对待工作；一种是骑驴找马的心态，赶紧去寻找一个新客户取而代之。无论广告公司是哪一种工作状态，两者之间的关系都不可能是健康的，但客户所受的损失就更大。结果是两败俱伤，成为一对怨偶。

2. 给对方一个专业空间

既然你花钱请了一个广告公司，就不要自己忙着去干对方的活。你既然选择了一个妻子，为什么你要自己怀孕生产呢？广告主要明白哪些是该

自己做的，哪些是该花钱请来的广告公司去做的。广告主千万不要自己既做裁判又做运动员。有的广告主恨不得自己捋起袖子自己来画，提起笔来自己写，而且这样做了以后还自鸣得意，沾沾自喜。如果广告公司的创意一而再，再而三地被客户枪毙，他们就可能只有求早日通过，去完成听命客户的旨意，没有任何创造的积极性。结果是广告主花不少钱，仅仅要了个操机手或文书。

3. 不要草率选择，轻率离异

选择时要谨慎，解约时要慎重。频繁更换不是高明的体现而是失败的见证。否则最大的受害者，恰恰是广告主自己。宝洁最佳的长期关系要算是和广告商之间了。宝洁与广告商的伙伴关系持续很长的时间，它超过80%的广告费用都花在合作超过35年的老伙伴身上。宝洁珍惜这种合作关系并努力维系之。宝洁相信伟大的广告来自对品牌以及营销环境的深入了解。“很多公司因为销售业绩不理想，或者新上任的营销总监想有一番新作为或建立自己的团队等因素而撤换广告商，但是宝洁不会因为上述理由更换广告商”。频繁更换广告公司使品牌的累积效应大大丧失，更换广告公司成为企业本身许多人员掩饰众多失败的一个借口，成为企业本身粉饰许多过失的措辞。当太多的广告公司都有问题时，广告主要从自身去寻找问题，是当初选择的问题还是目前沟通的问题。

4. 对广告的管理专业一些

广告运动是由广告主与广告公司共同完成的，是两者的合奏。一些广告主在广告费的投入上，常常是一掷千万金，却在广告管理上不是过于吝啬就是过于随便。不少企业没有广告管理的称职人员，在选择广告部的主管或品牌管理人员上，没有起码的职业要求，也没有基本的岗位培训。很多广告主的广告主管，连ABC或品牌常识都没有，这样的广告主管，要么一切听广告公司的（较少），要么一切听老板的（很多），要么一切听自己的悟性（最多），结果一定是工作的低效率，广告的低效果。总而言之，要保证广告运动的效率与效果，广告主的广告意识与广告水平的保障是必需的。

2.7 皇上与纪晓岚

——客户与广告人之君臣关系

广告人的天职是什么？一句话，为客户的市场需求而努力奋战。

怎样理解和摆正广告公司与客户的关系，我觉得可以用“皇上与纪晓岚”来比喻。客户是我们的皇上，他的需求，他的目的就是圣旨。广告人领旨后，应当怎样干？

作为臣子，一定要急皇上所急，替他排忧解难；既尽忠职守，也要头脑灵活，富有才华，需要直言不讳时尽管“去马”，需要婉转时善于迂回，绕绕圈子再走向目的地。皇上只会看结果批奏折，事情是臣子办的。

在相处的过程中，有时会因我们的旗帜鲜明，执著率直而令“皇上”不满，甚至发怒；但只要有理有节，推心置腹，皇上还是会因我们的赤诚与才华无人能敌而青睐、接纳我们。我们在做一个现在颇有名气的地产项目推广时，开盘前，我们“领旨”，竭尽所能，不辞劳苦，一心要完成使命；但在开盘前夕，我们认为客户的有些意见有所偏执，对产品推出市场，建立形象不利。在此等情况下，是盲目顺从客户的意见，还是大胆亮出己见，拿出具说服力的方案来？选择后者，客户可能不高兴，可能不接受，可能认为我们有意抗旨；而且，我们也会因这个选择而要付出双倍以上的努力，但我们还是这样做了。虽然在过程中，我们要经历磨难，要忍辱负重，但我们用真诚、实力、敬业赢得了推广的成功，赢得了市场，也赢得了发展商的最终承认。虽然这个结果的代价不小，它令我们尝尽了身心疲累、呕心沥血的苦楚，但我们坚持了自己的职业道德及专业精神，最终得到了社会的认同，赢回了可喜的所得，包括名誉、江湖地位、金钱，还有奋进之心。可见，客户与广告人这个君臣关系中，广告人的“臣服”之中大有文章。

纪晓岚对皇上尽忠职守为社稷，我们对“皇上”尽忠职守的目的是为了市场。要赢取市场是我们愿意提着脑袋进谏、拼搏的真正目的和价值所在。

纪晓岚一生的才智只应对一个皇上，我们的广告生涯要面对“多朝皇帝”，因此我们需要比纪晓岚更纪晓岚。

前程周刊——超人篇（上图）
前程周刊——麦叔叔篇（下页）

麦叔叔去咗边度?
看了《前程周刊》，奔“前程”去了!
找一份更好的工作，奔一个更好前程。
好工作，好机会，好前程，《前程周刊》应有尽有；寄回执，
立即注册为前程无忧club会员，让好工作来找你。
前程无忧
前程周刊 51job.com
Executive Search

第三卷

奇正篇

孙子曰：兵者，诡道也。

凡战者，以正合，以奇胜。

奇正相生，如循环之无端，孰能穷之？

译文：

孙子说：用兵作战所应遵循的，是诡诈之道。

一般作战，都是以『正』兵当敌，用『奇』兵取胜。

『奇』、『正』相互转化，就像圆环旋绕不绝，无始无终，谁能穷尽它呢？

所谓奇正，后人解读一般以阵地战、正规战为正，运动战、游击战为奇；以警戒、守备为正，机动主动为奇；以钳制为正，突击为奇；以正面攻击为正，迂回侧击为奇；明攻为正，暗袭为奇。

引申到广告运作上来，省广人认为，“正”就是专业化、格式化；“奇”就是出人意表，不按牌理出牌，就是震撼，乃至颠覆。

奇正相生，相反相成，如天地之无穷，若江河之不竭。

3.1 双胞胎创意路径

一、企业——必须兼顾

我国是一个高速度发展着的发展中国家。因此，发展中的企业且以高速度发展来表示发达的企业，就意味着实力还不够雄厚；高速度就意味着企业时时刻刻面临洗牌。在相当长的时间内，生存问题与发展问题时时刻刻摆在中国企业家面前，须臾都没有离开过。今天活下去，销量就得上去，所以，广告要具有强烈的促销力！当下的回报力！但是，没有品牌形象支持的产品在市场上短期肯定难以进入，长期必然是举步维艰，明天依然活得艰难。所以，企业对品牌形象的投资不能仅仅看做是一种长程的投资，而是要获得回报的、既有明天的期货又有今天的现货。企业在“形（品牌形象）”与“销（产品销量）”的提升上必须兼顾。

二、广告——必须兼容

我国消费者大部分解决温饱，部分进入小康。刚刚解决了温饱，所以对产品的购买主要是对利益的购买，对使用价值的购买。实际、实用、实惠仍然是他们决定购买的重要考量，所以，广告推广要立足于他们的物质需要。同时，正因为大部分已经解决温饱且部分进入小康，所以，消费者对产品的购买又同时是对感觉的购买，对品牌形象的购买，对个人形象的需求，包括个人的体验、品位、个性、身份等精神需要。随着消费者面对的选择余地越来越大，生活水平的提高，他们对产品附加值的需求日益强烈。消费者对单一产品或服务的购买越来越倾向于一举两得，既买回实际利益又买回个人形象。广告在“形（品牌形象）”与“销（产品销量）”方面必须兼容（如图1、图2示）。

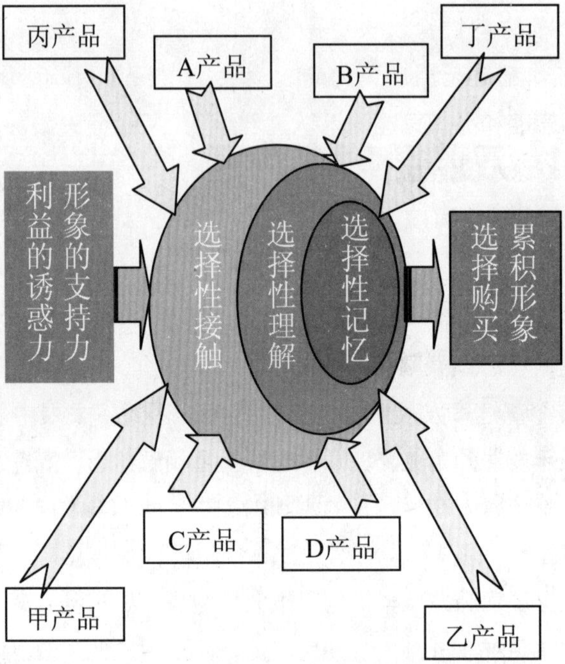

图1　双胞胎创意路径分解（局部）

3.2 策略进行式

一、一定要有策略

策略不能略。一切广告运动都建立在策略的基础上，缺乏策略就一定不会缺乏失败。在广告创作中，常常是用减法，是要舍弃和省略许多东西，而这其中，策略是万万不可省略的。没有方向就没有一切。

二、一定要有正确的策略

没有正确的策略，一定有许多南辕北辙的错误。所有策略的错误都是方向性错误，而方向性错误一定是根本性的错误，一旦有了方向性的错误，所有的工作都是无用功，力越大就会错得更厉害，错得更离谱。只有对企业营销策略和品牌策略深入认真理解，才可能制定科学的市场策略，有了对市场策略深入的认识，广告推广策略切实可行，表现策略、活动策略和媒介策略才能够行之有效。

三、一定要彻底执行正确的策略

策略没有贯彻执行下去，失误一定广泛地执行下去 。很多时候，策略只能成为书面的漂亮言辞。在广告运动中，涉及到众多创造性的工作，而进行过程中，策略常常会被人当作紧身衣，让许多人不自在，结果是许多人把这件紧身衣给脱了，其结局往往惨不忍睹。

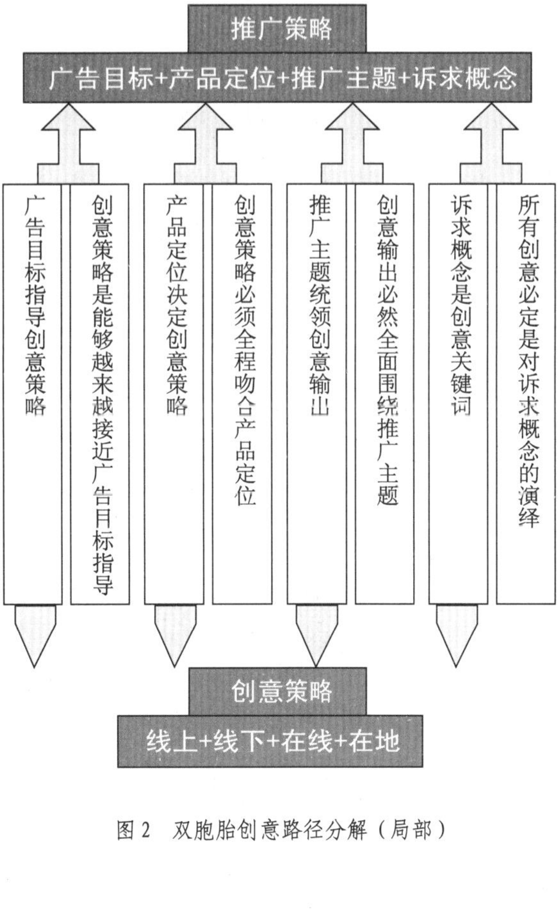

图 2　双胞胎创意路径分解（局部）

3.3 策划：创意、策略与执行的激荡

在为科龙家电企业服务的一年中，我亲自参与了中国竞争最激烈的家电行业营销大战。在这家企业的营销体系中，广告公司与大客户全面合作，对广告公司企划人员要求的已经不仅仅是创意的问题，更是全面考虑营销策略的推广及推广策略的执行。

一、推广策划因时、因地、因人、因企业而异

1. 因时策划。

你接触无数的报表中大部分是销售报表，其中有年度的、季度的、月份的、每旬的。这些原始的销售资料向策划人员反映了最真实的市场销售规律。根据这些资料形成了产品销售的时间曲线，而根据这些不同的时间销售特点也就形成了阶段推广策略、淡季的概念推广、旺季前的强效促销、旺季的展示推广、节假日的针对性促销相互结合的全年完整推广策略。

推广的策划一定要做到节奏分明，伺机而动。

2. 地区差异化。

这家企业的冰箱前期推广一个最大的失误是资源投入过于分散，受各种因素的影响，使他们在一个成熟领域急于求成。现在我们还不能依靠集团总部的策划解决不同地区市场上的种种问题。

全国各地区市场的冰箱营销环境各有不同。高档冰箱市场，北方地区喜欢豪华气派，南方人更喜欢精细与个性，东部地区是“崇洋媚外”，西部是盲目跟风。因此，地区的差异对营销推广的要求千差万别，好的策划应该是在保持冰箱品牌个性统一的情况下，采用各种不同的推广方式满足市场需要。推广策划非常重要的一点，就是如何将各地区不同市场特点融合于我们所策划的推广方案中，如何调动地区策划的积极性，从而完善整个策划。

3. 因人而异。

在中国现时的市场条件下，市场推广工作的成败很大程度上取决于推广队伍的素质；正所谓“人定胜天”。做同一样工作，不同的人会运用不同的方式去解决问题，所以，在策划的时候就必须充分考虑人员因素。

做好推广策划工作非常重要，但又容易被忽略的一个方面，就是策划工作要充分调动执行人员的积极性。

4. 适应企业。

不同的企业有自己不同的运作模式，除了原本的广告传播工作，我们需要更全面、更深入地涉足品牌管理工作，这家企业的品牌管理工作存在许多模式，这些模式多年来一直深深影响着整个营销管理工作的运作。如果推广策划不能适应企业运作模式，它注定无法得到客户的认可，更无法运作下去。

举一个简单的例子：在前期的营销体系中，销售队伍完全凌驾于市场推广队伍之上，如果市场推广的策划不能符合销售队伍的工作要求，一切都是空谈；而销售队伍也从来不会为自己在销售政策、销售方式带给市场推广的不成功而承担任何责任。这家企业传统营销模式就是，面对这样的局面，你不应该企图在短时间内改变这种局面，而是作为推广队伍更多地与销售队伍沟通，以获得更大的支持和更多协助；甚至利用销售队伍的权威性，去获得推广中更多其他的支持。

二、策划工作要求“全面＋细致＋创新＋整合”

1. 全面是策划的基础。

策划的成功要求对整个工作规划必须全面，每一个小的疏漏都会导致整个推广工作的全面失败，必须分析来自各个不同方面因素的影响，过于理想化的策划是不可实施的。

2. 细致是策划的保证。

由于总部策划的方案要由分公司来实施，其中要经过三次以上的沟通传播。这种沟通模式很难保证推广执行中主导思想的准确性、一致性。所以，在策划时必须考虑实施时可能出现的问题，策划案要详细体现如何防止偏差出现，并尽可能提供解决的工具和办法。

3. 创新是策划的前提。

如果策划仍然单调重复前面的工作，那策划将没有存在的价值。创新促使我们前进，不断挑战自我，不断提高自我能力。

4. 整合是策划的根本。

因为我们的策划是面对全国26个分公司，上千个经营网点，几亿消费者，策划更多的是一种整合工作。如何将各项广告传播活动乃至营销活动进行协调、整合，从而有效地利用有效的资源，避免不必要的浪费，产生最大的销售力，这是企业策划中最关键的课题。近几年，社会上流行的第五项修炼、整合营销理念等管理理念都是强调整个活动的系统性。将策划工作当作一项系统工程，这是策划推广工作的最高境界。这不仅包括广告创意、平面表现、媒介策略、公关活动、促销策略等这些广告公司熟悉的内容，还要包括人员培训、促销用语规范、人员激励、经销商协调、软性炒作策略等许许多多与推广工作相关的各个方面，甚至要深入到销售队伍中。其中艰辛是任何一个没有亲身经历过策划工作的人难以想象的。

对任何一次推广活动来说，每次推广活动中涉及的方面非常多，运用的推广工具也各有不同。产品策略、价格策略、广告创意、媒介策略、公关活动、促销策略、人员推销、软性新闻炒作策略、销售现场布置各个方面相互独立，但又相互支持。例如我们在推广天琴座冰箱时，是这样整合的：

・产品策略。调整产品生产，以天琴座的生产作为这阶段的生产重点，重点保证天琴座的销售需求，产品供给也重点保证天琴座需要。避免类似以前冰箱推广工作受产品的生产情况影响，而导致生产与推广严重脱节。

・价格策略。在活动开始之前，将天琴座整个系列的供货价调低30～50元，价格比同类型产品略低一点，吸引经销商和消费者关注天琴座，进一步增强天琴座的竞争优势。

・创意方面。围绕天琴座的六大AI人工智能输出功能宣传其高科技品牌形象。

・媒介策略。以关心市场变化的时尚先锋为目标，投入适当报纸广告。

・人员推销。全面开展天琴座六大AI人工智能的促销用语培训，在人员促销中体现冰箱高科技的特色。

・现场活动。在全国9个城市举办富有科技感的大型现场展示活动，在展示当中，集中展示天琴座冰箱的六大AI人工智能。

・动态新闻。突出冰箱的AI人工智能改写了冰箱发展历史，天琴座是冰箱科技发展的杰出代表。

·销售现场布置。悬挂突出 AI 人工智能信息为主的彩色巨形条幅和彩色横幅广告，并更换天琴座富有科技感的全新 POP。

·促销策略：淡化促销主题，赠送带科技感的礼品。

整个推广都以冰箱高科技的品牌形象为基础，全力突出天琴座的 AI 人工智能，系统地运用各项工具为单一目标服务。

三、寻求策划的亮点

策划中的亮点可以成为推广工作的最锋利的武器，直刺对手的要害；更是打动消费者的最佳办法，成为促使购买的强烈吸引力；也是策划方案的最好支撑，保证活动的效果；更是可以激发人员的积极性，吹响冲锋的号角。这一点在我们后期的策划工作中得到加强，例如，重点城市重点策划、重点突破和“银色轨迹冰箱未来科技大巡展”就制造了一些亮点。

反观我们与这家企业一起奋斗的成果，品牌知名度的提升和销售任务的完成未如我们的预期。除了我们自身的问题外，更多是由于该企业管理体系调整变化过于频繁且欠长久规划，破坏了整个策划的科学性和系统性。

大型企业往往都面对这样一种局面，策划与执行是分开的，对广告公司的要求也就延伸到推广执行的这个层面，广告公司必须在执行推广中，能够为客户提供更专业的意见，更能在保证执行效果的方面提出详细的监督手段和管理办法。

做策划艰苦的不是策划过程，而是策划的实施过程。策划创意工作与广告创意工作相比较，创意工作都是脑力激荡的过程，而一个策划案，除了都有一个特有创意思维，还需要有一个完美的实施过程才能获得成功。尤其在冰箱这种竞争成熟的行业中，策划的实施就更加重要。各企业的执行能力越来越成为企业常规推广工作的瓶颈，限制了推广策划的创意。对创意工作来说，是“不怕做不到，就怕想不到”，而对企业推广工作，是“想到了很重要，做到了更重要”。单靠一个想法、一个创意是无法支撑一个品牌，在策划中整合理念，也需要通过完美的执行过程进行体现，如果其中任何一环出现问题，整合则无法体现。

3.4 创意怀疑论

一、怀疑之一：什么是创意？创意有用吗？

在创作实践中，领导给的标准是：合乎情理，出乎意料。在观摩作品时，一个个同行的作品不停地抖出包袱，引发笑声。这些时候，心里只有一个感受：这些想法真是奇妙，真是巧妙，真是小猫妙妙！我为什么就想不到呢？一个偶然的机会，我和一位头发花白的老农民谈起广告，他知道我是吃广告这碗饭的，言语中还显得颇为尊敬，挖空心思找出他所记得的广告作为谈资。可惜谈来谈去，他只记得一条：在一次家庭宴会上，白衬衣被油水污染了，女主人公用某品牌洗衣粉来洗，载歌载舞一阵忙碌后，衣服洁白如新。这位老农由衷感叹：现在的广告就是好，最后还不忘表白一句：我家就用这种洗衣粉，确实不错。我当时挺失望的，电视事业如此发达，他每天能收看的电视频道不下10个，看到的电视广告少说也有几十条，怎么偏偏就记住了这么一个破广告呢？三段论，没有包袱，一点都不好笑，根本没有创意，他怎么偏偏就给记住了呢？他记住了这些

“垃圾广告”，我们那些伟大的有创意的广告知音何处觅呢？客户的钱不是砸在水里了吗？

二、怀疑之二：评奖有必要吗？获奖有意义吗？

奖项本来是一个对成绩和效果进行肯定的手段，而在广告行业，奖项却有点变味。一方面是评奖太多太滥，水分多了，让人麻木；一方面就是评奖打着“奖掖创意”的旗号在那里自欺欺人，自娱自乐，滋生了一批以“创意”为生的家伙。广告作为一种商业存在，任何所谓创意不经过市场检验，都是一文不值的东西。可现在偏偏有很多专门为评奖而产生的“创意”，甚至根本就未经客户通过就出街的“飞机稿”，经过一帮不食人间烟火的评委巧立名目大分猪肉，就获奖了，就功成名就了，真是悲哀！这里应该学学人家奥斯卡，同样是对表演、编剧、影像等方面进行“创意”的考评，可他们每一部影片都至少有一个票房保证在那明摆着，商业就是商业，容不得半点投机取巧。当然了，广告这东西似乎还就是有点邪门，创意出街了，其效果却难以做“金钱上的量化”，广告主也对其市场销售的情况遮遮掩掩，商业机密嘛，可以理解。怎么办呢？我有两个方法不妨一试。其一，单一稿件投放量最大，则创意最佳。试想，广告主不停地为一个稿件加大投入，原因只有一个，那就是这个稿件的创意获得了良好的市场反馈，是商业广告中的佳作。其二，每次评奖会的现场找普通消费者来评奖。奥斯卡与广告评奖最大的不同就在这里，前者以票房保证了市场及消费者的参与和决定作用，而后者只局限于几十个评委之间，对这篇作品产生的前因后果、市场效果、客户评价一无所知，这样评出来的东西不是自我欣赏也是闭门造车而已。

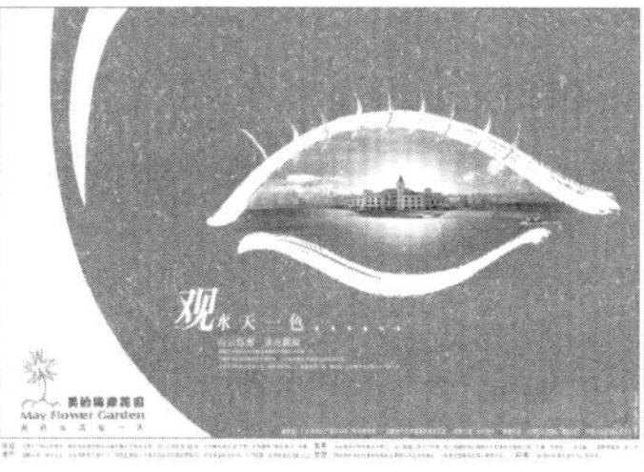

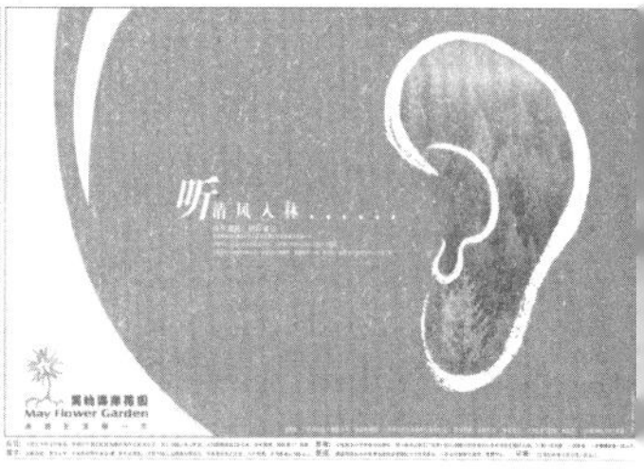

三、怀疑之三：创意需要解释吗？

由于工作的关系，我经常要面对新的客户介绍公司的情况。为了展示公司实力以征服客户，我的介绍力求突出重点，以便给客户以深刻印象。在这个全民皆创意、人人敢创新的年代，我当然要重点提及公司大批量的广告作品，尤其那些获过金奖、银奖的大作，不然，岂不是让人小瞧了吗？然而，我常发现这样的情况：当我颇有信心地把这些作品通过电脑、投影仪展示在客户面前，并特别介绍这是获得某某奖作品时，客户似乎并未产生明显反应，有时还蹙着眉头想半天；我本来以为他沉浸在我们伟大的创意中而陶醉时，他们却往往问我一个最简单的问题：这是什么意思？呜呼，当我遣词造句为他解释时，我不知应该为我天花乱坠的解说而得意，还是应该为这个创意的高深莫测而欢呼？我一直挺欣赏一位领导这样的一句教导：真佛才说家常话。家常话是不用解释的，连白居易写诗这样雅致的职业都追求妇孺能懂，我们搞广告这样商业的行当还要九曲十八弯地让人费力猜吗？这里要说到画面与文字的关系问题了，有人认为两者缺一不可，只有结合才能表达完整一个创意。我不这样认为，创意不需要解释，即指画面不需要文字的解释，文字也不需要画面的解释，两者是锦上添花而非雪中送炭。画面一看就懂，文字一念即明，在此基础上再讲究一点"巧夺天工"，我们的创意就能做到雅俗共赏，而非孤芳自赏。创意要让接触到的每一个人产生影响，从而充分发挥其商业带动作用，而不是仅仅成为供评委把玩的"花瓶"。

3.5 被宠坏的广告主与被曲解的广告

——四年的广告心情

一、对于20世纪90年代末入行的内地广告人来说，绝大多数人晚干了10年，而又早干了10年。

早干10年的话，我们之间至少有80%的人现在已经过上了香车宝马、大宅二奶的腐败生活，因为那个时候的广告生意太好做了，也许不需要什么专业；晚干10年也许我们之间至少有80%可以充分享受广告的快乐，可以为了创作出更优秀的广告而良性地生活下去，因为不懂营销的企业差不多已经死光了，洗脚上田和不懂广告又不信任广告人的老板们也已经重新回到田里。如今，与我们打交道的都将是优秀的广告主，他们在科学驾驭广告的同时也客观地为中国广告业进行优胜劣汰的伟大壮举。希望10年后真的是这样！

二、客户永远无法说服。

我的口才比已故的王肖麟先生（生前是省广策划总监）差远了，但也算从小在胡同里给大人们说过书。但我发现，客户永远无法说服，如果你和他之间存在本质的理念差异——而这一点是时代给我们这群广告人留下的顽疾。

我认为，部分客户不愿意和广告人进行平等沟通的原因，除了部分广告人自身后天的浅薄和先天的智障之外，还有一个非常中国化的原因就是人微言轻。他认为他搞销售20年；他认为他是客户、广告部经理、销售副总、总裁、CEO；他认为他比你更了解消费者，比消费者更了解消费者；他认为他是审美的上帝，因为他昨天刚去看了莫奈的画展。因为他出钱，所以他最大，就这么简单。这种境遇你也经常遇到，例如在饭馆里骂服务员上菜慢。

时不我待。你想教育客户吗？最好的效果就是他拿你当老师。这至少需要如下两个条件：A.你比他年长；B.你比他成功，比他有钱有地位。如果我能做到这一点，我肯定不干广告了。也

许10年后广告人会被尊重，这需要我们努力，但在现在这个浮躁的世道里会很难。

然而，我没有因此而放弃说服客户，我在努力，我知道我还不够好，不够专业。因为老板每天都这样说我。

雄辩是银，沉默是金，广告是铜臭。

大象无形，大音希声，大师尚未诞生。

广告是一件很简单的事，被人们搞复杂了。

三、被曲解的广告。

广告其实就是创造吸引，巧传真实，积淀情感。如果内地的客户们认同这样一个简单的标准，我们的广告可能会更加专业，更有乐趣。但是，我们现在要做的广告至少被曲解了几个层面。

- 广告要直接达成销售。
- 广告策略涵盖甚至超越营销策略。
- 低估消费者的情感，高估了消费者的理智。
- 重视个体广告作品的差异性，忽视了整体广告的效能。
- 定位一种高度的概括，而不是在战争中谋求一地的取舍。
- 有些企业家一直没有治好自己的“大头病”（柏杨在《中国人史纲》中痛骂隋朝皇帝杨广时发明的词汇），明明是区域品牌，不好好打好游击战，每天就想着对领袖品牌发动正面攻击，最终落得元气大伤。
- 这种大头病还表现在许多前途无量的品牌正在一味地进行品牌延伸，在两三年的繁荣背后，充满了毁灭性的陷阱。这包括单一品牌延伸，还包括母品牌托管下亚品牌延伸。

四、广告的功力在广告之外求得。

广告做给人看，要得到人的共鸣，你不研究人而研究广告就只能去广告系教书。我们创造的语言和视觉，来自人心，也去向人心。无论是多大的族群都存在“人同此心、心同此理的”的可能。当我被一首诗、一首歌、一部电影感动的时候，我知道我已经受到一个有效的“广告”冲击，只不过这个广告没有直接的商业目的而已。

这是我的追求，我最开始的追求，我也许做不到，也许不能这样做。

3.6 好创意自己会说话

——与第九届中国广告节金奖得主张团新一席谈

张团新是谁？在如今大师扎堆的广告圈，这位名不见经传的青年人沉默是金，却在第九届中国广告节三登奖台，摘取一金二银一铜，赢了个盘满钵满。尤其是当外资广告公司在第九届广告节上掠金夺银，令本土广告公司惊诧之时，这几个金银铜奖杯分量不轻。

张团新 1994 年毕业于广州美院，同年加盟省广，至今与省广厮守八九年，现任省广创意副总监。只经三年磨砺，即 1997 年，张团新初尝全广展金牌滋味，由此一发不可收，在中国广告节，连年获奖竟从未轮空：1997 年金奖，1998 年铜奖，1999 年铜奖，2000 年铜奖，2001 银奖，2002 年金、银、铜奖。若给他封一个“获奖专业户”头衔毫不为过。

这个清瘦的、寡言少语的青年人，年年走上中国广告节的领奖台，到底有什么“秘密武器”？近日，在笔者的打探下，他开了“金口”，就为什么能频频得奖，实话实说。

问：你平时好像是比较内向，言语不多，却总有惊人之作，这是先天的悟性还是创意方法使然？

张：我是个悟性不高的人，总是先做而迟迟不觉。一直以为红薯就是马铃薯，时常吃着红薯想着梵高的一幅油画作品《吃土豆的人》，心里竟然产生了莫名的共鸣。后来才知道红薯就是红薯，土豆就是土豆，有点惭愧白活这些年。做广告也是一样，一直认为创意就是包含了策略与表现。后来听多了，看多了，才明白，策略与创意被分成广告中的前后两部分，又觉得白做了几年的广告。但是至今根深蒂固地认为：创意包含策略和表现两部分，是密不可分的统一体。时常还打比方跟人说，策略是枪膛，表现是子弹。没枪，再好的子弹也不能打中人；没有子弹，再好的枪也只能当木根用去敲人。所以谁也少不了谁。并且还找来不少案例来维护这认识，例如大众汽车有一则平面广告，画面是一个车展，车子旁边站有搔首弄姿的汽车模特。这模特可不是热力四射、青春美貌的姑娘，而是身怀六甲的孕妇，从创意就很明显看出，这种车的定位是有了孩子后的家庭用车，广告的诉求对象就是年轻的父母亲，创意表现切点准确，反映出创意策略点。

问：你的作品获奖甚丰，创意灵感从何得来？怎样追求最佳创意状态？

张：我一直认为，创意不是用分析而是用感觉。如果把创意彻头彻尾分析一遍，你可能就会成为创意的评论家，恭喜！但成不了创意的行家。只有不断地感受创意，把感受转化为创意的思维，也许不久就可以称得上创意好手。

我追求创意的最佳状态是，在秋高气爽的日子里，几个好用的脑袋瓜，带着命题，选择城市高楼的天台上，躺在让人懒散的沙发上，没有时间限制，没有客户叮嘱，啃着瓜子，喝着可乐，聊着最感兴趣的话题：男人，女人、金钱、美食……开始思维的旅程，谈话可能有一句，没一句地说开了，有笑声，有沉默，看似一种极为散漫的状态，内心却澎湃着创作的冲动。

问：你在中国广告节年年获奖，这有点像从偶然到必然的进程，这是很令人惊诧的飞跃，你怎么认识这个过程？

张：能不能得奖当然有些偶然性，但偶然性的背后肯定有其必然性。这些必然性我认为，首先是态度。“态度决定一切”，这话说得好。广告人要有沉稳的工作态度，不要有“吃一颗黄豆就想上天”的心态。据说有家公司招聘人员，人选两位，不相伯仲，让考官一时难以下定论。于是就设计了这样一个考题，让两位入选者空坐着，观察谁才能坐最久，当然人选的人可想而知了。

这让我一直在思考，广告界浮风劲吹，究竟是广告人艺术因子过多，还是内部荷尔蒙过剩？这种浮躁是行业特征所造成的吗？流动是广告界的一大特色。往往是平静的表面里隐藏着一颗躁动的心。似乎在广告公司里，

2050年的杯子……
想想将来 请节约用水

人的工作就是为了跳槽。我认识的一个文案作者一个月就跳了五次槽，他的工作就是在不同的广告公司之间疲于奔命，像跳蚤一样跳来跳去，有一天终于发现自己精疲力竭了，只得改行开店卖鞋。后来又听说鞋子不好卖，跳楼价也没人买，只好关门大吉。从“跳槽”到“跳楼”，他的青春就这样消耗掉了。前几天面试一个“美指”，问及他为什么离开原来公司时，小“美指”显得愤愤不平，说在那间公司做“美指”就是“没指”望，尤其那个光头“创意总奸”，自己狗屁不通，总是喜欢强奸别人的创意，分明有虐待狂的倾向。由此蔓延的浮躁病毒也使客户深受其害。一个品牌小组像走马灯似的不停地换人，与客户的沟通老是停留在相

互介绍、嘘寒问暖的阶段，这种人员的新陈代谢使广告公司与广告主的合作永远停留在磨合期，扪心自问，这怎能保证品牌服务的质量？客户又怎能放心把品牌重任托付于你呢？广告人的浮躁之风可谓害人害己。

其次要有深度。创意要有深度才有力度，有力度才有震撼度。这样的作品能给人留下深刻的印象，用较少的广告费起更大的作用。现时，有很多“恶俗广告”的广告效果不错，别看效果好，主要是用了巨额的广告费的作用。与其说是创意作用大，不如说是钱的作用大。但广告停了，广告的积累所剩将一无所有，留下一片苍白。

问：如果说一次得奖是偶然，两次得奖是运气，三次得奖是惯性，那么八次、十次得奖就是实力了，你的实力主要体现在哪些层面？

张：我算是个头脑简单的人，喜欢把复杂的事情单纯化。现在我把广告人最为头疼的广告创意，用“三简主义”来概括。

一是创意的意念要简明。有人说现在是个速食时代，什么都在讲效率、速度。快餐店、速食品层出不穷也许就是一个很好的证明，就连恋爱、结婚、生育也可追求速度。快！越快越好！广告创意也一样，要把信息快速传达出去，慢一点也不行。再说消费者没有看广告的义务，更遑论要求消费者仔细深刻去拜读广告内容。这样一来就要求广告创意的意念相当简明，不管用什么手法，直接也好，间接也好，让目标对象在尽可能短的时间就明白创意意图。如果意图不简单明了，不能在短时间内明白过来，也许就意味着失败或要更多的钞票去制造高曝光率，强迫目标对象阅读接受。

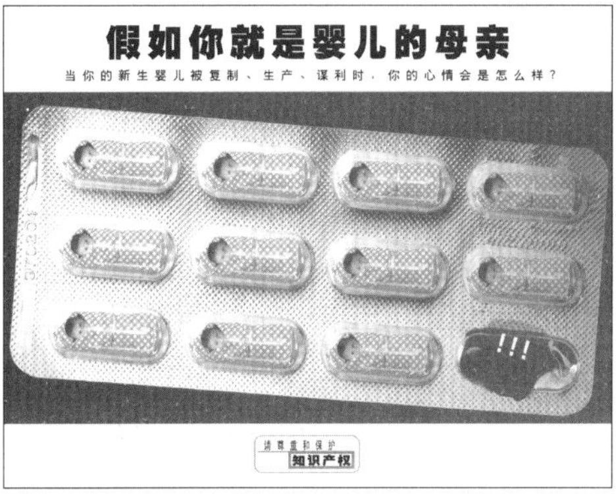

二是设计要简洁。罗丹对艺术的理解是“简洁就是美”。广告创意环节的设计部分，就是艺术的部分，这真理用在这里一样适合。广告主总是喜欢设计师用尽方法，让他们的广告突出再突出。设计师一般会用最跳跃的色彩，最大的字体去满足，如果从单一的稿件上来看，再加上黑底衬托，也许不错，但放在广告设计作品的海洋中，就会被淹没。看国内广告作品展览的时候，我留意到，通常不少作品意图都想做得最显眼，大量运用强烈的对比色，波长最长的红色，明度最高的黄色，画面的设计元素也非常丰富，除了标志，标题、内文、产品，还有附加的图案，可谓用尽心机，但是效果却不尽人意。相反，设计用色适当，设计版式简洁的作品效果却非常抢眼，这种作品前面总是有一群被吸引的人在细心观摩。

三是创意执行要简单。其实这道理现实，目前整体制作水平还不高，制作又没有充足费用，这就要执行人做到又不花钱又要效果好。惟一的方法是，尽可能让制作简单化。简单的制作并不等同简陋的制作技术，要做到简单不容易，必须要有复杂的思考为前提，简单的思考往往只好用复杂的制作去挽救。不少优秀作品并非都是复杂的制作，其实很简单。越简单就越高明。

问：广告的本质是传播，传播中总带有张扬的色彩，你的个性内向，这对你将好创意卖给客户有否影响?

张：正因为说话不多，这就要让创意自己去说话，去表达想说的内容。提案时让作品去作秀，而不是自己来作秀。客户要的是创意，而不是人。传播是作品去传播，而不是用自己的嘴去传播。这样一来，创意的水准就更高了。“好创意自己会说话”！我一直这样认为。这也是为什么能够获奖的原因之一吧。最后感谢一起工作过的团队，感谢省广，感谢省广给了我这个幼小的种子一块土壤。我在这块土壤上成长，心里涌动激情。

案例1：IMPOSSIBLE MISSION 与地产广告策划

每一年，好莱坞总会上演着同样的不死英雄传奇，JAMES BOND，TOMCRUIS，只手间掀起全世界的风云变幻。在微笑中看过，心里总会有个声音告诉自己：这不过是银幕中不可能实现的传奇。就像每年一集的IMPOSSIBLE MISSION，生活中，传奇只是IMPOSSIBLE MISSION。

“生活在别处”，实现一个城市、一代人的人居理想！

当人不能左右社会，便会通过家的选择来完成自我小世界的“完美环境构成”。当一个社区通过推动城市进程实现“个人”的居住梦想，当四面墙的完美扩筑成一个城市板块的完美，当发展商实现了个人无法完成的理想IMPOSSIBLE便演变为POSSIBLE，地产广告推广也就上升到了傲视群伦的至高境界。

2001年以前，都市是广州人居的当然选择，东山、海珠、天河、越秀，从一处钢筋丛林到一处水泥花园，稍有积蓄的广州人从未将“生活在别处”列入生活版图！于自然中滋养人生，听鸟啭看江流的逍遥，早早被烙上了“不可能”的烙印！

2001年，当市区地产尚局限在建筑、装修、空间布局，在已有的环境与地位之中妙笔生花时，一个划时代的社区正在悄然孕育。配合着城市的拓展进程、华南快速干线的完工，广州与番禺交界处，华南板块一隅蛰伏中的青山秀水，江风岚烟突然变得近可触摸！我们知道，这是一个千载难逢的时机！

一个心情盛开的地方。一个完美主义者宣言。一天18万人看楼的华南神话！

在铺天盖地的炒作过程中，星河湾恰到好处地借势政府炒作，以华南板块的完美主义者自居！不但借天然山水傲视群伦、以便利交通模糊城郊界限，更推出完美人居宣言：在完美的自然环境中创造更精彩的社区环境。在楼花图纸满天飞的时代不做到百分百绝不开盘。将都市引以为傲的名校教育直接嫁接到社区之中。一轮又一轮欲掩还迎的探秘过程，始终谢绝采访的态度，迟迟不出的开盘时间。2001年城市楼盘遭到了有史以来最颠覆性的打击，所有的人将目光聚焦华南板块星河湾。更难得的是，它成功地模糊了政府行为与社区发展商行为的界限！直至现在，还有很多消费者认定，是星河湾，一个追求完美、为人居而不惜推动城市进程的“杰作”成就了华南板块！

不断地加温，不断地蓄热，“生活在别处”开始成为可触及的梦想，在人们的头脑中蠢蠢欲动，省广人成功地在受众观念中掀起了风暴！于是，在那一天，成就华南神话的星河湾终于掀起了面纱：诗情画意的木道，层层叠叠的园林水景，恢弘的会所与售楼部，精彩的实景，给造梦运动画上了完美的句号。18万人的看楼数字或者不是永远的神话，但却证明了，在房地产推广中，只有站在个人、社区无法实现的高度，达到推动城市的深度，才能领导地产市场，再现“华南IMPOSSIBLE传奇”。

绝对的王者，却有绝对的阶层需求，豪宅广告策略推广！

“人生而平等”，在世界历史的长河中，这是一个振聋发聩的伟大理念。然而，曾经有一位豪宅买家说：“在二沙岛，开着国产车进入，你会觉得连路上的宠物狗都在嘲笑你！”在地产推广的过程中，无数次的消费者分析让我们认定，追求更高阶层的认同感，追求同质而居的氛围感，追求世界最高水准的生活方式是豪宅市场长存的内在需求！从上世纪 70 年代的华侨新村，90 年代的二沙岛，我们清晰体验到豪宅可以给居者怎样的心理价值感，而这种普遍的心理价值也成为了 2002 年汇景新城、东山雅筑、珠江帝景等都市豪宅重夺市场重心的制胜所在。

“新都市主义”，阶层心理的成功反击！

白领别墅，百万别墅，面对华南板块在 2002 年的不断催谷，一些郊

区楼盘不可忽视的隐忧也开始浮出水面，社区的环境之美与基本生活配套之贫乏的严重差异和交通设施不足，导致与城市信息圈、社交圈严重断层，一部分人开始回归都市。

精确地把握到这一股消费者心理暗潮，侨鑫集团年度豪宅力作汇景新城大胆地不直接宣传楼盘，却以“新都市主义”的宣言大举冲击整个市场。真正的豪宅，真正的名流生活不是以放弃生活、放弃社交、放弃时间来换取自然；真正的豪宅，不是离开社区就满目钢筋水泥或满目荒凉；真正的豪宅，不是特权仅局限在社区内；真正的豪宅，不是鱼龙混杂，不是所有人都能分享，更不是流放！整个城市开始轰动，针针见血地立即开始触动消费者关于“城市上层阶级”那根最敏锐的神经，郊区生活是潇洒地生活在别处，还是无奈的选择？

随着都市盘的一呼百应，城市不可替代的优势——信息、交通、市政配套的中心枢纽，长期形成的高尚社交圈被转化为一种身份的表征再度出击，加上都市盘从硬件上全面升级、媲美郊区的环境营造、更完善的生活配套与高尚配套，2002 年，都市盘终于漂亮地收复失地。

融汇世界的尊贵，
实现名流阶层的IMPOSSIBLE梦想！

国际豪宅社区是汇景新城经过反复论证后的定位，在五山地区的众多中等价位楼盘中，每平方米想卖到 8000～10000 元的均价仿佛是天方夜谭！在对比过广州豪宅市场后，汇景新城开拓性地确立了抛弃板块宣传的传统方式，以其都市中心独享封闭领地、绝版山水、卓越邻里的国际名流生活，成就广州独一无二的最大别墅社区（见附图）！汇景新城不倚靠板块，以稀为贵；汇景新城不贬低二沙岛、华侨新村（因为这些地域已经成为广州人心目中根深蒂固的豪宅代表，更是一代人的文化代名词），汇景新城只是豪宅传承至新世纪的全新代表！我们通过这种明确的定位，简洁有力地将汇景新城传达给了社会。

我们深知，中国的名流阶层，他们纵览全球豪宅，惟有国外的传世豪宅方能真正打动他们对品位的认同感，而国内豪宅的差距使名流阶层普遍产生了心理断层与心理期待。由此，我们有针对性地推出汇景新城系列稿件，选取全球最有代表性的地域做对比，从人文、环境、艺术三个角度阐述汇景新城的特色。在这里，汇景新城不是肤浅地再现国际经典，而是指出国际上的豪宅虽然经典，却无法达到“融汇”的境界。比华利山庄是财富的天堂，却远离都市；银座是繁华的极致，却迷失了自然。惟有融汇自然与都市、人文与财富、艺术与人性，才是国际豪宅社区的境界。从广州别墅的改朝换代，到国际豪宅社区的完美融汇，立意高远使汇景新城成为名流公认的新世纪都市别墅代表，媲美二沙岛的真正国际豪宅。

在不到一个月的时间内，在一个从未被认同的区域，汇景新城实现了均价高出板块均价一倍以上的地产神话。而随后一系列名流生活、名流国际沙龙、别墅系列产品、国际配套的推广，更让汇景新城品牌一出，无与争锋！

无论是 2001 年的华南神话，抑或 2002 年汇景新城传奇般的崛起，参与其中的广东省广告公司业务四局深知，传奇源自人心，源自表达出市场空白和目标消费群无法实现的追求。从“生活在别处”到都市别墅生活，从完美主义者到融汇世界尊贵的国际别墅社区，这就是传奇！

每一个阶层，每一个时代，都有个人无法实现的 IMPOSSIBLE 生活理想， FIND IT OUT AND REALIZE IT！

案例2：星河湾开盘攻略

在广州，同一区域汇集七八个超级大楼盘，其占地少则六七十万平方米，多则达两三百万平方米，上演房地产屯兵百万、群雄鏖战最壮观的一幕，这就是蜚声楼市的广州“华南板块”。在这个板块上是出现共赢的结局，还是腥风血雨的搏杀，更是万众瞩目。于是有了“中国楼市看广东，广东楼市看华南”之说，而在华南板块打响第一枪的星河湾，当仁不让地链接了“华南板块看星河湾”的论断，缔造了楼市营销又一个传奇。

华南板块演绎楼市奇观

所谓华南板块，就是沿广州华南快速干线和番禺大桥的大石、南村地区，以珠江沿岸为中心，辐射成的一个广州 CLD（中央高级居住区）。

早在前两年，一些有先见之明的开发商就在该地区展开了“圈地运动”。在该区五个新盘中，星河湾占地 1200 亩，锦绣香江花园 4000 亩，雅居乐约 4000 亩，华南新城约 3000 亩，南国奥林匹克花园约 1200 亩，已建或在售的祈福新村约 6000 亩，华南碧桂园约 2000 亩，广地花园约 1000 亩，整个华南板块总建筑面积将超过 3000 万平方米，让人们领略了这些地产大鳄非同寻常的胃口、实力和能量。问题是，这么大的供应量，即使按人均 50 平方米建设面积计算，居住人口可达 60 万人，相当于一个中等城市的规模。如按 10 年的开发周期计算，每年供应量也在 200 万～300 万平方米之间。有人说，这里是楼市的聚宝盆，有人说，这里是房地产“世纪大战”的火药桶、屠宰场。毋庸置疑，广州楼市迅猛发展，市场压力前所未有，在这块神奇的土地上，一场智慧的较量剑拔弩张。

星河湾养在闺中却春光乍泄

星河湾是华南板块建筑速度最快、最先亮相的楼盘。它北倚珠江，南邻南村自然生态保护区。独家拥有1.8公里目前广州最长的连续江岸线。星河湾为树立自己华南第一盘的品牌形象，力邀世界六大顶级设计公司，如贝尔高林、WY、巨图等联手打造，策略推广方面由王志纲工作室担纲，广告推广则是广东省广告公司最强阵容。

星河湾董事长黄文仔是位低调的实干家。星河湾是他从商30多年投入资金、时间与精力最多，也是风险最高的项目。他执著的梦想就是要将星河湾放在一个前所未有的高度来开发，使其成为一个标志性建筑，为越来越多注重生活质量的广州人量身订造一个高品质社区，“打造出中国楼市的劳斯莱斯”，“打造中国人的梦家园”。在信奉实力开发的原则下，星河湾不惜工本，

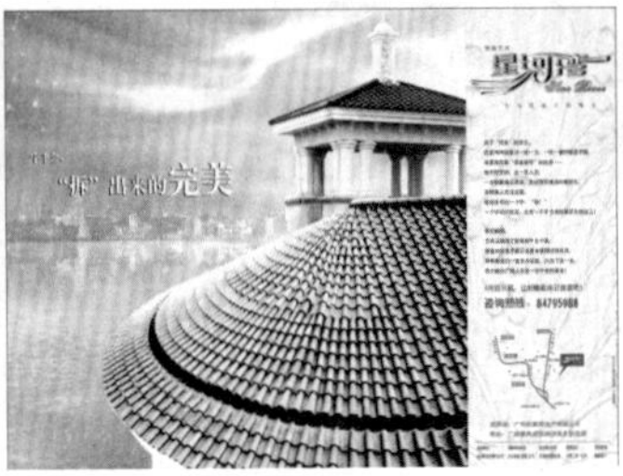

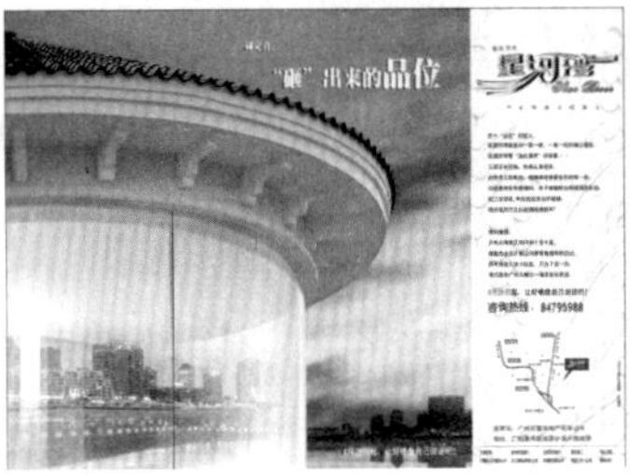

重金打造，特别是用欧洲名贵木材沿江精心铺设了1800米的骑江式实木休闲大道，在家与江之间，演绎璀璨江岸风情。另一绝活就是大做水文章，引进广东省一级保护生活水源西北江水，彻底改变生活用水质量，首期6大泳池、46个叠泉、瀑布园林水景更是精美绝伦、妙趣天成，还棋高一着地将教育与社区嫁接，与广州名牌学校执信中学合作办学，给望子成龙、望女成凤的家长提供了一个理想的教育环境。

好楼盘要好“吆喝”，这绝非易事。在华南板块的竞争，不仅是楼盘自身品质的竞争，营销手段的竞争，更是品牌的竞争。如何才能让没有品牌的星河湾一炮打响？星河湾在前期推广中，与媒体合纵连横，借助广州报业强势媒体楼盘推介这个常规武器，组成了密集的信息交叉网。在此之前，各大媒体纷纷派出楼市记者前往星河湾探营，争相报道。华南板块

未形成“板块”之前被炒成“板块”，未形成实体之前，被炒成“热点”，着实称奇。在各路消息满天飞之际，星河湾借势将其建筑速度、楼盘质量、优美环境、风格品味整合推广，接着大打软性文章牌，为星河湾造势，利用 LOGO 的视觉形象、醒目标题，直接打中消费者的“软肋”，触及内心需求。在少则 40 多个版，多则 70 多个版的丰富信息中跳出来，而不是让消费者一眼跳过去，这些都有效地执行了信息策略的阶段性运用。一时间，满城争说星河湾，诸如“广州 CLD 显山露水”、“星河湾打造第一张住宅新名片”、“星河湾甘当华南试金石”、“华南第一景星河湾”等新鲜出彩的说法沸沸扬扬，令人眼花缭乱，目不暇接，此时的星河湾只是养在闺中却春光乍泄。

新居住理念撼动“楼八股”

华南板块崛起之时，广州市政府构建滨海城市、城市中心南移、地铁三号线（直达番禺）立项都给华南板块带来利好消息。特别是广州催生了一批高收入阶层，郊区 5+2 的生活方式已为广州市民所接受并认同。但如何培育一种崭新的人居理念，就不是几个利好消息那么简单了。应该说，有什么样的市场需求，就有什么样的产品；有什么样的产品，就有什么样的推广策略。所以，在筹建星河湾这个项目之初，第一件事，不是选地也不是融资，而是请来一批有代表性、有眼光、有见识的人士，跟他们开座谈会，请他们不厌其烦地填写问卷，从而锁定消费群是一群现代都市精英，他们的选楼标准是一群智者的选择。由此梳理出：买的是房子还是家？住在哪里最理想？社区环境是家园还是公园？什么样的空间才是人性的、自然的？会所到底是什么？能喝口干净水吗？物业管理是管理还是服务？一连串全新的居住理念，为星河湾在同一个地块、同一个类型、同一个档次的“集群”竞争中找出了自己的“领跑”策略，为广告进行实效推广奠定了基调。尤其是整个平面作品运用避虚求实、去伪存真的表现手法在房地产广告虚假成分泛滥中弥足珍贵。房地产广告的“楼八股”，如急于卖楼的借景造梦式，XXX 元起的低价促销式，没有标准的随楼赠送式，沾了点水的海景江景式，不讲时速的交通便利式，一句承诺的陈腔滥调式，所谓现楼的单体摆放式，矫揉造作的人情亲情式；这些与星河湾实效广告表现相比都相形见绌。

为什么不开盘营造开盘悬念

星河湾的“庐山真面目”在媒体显露后，按常规早该浮出水面，开盘发售了，于是买家有不断前来，想中“头彩”的买家来信焦急地询问：“为什么不开盘？”星河湾却含而不露地在广州强势媒体向消费者娓娓道出一个又一个“故事”。

故事一：一次，三星级会所大堂的巨型景观玻璃安装没有达到标准，工程总监当场用大铁锤将其击得粉碎，全部返工重做。施工人员当时心疼得差点掉泪，要知道，这一锤砸下就是几十万元的心血付诸东流。于是，“一锤定音，‘砸’出来的品位”广告稿就这样真情告白。

故事二：还有一次，当工程总监发现五星级会所的屋瓦铺设没有达到设计要求，要求重新拆除换材料重铺，仅此一项损失就达到100多万元。接着“一字千金，‘拆’出来的完美”广告稿就如此令人叹服。

故事三：施工人员对住宅细小环节就像对待五星级会所一样毫不疏忽，细到小小的护栏接口，都要严密度量，那天，只因一个栅栏接口不严密，整个阳台被全面返工。如此，“一丝不苟，‘度’出来的境界”广告稿就深得人心了。

其实，这都是星河湾拔高房地产开盘门槛，进行房地产开盘标准的一次革命。宣告了当年一纸楼书、一张图纸、一个卖点，就可以卖个满堂红的空手套白狼时代一去不返。星河湾向广大消费者传播的就是，开盘时消费者已经可以实实在在地从各个环境与建筑细节感受到星河湾的品位、格调，从而感受到自己未来在星河湾的生活方式。在这个开盘策略下，广告是以自问自答形式切入，“完成基础建设，开盘吗？”“组团单体建筑封顶，开盘吗？”“完成样板房装修，开盘吗？”“局部配套建设，开盘吗？”继而打出“好不好，看实物；靓不靓，看实景；信不信，看实力”为内核的“好楼盘自己会说话！”“好楼盘不做到百分百，不开盘！”的宣言式主题口号，整个推广过程就显得自然贴切，掷地有声。

开盘开出火爆数字

五一黄金假期，星河湾揭开了红盖头，精彩亮相。社会各界特别是广大消费者对星河湾的反响热烈远远超出发展商的预料。可谓数字开盘——吸引超过17万人次看楼，看楼专车运行车次240次，平均每天有1600辆私家车前往看楼，样板房的鞋套用了近20万个，免费罐装水喝了1200罐，支装水510箱，纸杯用了20万个，派发楼盘资料12万份，销售额逾3亿元。

专家评价星河湾是实力、决心和策略的胜利，成功的意义已经跨越了产品本身，它带动华南板块进程的同时，也给其他发展商吃了颗定心丸。同时，也昭示了广告运动的一个规律：只要策略对路，机会永远是存在的。

案例3：广州奥林匹克花园流水账

1999年10月，广州奥林匹克花园和省广正式结下了姻亲关系。其后的两年，休戚与共，创下了那个时代的一些奇迹：3个月内在战火纷飞的洛溪市场上一举成名，五次开盘五次提前三天排队抢购，样板房以天价成交，实现了房地产业和运动产业的完美结合。而这一切都渐行渐远，只有那些淡淡印记，或多或少还在提醒着人们心头的那本流水账。

两分钟和两年

1999年国庆的前夕，奥园小组封闭在办公室的角落，在最关键的亮相稿件上，产生了分歧，各执一词，难以统一。一个电话请来了丁老师做评判。丁老师在饭桌上写下了省广接手广州奥林匹克花园的第一个报纸广告标题——7岁时就与世界冠军交手。用时不到两分钟，而其后的影响则是整整两年，从李永波到伏明霞，从陈小敏到田亮等等一系列奥运冠军，价值被充分利用，为广州奥林匹克花园带来了巨大的无形资产，而这句经典的广告标题及平面创意也为我们带来了很多的奖项（见附图）。

7岁的手和27岁的手

1999年国庆的那几天，为了7岁的手，省广的同事们都贡献出了又老又粗糙的老手，可这一切，离7岁的手实在太遥远。还好，在周旻率领的团队细心打磨下，一双27岁的手居然变得又白又嫩，足以以假乱真，体现出省广高水平平面设计的功力，为以后整个广州奥林匹克花园的平面设计奠定了良好的客户印象。

火锅和策略的大餐

2000年春节前夕，和客户在打边炉，那火一时大一时小，那汤一时烫一时冷，居然触发了灵感：广州奥林匹克花园广告的方式不就像眼前的这簇火苗，一旦冷水沸腾，只要很小的火力，就能保持这种状态。广州奥林匹克花园即便在封盘时期也保持一定的宣传攻势，才能持续地引起人们的关注。同时，集聚能量，成为我们的销售方式：蓄水、开盘、封盘、续温整个连续的过程，带出了奥林匹克花园的热销。我们为这两大策略定律美其名曰“炼钢定律”和“压力定律”。诞生在菜色中的思考，后来就成了广州奥园的整个策略基础。

热销与二次就业

2000年五一期间，广奥第三次开盘，竟然有人在三天前提前开始排队。为了落实其真实性，我们连夜赶往现场。一看，大吃一惊，排队的都是面有饥色的外来人口，一打听都是受到未来业主的雇佣，抢占好位置，以便拿到优先选楼权，这也开创了奥园协助社会二次就业的先河。一时成为美谈。

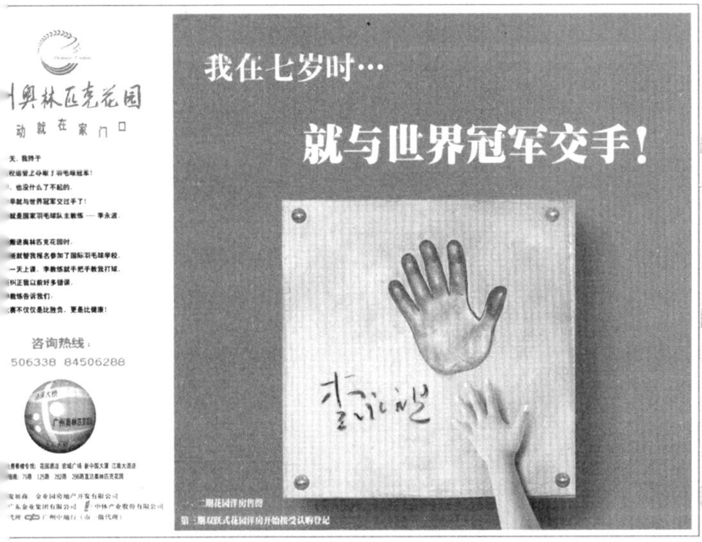

就是这样，在点点滴滴的积累中，广州奥林匹克花园渐渐清晰起来，为后来的南国奥林匹克花园、上海奥林匹克花园积累了品牌基础和实战经验 。

然而，这一切都成为了过去，未来还永远在未来。很喜欢“似水流年”这句话，时间是最公平的打磨大师，成功、失败、辉煌、梦想，一切都在时间的流逝中被带走，却也带来无尽的未来与希望。

案例4：地产广告四人谈

周旻：修炼“奢华”

做了七年广告，有六年是做地产广告，从花园洋房到电梯洋房，再到复式洋房，直到别墅庄园。看了六年的泛亚易道、贝尔高林、汉森，闻了六年的花香鸟语、清泉瀑布，摸了六年的花梨木扶手、澳洲沙岩雕、金丝麻石柱……

七年前，还晃在员村公司宿舍和丽江花园之间的那个年代，刚接触地产广告，知道楼梯扶手是花梨木制作才算档次！而后来才知道黑晶沙的花坛才算档次！再后来几年，广州地产界这种档次攀比的情况就愈演愈烈！所以，当去年发展商要求以“现在进行时”的速度达到所谓的“国际豪宅境界”时（而这个境界一切是以发展商的意志为转移的！)，当然不是我这个才涉世30年的奔富新兵所能当即达到的，那是一种可以说是“奢华”的生活方式。

于是乎四局豪宅项目组决定要花几年时间潜心研究“奢侈”、“奢华”这样的课题了。

什么叫奢华，那是需要“专业人”来操办的（尤其在看了《一夜暴富》的DVD以后），这些专业人士必须熟知各种最顶级的品牌，逛固定的名牌专卖店，看会员专刊，参加私人家庭聚会，而且更重要的是，他们的豪宅有本事做到让你目光所及、纤手所至、步履所到之处全是经过精心设计的奢侈品。要知道，不是一两件奢侈品，而是各种各样的奢侈品。它们组合在一起的效果要像最优秀的歌唱家一样，能一个咏叹调接一个咏叹调，层出不穷地展开华丽无比的唱段。

这种生活方式不是谁都可以拥有或想象的。

但是，不了解这种生活方式，又如何能做好豪宅的广告推广和媒介策略呢?

于是，大家一齐修炼：看书！上网！找准卖家聊天！看电影！逛时代名牌店！日复一日……

不久以前，负责豪宅项目的同仁已经可以一边吃着饭盒，一边讨论楼盘在花园酒店嘉年华晚会的节目和菜单内容；一边搭公车在马路塞车，一边讨论项目的奠基典礼是法拉利巡游还是直升飞机空降；一边在公司加班，没有空调享受，挥汗如雨，一边讨论豪宅洋房也应该有中央空调和中央热水……

于是知道奢侈和奢华是有区别的：“奢侈”只是在浪费金钱，而“奢华”却是有创造性地挥霍钱财；奢侈不需要想象力，而奢华却需要；奢

侈有钱就可以买到，但奢华却需要艺术灵感！

我看过一部片子："暴发户是一个男人，他原本生活在美国社会低层，有一天，他突然感到与其这样过一辈子不如死了重新投胎。这时候他遇上一个有钱人愿意给他一大笔钱，但是他只能享用十天。然后他发现，无论怎么糟蹋，对于那笔钱都是很小很小的一部分。于是他就请了一个专业花钱人士帮忙策划。专业花钱人士告诉他应该举办盛宴——有一栋豪华别墅，前面有开阔的草坪，后边是盛开着奇花异草的花园；然后车库里停满最高档的房车，而且别墅的每个方向都应该有一辆加长林肯；要有个恒温泳池；有无数身穿制服的星级酒店侍从，他们负责领座和招待客人；另外还要有艺术家和歌唱家，他们负责活跃气氛。一切准备就绪后，结果发现没有客人！于是他随手在电话簿上撕下两页。一场豪华的盛宴开始了，但客人很杂。这当然是不够格的奢华盛宴。"让我来策划客人部分吧：他必须请来至少是那个城市的名流和华尔街商业高手以及一批好莱坞明星，像斯皮尔伯格这样的人物一定要到场，才能称得上是奢华的盛宴……

也许一个广告人一生中有不同的角色，但能够超越本色演员，成为角色演员的话，那才是广告人的英雄本色。做豪宅广告不一定要住在豪宅，做轿车广告不一定要驾乘 BMW，做药品广告不一定要真的生病。广告人也许天生就应该帮客户造梦、说梦、圆梦，但自己也会有梦。

我也有一个梦，这是六年来，我常做的同一个豪宅梦：

……临江的玻璃大屋……九华芙蓉软帐、层层帘幕深重、金樽锦瑟、五花马千金裘……还有全新的 BMW7 系列！香槟金色那款！

肖丁：三分创意，七分表现

广告人都是伟大的母亲，每天都在孕育着创意，每天都在生产着创意，一个、两个、三个甚至一大群。"只生一个好"这项基本国策对广告人来说简直是"天方夜谈"，孩子有美丑之分，但母不嫌子丑，正如哪个广告人不认为自己的"IDEA"不是"BEST"的呢？

由于"生产"频繁，不是每个创意都是"足月"出生，十全十美的，相当一部分是早产儿。对于早产的创意，开始可能觉得有点丑，不够完善，但不要紧，早产儿不代表是畸形儿，是可以生存下去的，只要经过不断完善，把他“打扮”得漂漂亮亮，一样可以抱出去见客户。有例为证：

富豪山庄是番禺市桥的一处房地产，开发面积不大，属于中小盘，地处华南板块。一年前，在竞争对手祈福新村、华南碧桂园等大盘的强大广告攻势下，已经快招架不住了，于是找到了我们。当时由我带着一个小组服务该项目。在对楼盘进行一番实地考察后，我们发现该盘最大的特点是环境好。它建立在一个独立的山顶公园上，有山、有水、有花园。于是度身订做，把山庄的创意核心点定在“我的公园、我的家”这句广告语上。平心而论，这个创意核心没有让人眼前一亮的感觉，只是说对话了，没什么特色。孩子是生出来了，相貌平平，我们怎么去培养他呢？我们怎么去挖掘他的潜在气质呢？

怎么表现家与公园的关联呢？一边摆弄着从富豪山庄湖边采下的莲蓬，一边琢磨：“公园”里有湖，湖里有水，水里有鱼，有水草、有荷花、荷花盛开后变成……“家”里有客厅、有卧室、有厨房、有洗手间，洗手间里有浴盆，浴盆上有……“好累啊！真想痛快地洗个澡。”不知谁冒出一句话，我下意识地挥动着手上的莲蓬说：“要在我头顶装一个就好了。”看着头顶的莲蓬，突然，时间瞬间停滞，然后，灵光一现：像，太像了，手上的莲蓬头和洗澡的沐浴喷头太像了……有了，我们在浴室沐浴，冲走一天的疲惫。我们更可以在3000平方米的私家公园里，沐浴更惬意的湖光山色，冲走一天的疲惫，回归自然，与自然同住。这不正是我们这些住在城市石屎森林中的现代人所向往的生活吗！……

于是，一系列以自然界的植物、动物为素材的作品包装上市了（附图）。

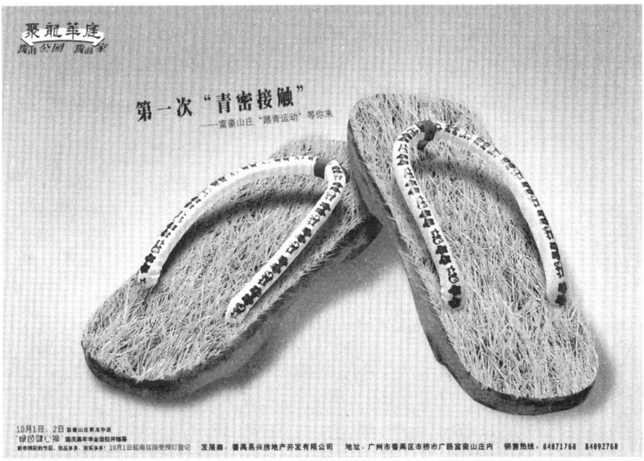

在我们的稿件中没有出现房子，没有出现价格，没有出现一切房地产司空见惯的利好消息，但是，山庄的售楼部出现了购

楼人潮，山庄的楼价出现了上涨，房子出现了热销。广告主的脸上出现了笑容，部分广告作品也出现在年度各种广告大奖上。

广告再创作的过程，与其说是灵感闪现的过程，不如说是“瞎子摸象”的过程。很多时候，不知道自己需要什么，这时候的自己像困兽，把自己逼得很苦，不断地否定就是摸象的过程，那个结果总会被自己发现，如果自己一直摸下去的话……

俗话说：人靠“三分长相,七分打扮”，我要说：广告靠“三分创意，七分表现”。

李翠：与广告恋爱，要有一颗善变的心

Cnad上有一个老笑话：夜半时分，活动着的只有三种人，妓女、嫖客与广告人。

妓女与嫖客混在一起，广告人是孤独的。张楚说，孤独的人是可耻的。以此类推，广告人是可耻的。如果想做一个不可耻的广告人，那么，不跟同事恋爱，就只能跟广告恋爱了。

我想了想，还是选择后者。就这样，开始了六年的恋爱生涯（呵呵，马上就快“七年之痒”了）。

He is my cup of tea或者不，要看广告这东东有没有给你心如鹿撞的感觉，有没有血脉贲张的感觉，有没有焚心似火的感觉，有没有衣带渐宽的感觉。如果确定，它就是你的那杯茶了。

与广告确定了恋爱之后，我们来看看创意这个捉摸不定的情人。

创意的刺激之处在于在一个充满变量的世界中冲浪，没有既定的程序，否则会很乏味。

创意的美丽之处正如一张OPEN的机票，何时启程随心而动，宽容的上帝随时会为你签票。

创意的媚惑之处在于道路的每一个拐角都有诱惑，一转弯，你永远不知前面等待你的是什么。

恋爱不仅仅是一种本能，更重要是一种技能。

创意是一种冷静的形态，而恋爱则充满热情，就像烧窑，一定要大火

烧，但最后有一个冷却的状态。优秀的作品几乎都是在恋爱中沉淀的东西，不能磨灭，无法忘记。

在恋爱中，你要保持常新的面孔，你要保持多变的风格，你在40岁时要抒发18岁少男的激情，你在22岁时要出演半老徐娘的风情，一句话，你得有一颗善变的心：面对不同的产品，代入不同目标消费者的灵魂。仿如一个严重的人格分裂者，不停地扮演你不同的角色。

谁说广告必须人性化，带有强烈个人特色的个性化的广告，是最没人性化的广告。就像一个成功的演员，必须是一个角色演员，而非本色演员。

1998年做丽江花园康城居，四年后再做丽江花园左岸，同一个品牌不同的产品，一个中，一个西。

康城居是林木荟萃、杂花可人的岭南园林。你就必须钟情山水知己泉石，假想自己身处岭南庭园花厅内，在穿廊过门的举足转身之间，不经意地把自己当成李渔、沈复那般才子，满怀雪夜读书红袖添香的雅兴。

百步之遥的左岸，是巴黎塞纳河的左岸，是存在主义的左岸，是曼特宁与卡布其诺飘香的左岸。徜徉在河岸边，你得自以为是当年的毕加索、乔伊斯或者杜拉斯，正从蒙马特高地上的那家露天咖啡馆出来，构思着下一部鸿篇巨制。

从李渔到杜拉斯，广告人就得这样人格分裂地坚持着。在代入的过程中，你还必须力求真实地出演，因为真者，精诚之至也。不精不诚，不能动人。

创意是彼岸的花朵，盛开在难以触及的别处。

要做出优秀的创意，必须从一个梦渡到另一个梦，从一种生活渡到另一种生活。米兰·昆德拉说过的话，广告人正在身体力行着。

陈国宏：把“阳痿”亮出来给他看

——我们怎样卖“尾楼”

若干年前的一个晚上，在东山礼堂看莫比广告获奖作品，两个小时成千上万条广告，看得一头想撞死在墙上。可是若干年过去了，有个广告记得很清楚，还导致了我3个月不抽烟。其实，广告表达很简单，就是把抽烟后的阳痿亮出来看。这种震撼一直让我持续兴奋，到了后来，“把阳痿亮出来给他看”就成为了我使用频率最高的创意座右铭。

遭遇华景新城五期货尾推广，位置不好，户型偏小，楼层高，推出时间长等等，不利因素制约着整个销售，打折、促销，收效甚微。憋在狭小的资料室内，思维开始漫无边际地缭绕：消费者已经不再相信广告，楼盘的打折和优惠只是发展商滴下的鳄鱼眼泪，如何亮出让他们心动的方式，让人感受如同“亮出阳痿来看”的震撼。不想细说中间的种种过程，最后，我们把目光锁定在“有条件限制的优惠”上，华景新城都市精英的活动就此拉开。首先是寻找“广州的都市精英”，本着回馈都市建设者，促进广州发展的目的，我们发出了第一份倡议书“这个城市需要英雄，这个城市需要精英”，“华景新城为精英们量身订造特价单位”；接着，我们对精英的概念进行了条件限制：“年满28周岁以上者”，“在广州居住了两年以上，并有意愿持续为广州经济发展作出贡献”，“是行业内的中坚骨干”，“具备中专以上文凭或专业技术人才”。只有完全具备以上四个条件，才能成为华景新城寻找的对象，也才具备了购买“精英单位”的权利。这些条件的出台，实际上经过精心的消费者特征研究，四个条件把目标消费者一网打尽。接下来就是最关键的结果利益，我们把以前种种名目的折扣整合，形成了一个比较诱人的价位，同时为购买者免费提供一套万元联邦家私精英套餐。最后的市场反应是意料之中的，华景新城五期剩余单位一举突破销售壁垒，取得了很好的业绩。

面对这次成功的促销，我们不仅“把‘阳痿’亮出来给他看”了，更重要的是让消费者也相信了这个结果。我想，也许对于实效广告而言，没有什么比这更重要了！

案例5：漂亮妈妈不怕“美人痔”

——“化痔栓”成功启动女性市场

痔疮面前，男女平等

俗话说：“十男九痔”，以此形容男性痔疮患者之多，好像不得痔疮就不是男人，痔疮成了男人的“专利”。所以，在痔疮药的宣传推广中，都是以男性为诉求主体，如荣昌肛泰就是不厌其烦地出现一个打高尔夫球的男士。

谁说都没有数字说得正确。实际上，这种根深蒂固的观念和人云亦云的说法是很不准确的，据CNNS2001资料显示（参见图1），女性痔疮患者的比例为48.95%，男性为51.05%，男女比例接近1∶1，这与女性更多地参与社会活动有关。所以专家指出，“十男九痔”的说法已经过时，真实的

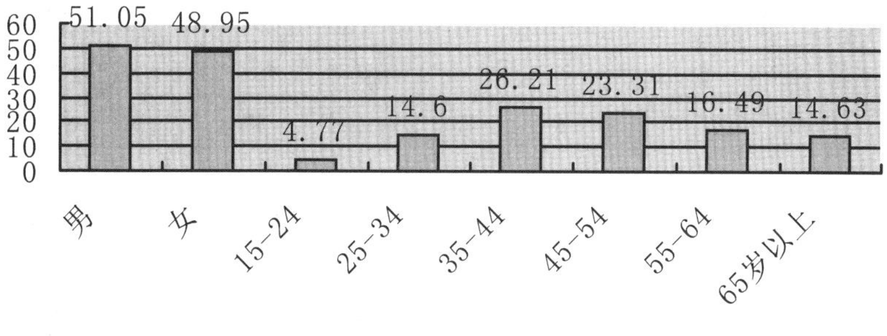

图1 整体消费群

现状是“十人七痔”，据国家肛肠学会普查，目前全国成人50%患有痔疮，个别地区甚至高达70%，在痔疮面前，男女都一样。

不仅如此，女性患者的数量甚至有超过男性的趋势，这是由女性的生理特征决定的。

女性因为妊娠、生育的原因，其发病的机会比男性更高。因为女性的直肠静脉与子宫静脉相通，怀孕时，随着宫体逐渐增大，对门静脉的压迫也相应增强，特别是妊娠后期，下腔动脉受日益膨大的子宫压迫，直接影响血液回流，致使痔静脉丛充血扩张，加上分娩时的运动，常会引起不同程度的会阴撕裂，加重静脉回流的障碍，从而使许多妇女妊娠分娩后发生痔疮等肛肠疾病。又由于怀孕后活动量减少，肠胃蠕动缓慢，迫使粪便在肠腔内停留时间过久，粪便中的水分被结肠吸收而变得干燥，容易造成排便困难。

所以，女性患者是一个因成见而被忽视、因误解而讳疾忌医、值得我们关注和关爱的群体。重视女性，就找回了痔疮市场一直被忽略的“半壁江山”。

敬修堂化痔栓，重男轻女

重男轻女的现象在化痔栓身上尤为突出，其消费群明显以男性为主（参见图2），男性消费者占63.37%。这应该与化痔栓的品牌形象推广密不可分。其电视广告以猩猩为代言物，虽然以差异化赢得了显著的知名度，但并不

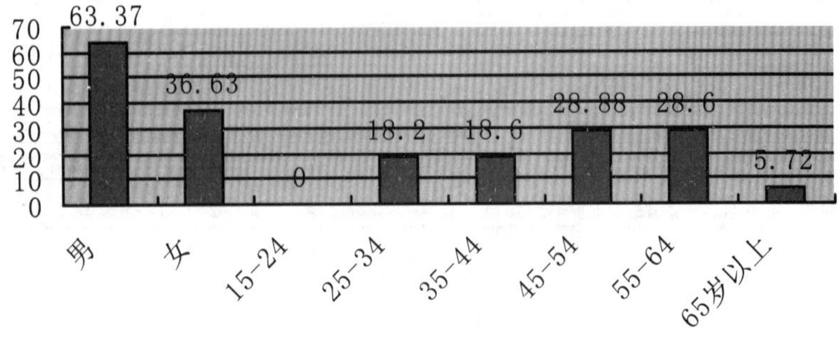

图2　化痔栓消费群

能赢得女性的芳心。相反，女性觉得猩猩不那么可爱，有点丑，又有一点脏。在这样的背景下，其他竞争品牌即使不向女性“献殷勤”，也因为不至于引起反感而获得女性消费者选择时的倾向性。

其他竞争品牌男女消费者的比例接近1∶1（参见表1），说明女性市场确实不小，不可小看。

无疑，如果这一发现不是“真实的谎言”，那么我们应该找到了化痔栓市场最短的那一块木板。

	整体	成一	九华痔疮栓	马应龙	荣昌肛泰	痔疮宁栓	化痔栓
整体	100	100	100	100	100	100	100
男	51.05	51.65	49.44	49.97	57.22	50.81	63.37
女	48.95	48.35	50.56	50.03	42.78	49.19	36.63

表1 竞争品牌消费者男女比例统计（%）

三个调查，得出一个结果

对敬修堂化痔栓而言，这一发现不亚于哥伦布发现新大陆。但这些数据毕竟来自一些行业机构的调查，有没有水分，真实性到底有多大，还要小心地去求证。为此，我们选择广州作为试点市场，首先进行了三个调查：针对购买者的调查、针对药店营业员的调查、针对医生的调查。广药集团在广州有200多家医药连锁店，我们的第一、第二项调查就在连锁店进行。结果，三个调查后的分析指向同一个结果：女性市场已经占据半壁江山。

淡季推出新概念，旺季推出新产品

于是，我们大胆地提出：推出化痔栓女用新产品。由于发病的原因、症状都一样，所以专门针对女性的产品只要在包装和使用上作出改动，与其说是推出新产品，不如说是推出新包装。

我们接手化痔栓的广告推广是在2002年5月。春夏两季是痔疮市场的淡季。痔疮的发病与季节、饮食、生活习惯有很大的关系，气候干燥、吃辛辣食物、熬夜等，都是引发痔疮的直接原因。

化痔栓全年广告投放额十分有限，淡季更是捉襟见肘，淡季广告费的安排对提示化痔栓知名度十分勉强。淡季广告应该怎么做？新产品何时推出？我们的策略是：淡季推出一个新概念，教育市场，同时设计出新产品包装并申报，旺季推广新产品。

1. 推出新概念，一箭双雕。由于女性市场长期被忽略，在宣传推广上更是空白，所以，女性市场需要培育和引导。由于社会对痔疮患者性别的误导，女性患者对痔疮陌生、不了解，忽视了痔疮的存在，小看了痔疮的危害；女性天生的害羞心理，尤其对隐私部位的治疗，态度保守。这些都决定了女性市场需要启动时间，如果旺季启动，将浪费宝贵的销售时机。并且在旺季开发新市场，难免有失从容而顾此失彼。

淡季开发新市场，能引起消费者对化痔栓有更多的关注，既有利于新概念的传播，又能提升品牌知名度，可谓一举两得。

经过反复的脑力激荡，一个新的概念呼之欲出——美人“痔”。

用女性熟悉的语言警示女性患者，消除“忽视心理”。

用诙谐的语言调侃女性患者，释放紧张情绪，克服“害羞心理”。

2. 资源有限，整合无限。所有的推广只有一个概念，一种声音，那就是美人“痔”。所有的宣传手段，都要求做到最经济、最直接、最有效。

报纸，我们连续一个月在《羊城晚报》推出了“金腰带”型广告，

人物	表情与语调	语　　言
甲	疑惑不解地	你这个漂亮妈妈，怎么坐立不安呀？
乙	愁眉苦脸地	别提了，最近长了一颗美人痔……
甲	喜笑颜开地	恭喜！恭喜！
乙	哭笑不得地	还恭喜呢，我说的是痔疮的“痔”，烦都烦死啦！
甲	轻松地	那也不用烦。化痔栓治痔疮，直达患处，立竿见影。
	标版	漂亮妈妈不怕美人痔，敬修堂化痔栓。

表1　广播广告词

形式创新，非常抢眼。

软文广告、候车亭灯箱广告、车体广告、医药连锁店灯箱广告、广播广告都利用同一个核心画面，传达同一个核心信息（参见表 1）。

广告一推出，效果立竿见影，女性患者纷纷打电话、到药店咨询，淡季销量稳步上升，不仅成功地启动了女性市场，而且促进原有市场的扩大，2002 年当年化痔栓销量提升超过 50%，在试点市场的知名度更是超过 90%。

在概念推广的同时，化痔栓为在旺季推出新产品作好了充分准备，2003 年 2 月份化痔栓女用新产品正式上市，市场反应十分热烈。

虚实篇

孙子曰：兵之胜，避实而击虚。

故兵无成势，无恒形。能因敌变化而取胜者，谓之神。

译文：

孙子说：战争的胜利，是由于避开敌人坚实的地方而攻击敌人的弱点。

所以，用兵作战没有固定刻板的战场态势，没有一成不变的作战方式。能够根据敌情变化而取胜的，就算得上出神入化了。

认识和把握“虚实”的关系，在用兵中发挥将帅的主观能动性，或避实击虚，或虚实转换，从而争取主动权，克敌制胜，这是兵家用兵的基本法则。唐太宗说：“朕观兵书，没有超过《孙子兵法》的，而《孙子兵法》十三篇中则没有超出虚实范围的。用兵作战，如果能认识到虚实的形势，就能无往而不胜。”

在省广人看来，商战中虚虚实实，波诡云谲，胜负之道端赖对“虚实”的认识与把握。若以技术功能为实，则情感、心理为虚；若以理性诉求为实，则感性诉求为虚；若以强势品牌为实，则弱势品牌为虚……但是，兵无成势，水无常形，日有短长，月有死生，“虚”与“实”之间，又是可以转换的。如果说“避实击虚”是制胜之常道，那么以虚击实则堪称出神入化之作。省广人为客户服务时，对虚实的拿捏把握，尤其是在“危机”的处理上，常有化腐朽为神奇之举，往往有以弱胜强，以小搏大，以虚胜实，转危为安的“奇迹”发生。

4.1 酒文化还是文化酒

——白酒企业品牌如何定位?

“喝酒，就是喝文化。”这一说法已经成为白酒行业的营销公理。但是人们喝的究竟是“酒文化”里的文化，还是“文化酒”里的文化?这两者的区别就在于品牌对消费者的影响到底有多大。

“酒文化”已经存在了上下五千年，扎根于消费者中间，说到酒文化，每个人都可以津津乐道一阵子，什么“李白斗酒诗百篇”早就成了唾沫渣子之类的陈词滥调。所以，酒文化是公共资源，大家拥有;酒文化既是打造文化酒取之不尽的资源，又必须小心使用、用心使用，否则很容易流于形式人云亦云。只顾喝酒文化而不喝文化酒，往往喝醉的是自己。

文化酒指具有独特文化内涵的某一具体品牌的酒，能让消费者品出与众不同的文化味。文化酒的文化越具有独占性、排他性，其文化的烙印就越深。让消费者喝文化酒，才能喝出酒味、酒兴，喝出性格，喝出独特的文化味，才能喝得长久。

所以酒文化和文化酒是两个不同的概念，不可混为一谈。

“葡萄酒看产地，啤酒看新鲜，白酒看品牌。”白酒的品牌之争，实际上是文化之争。

我们看看以往白酒广告的套路——以酒会友型、喝酒壮胆型、美女美酒型、老外掺和型、酒瓶陈列型，哪有文化可言?为什么我们拥有如此丰富的酒文化，却难得有一个文化酒品牌呢?白酒的营销还很原始，白酒的品牌塑造才刚起步，在这个阶段，文化很容易被滥用。

文化不是“一夜情”

水井坊无疑是近两年文化酒品牌运作难得的代表之作。有这么一个例子，陕西一经销商在飞机上的航空杂志看了水井坊广告《风雅颂篇》，深深地被其文化品位感染，而亲赴成都要求代理水井坊酒的销售。2002年7月，我们针对广州、深圳两地所做的调查显示，消费者对水井坊的第一印象就是"有文化味、高贵、典雅"。

水井坊的成功使得业界流传"三个100万"的说法：包装设计100万，电视片创意制作100万，广告策划方案100万。笔者作为水井坊品牌宣传推广的策划总监，当然对这种说法觉得十分好笑，但这种说法反映了一个不争的事实，就是新白酒的上市炒作离不开"三件宝"：包装、电视加投放。"酒是陈的香"似乎只是个别名酒的主题，而"酒是新的香"正成为每年白酒市场的一道风景。仅仅通过一个包装，或者一个名字、一项活动，就这样把品牌树立起来了，并且一劳永逸，火一阵子之后，再找一噱头来炒，能火多久算多久。有的简单化地采取文化标签—低档低价—广告轰炸—大批量标准化生产的急功近利的手段，对广告轰炸的效应近乎痴迷。由于太多的投机品牌、太多的短线行为，品牌没有爱情只有"一夜情"，所以一首《酒神醉了》竟敢要价1000万元的转让费。

文化不是"喊"出来的

文化酒的提法，是白酒营销的觉醒。但是，像酒鬼酒这样直接口号式地喊出"中华文化酒引导者"，把文化当外衣、当口号，这文化味就变味了，顿时没有了心情；再看配合酒鬼酒要做"中华文化酒引导者"的电视片，也全然没有了"传说篇"的韵味和灵气，气势是有了，形象也很高大，但就是显得俗不可耐的"假"、徒有其表的"大"、言之无物的"空"。

其实，酒鬼是真正可以成为"中华文化酒引导者"的。借用一句话叫：越是湘西的，就越是中华的。湘西拥有淳厚而诡秘的文化，"酒鬼"本身就是诡秘的，大俗而大雅，这一名字里面包含了多少酒趣与故事；酒鬼的包装是诡秘的，古朴而不羁，开创了酒瓶艺术化的先河；酒鬼的传说是诡秘的："古有好饮者，一日忽见龙凤兽围绕一眼清泉嘶鸣不已，此君好奇，遂捧泉饮，不觉沉醉其间，这一醉就是三千年。说到酒的妙处，还得自己去品。传世妙品，酒鬼酒。"多么清新脱俗的故事，多么让人津津乐道的传播力，多么令人亲切的口碑效应，诡秘就是酒鬼的个性，就是酒鬼的灵魂，诡秘是酒鬼成就百年品牌的根基。丢掉了诡秘，酒鬼还能是什么？丢掉了诡秘，洞藏只是洞藏，洞藏只是“一夜情”。洞藏之后你又做什么？其实，洞藏不也是诡秘的吗？酒鬼，你为什么不坚持？坚持你的个性，坚持你的风格，坚持真正属于你的文化。

文化不是“自助餐”

中国文化博大精深，酒文化源远流长，为文化酒的塑造提供了充分的“养料”。但是，很多品牌不研究自己的市场，不挖掘自身的特点，采取生搬硬套、移花接木、牵强附会、断章取义等形式；克隆别人的文化，不怕东施效颦；杜撰自己的历史，不怕无中生有；神化自己的形象，不怕稀奇古怪；滥用当地的悠悠地域文化、历史文化、名人典故，一眼枯井能编出几代历史，一句话能编出多少传奇。比如茅台镇边上的小酒厂，也可以肆意打茅台牌，把茅台酒的荣誉往自己身上贴。白酒不是一个筐，什么文化都可以往里面装；白酒不是“自助餐”，想吃什么就吃什么，因为这样只会消化不良。

那么，什么才是文化？怎样打造文化酒？

1.真正的文化在于认同

本文开头就说了：“喝酒，就是喝文化。”这个文化，不是高高在上的王婆卖瓜式的卖弄文化，不是孤芳自赏地拒人于千里之外的学究文化，只有得到消费者的认可、引起消费者共鸣的文化，才会令消费者开怀畅饮。所以，消费者喝的其实是自己心目中的文化，是理解了、感受了甚至感动了的文化。文化，其实不在酒里，而在消费者的心里，是酒与心灵的对话。只有对话的文化、沟通的文化，才是真正的文化。

例如水井坊的成功在于传统与现代、经典与时尚的成功对接与对话，通过现代成功人士的眼光来看水井坊与生俱来的品质与品位，使水井坊既古老又年轻，既是历史的水井坊，更是我们自己的水井坊。水井坊品牌核心识别是雅文化，雅文化是中国传统文化的主流，是中国传统文化中的金枝玉叶，但是不仅如此，雅文化还是不断丰富与发展的文化，是与时俱进的时尚文化。抓住这一点，就抓住了现代成功人士的心。再看小糊涂仙，与其说是一个新酒，不如说是一个“心”酒，“难得糊涂”，芸芸众生哪个不知，谁个不晓？几多人把它高悬厅堂，更多人把它放在心里。小糊涂仙，真是一个聪明的酒。

2. 真正的文化在于不同

文化是一个大家族，但文化不是一个笼统的概念，白酒品牌定位就是对文化的区隔，差异化越明显，品牌形象就越鲜明，文化品牌的烙印就越强。

文化不可能无中生有，文化离不开土壤。中国白酒文化品牌打造，大致有这样几种类型：

地域文化型，尤其是享有盛名的产酒圣地，好山好水出好酒，充分挖掘地域的地理特征、生态环境、产地为品牌背书，如汾酒、贵州醇等；

历史文化型，酒是陈的香，好酒要有年头和来头，如泸州老窖、剑南春等；

风俗文化型，如金六福、喜临门等；

传奇文化型，如夜郎酒、董公酒、天书酒等；

人物文化型，如杜康、诸葛酿、刘伶醉等；

处世文化型，如舍得等等。

而每一种类型又可以细分出千姿百态的文化定位，从白酒市场的强势品牌来看，虽然定位并不十分清晰，品牌规划与建设并不能一以贯之，但是雾里看花，仍然可以依稀看出各自的定位。如五粮液的贵族文化，并且其他附属品牌都在“名门贵族”的统领下推出；茅台以国酒之尊、与中国领导人的亲密感情、在政治舞台上扮演的特殊角色而塑造政治文化；水井坊的高雅文化；小糊涂仙“聪明难，糊涂更难”的处世文化；金六福从“好日子离不开它”到“中国人的福酒”的福文化；酒鬼酒的传奇文化等等。中国白酒品牌塑造最容易犯的错误就是盲目求全求大，总想老子天下第一，以为叫得最欢，喊得最响，就是最有文化，殊不知文化的真正内涵首先在于精深，然后才能博大。像微软这样的公司，连名字都取得又小又软，但并没有损害它的形象，中国白酒需要自信，相信自己，尊重消费者，做回自己，做好自己。因为，跟着对手的节拍跳舞，只会跳向深渊。

案例6：市场变革带动品牌推广

——水井坊市场切入案例

水井坊的成功上市，成功打造高档白酒第一品牌，品牌推广功不可没。同时，我们也欣慰地看到，由于上市前对白酒市场的清晰分析和深度掌控，使水井坊巧妙地利用了市场现有的品牌空隙，成功地进行了市场变革，将其品牌推广带到了更高的境界。

市场深度掌控之“知市场”

20世纪90年代初期是我国白酒市场的快速成长期，产量从1990年的500万吨发展到1995年的800万吨，年均增幅达9.4%。但从1995年开始，白酒的产销增长势头开始下滑，白酒生产企业亏损面加大，亏损企业占20%以上，微利企业近80%，高利企业仅占1%。我国白酒业陷入这样的困境，主要有以下几个原因：

一、国家的产业政策不鼓励白酒行业的过度发展。由于白酒生产要耗费大量粮食，国家采取“寓禁于征”的方法对白酒行业实行限制性的产业政策。另一方面，政府对于啤酒、葡萄酒的扶持也造成了白酒市场的分流，使白酒在整个酒类市场的份额缩小。

二、红酒、啤酒、果酒、保健酒的消费稳步上扬，而白酒市场逐年萎缩。酒类市场的消费需求越来越追求保健、低度、低耗和营养。当前白酒产品的调整相对滞后于消费需求的变化。

三、市场拥挤，竞争过度。1999年10个主流白酒品牌尽管市场份额提高到占全行业的40%，但剩下的市场空间里仍然塞满了全国大大小小3.8万家白酒企业，同业竞争进入残酷的淘汰期。

根据对市场的基本判断，我们认为，全国白酒行业呈现以下基本特征：

一是全国白酒产销量下降。（参见图 1）

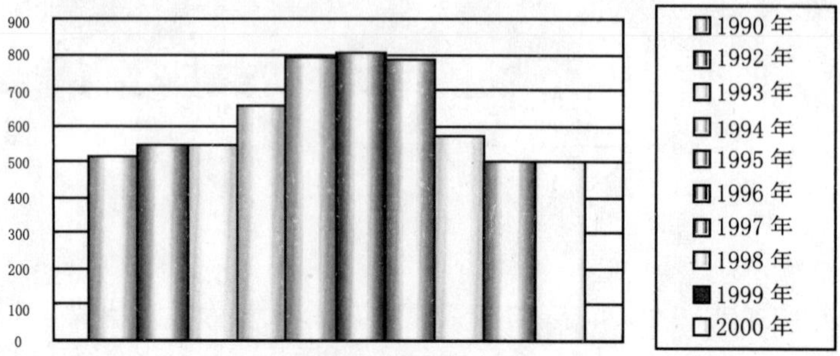

图 1　白酒产量走势（单位：万吨）
（数据来源：《中国统计年鉴》）

而在销量最大的中档白酒市场，可以预见，市场争夺最为惨烈，由于整体市场的萎缩，将会淘汰大部分的白酒品牌。（参见图 2）

二是白酒在饮料酒消费中的比重不断下降。

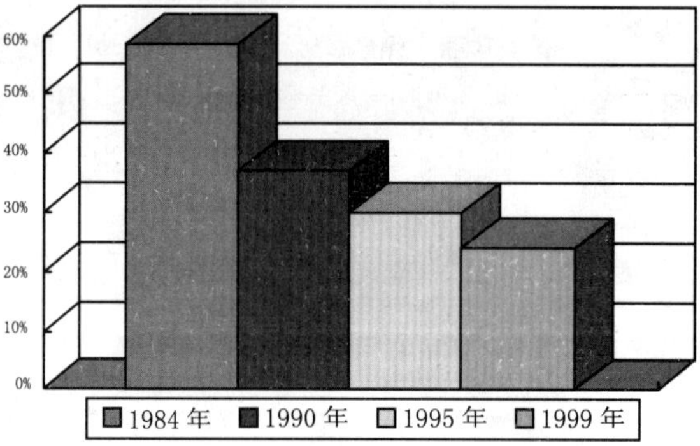

图 2　白酒占饮料酒消费比重
（数据来源：《中国统计年鉴》）

口味转换是白酒市场发展的致命伤，随着市场转移，白酒行业（尤其中档白酒市场）发展不容乐观。

三是区域市场的诱惑。

在整体市场供过于求的情况下，由于各地的市场发展不均衡，不同的区域市场反而有不同的市场表现。以广东市场为例，虽然广东人均白酒消费位于全国后三名,广东白酒市场却显示出不同的特点。广东的消费能力高，可能卖高价位。广东自产酒不足,据广东省白酒协会有关资料，广东省白酒市场全年容量达 70 万吨，而广东省白酒业 1999 年产量仅为 33 万吨，今年预计将达 34 万吨，与市场需求存在很大的差距。此外，这与广东酒业没有强势品牌有关。

竞争规律把握之“知竞争者”

一、普遍规律

企业效益普遍滑坡，只有少数骨干企业保持稳定。1999 年上市公司中白酒板块每股平均收益下降到 0.46 元，销售收入超过 10 亿元的白酒企业只有“五粮液”、“全兴”等 6 家（参见表 1、表 2）。

	五粮液	全兴	沱牌	剑南春	湘泉	兰陵
销售收入（亿元）	42.13	14.54	14.52	12.41	11.80	10.56

表 1　销售收入超过 10 亿元的白酒企业

商品名称	市场综合占有率%	市场销售份额%	市场覆盖面%
五粮液	22.40	33.22	15.19
茅台	12.17	6.25	16.12
二锅头	8.72	17.59	2.80
剑南春	7.80	3.73	10.51
古井贡	3.36	1.74	4.44
泸州老窖	3.14	1.53	4.21
郎酒	2.79	1.02	3.97
红星二锅头	2.61	4.42	1.40
红星御酒	2.50	4.85	0.93
全兴大曲	2.44	3.29	1.87
酒鬼酒	2.30	0.84	3.27
京酒	2.21	3.08	1.64
汾酒	1.78	2.01	1.64

表 2　全国市场白酒品牌综合占有率、市场销售份额、市场覆盖面（1999.8）

提示：从普遍规律中，我们可以清晰地看到，行业竞争主要在中档白酒市场展开，而对于获利丰厚的高档白酒市场，各品牌的关注普遍不足。这样的市场，就有可能存在市场变革的机会，这样的机会也许是稍纵即逝的。

二、广告规律

白酒市场竞争进一步加剧，全国范围内的广告战、价格战进一步升级。原来奉行“酒香不怕巷子深”的白酒品牌纷纷做起广告，以“秦池”酒投得中央电视台的广告标王为起点而启动的白酒行业广告大战，使所有的酒都成了广告酒，各个企业的广告互相干扰，使品牌的差异化建设变得非常困难。更有讽刺意味的是，某些在广告大战中风光八面的品牌，如“孔府家酒”“秦池酒”等白酒品牌由于广告无度而陷入了困境，一蹶不振。2000年上半年对全国34个大中城市、156家电视频道的广告播出状况的监测表明（中国广告协会和国家统计局城市社会经济调查总队）：2000年上半年，全国白酒行业企业在156家电视频道上共投播了660个品牌。共计上半年播出148806次，广告总时长达557小时48分46秒，估计这些企业为此至少投入广告费用约5亿元。

提示：狂轰乱炸的广告投放，打乱了中档白酒市场的格局，导致了很多新品牌成功切入了中档白酒市场，一改过去所谓“八大名酒“等品牌的神话。相对而言，成功冲击高档白酒市场的品牌少之又少，市场空隙可能由此而生。

目标群体分析之“知消费者”

一、就白酒的消费者群来看，占人口总量20%的城市人口消费占55%，而占人口总量80%的农村人口消费占45%。另据调查表明，40%的城市男人隔一天喝一顿酒，90%的城市家庭招待客人用白酒。以上两组数据说明：城市在一定时间内仍然是白酒的主体市场。根据对15个省份的调查，城市居民人均购买白酒数量的排位前三名的是：黑龙江3.6公斤、内蒙古3.55公斤、广西3.35公斤。后三名是：新疆1.3公斤、陕西1.3公斤、广东0.94公斤，其他省份均为2公斤。

二、通过对城镇饮酒原因的调查得知：40%的人是为了应酬喝酒，22%的人是为了助兴喝酒，13%的人喝酒成为习惯，5%的人是借酒消愁解闷，还有一小部分人饮酒是为养生保健。

三、像白酒这种具有多元分散品牌的产品类型，在领域中处在领先地位的品牌与后续品牌的提及率差距较小，而且较多品牌以相近的占有率参与分割市场，领先品牌的优势不明显（据零点调查与分析公司提供的有关资料）（参见图3）。

提示：城市消费群体与应酬消费群体是白酒的中度消费群体，而这一群体也是高档白酒的高使用频率群体。针对这一市场应该有针对性的推广活动，通过专门的渠道运作，结合这一群体对白酒品牌的认知度，有可能改变目前领先品牌的市场格局。

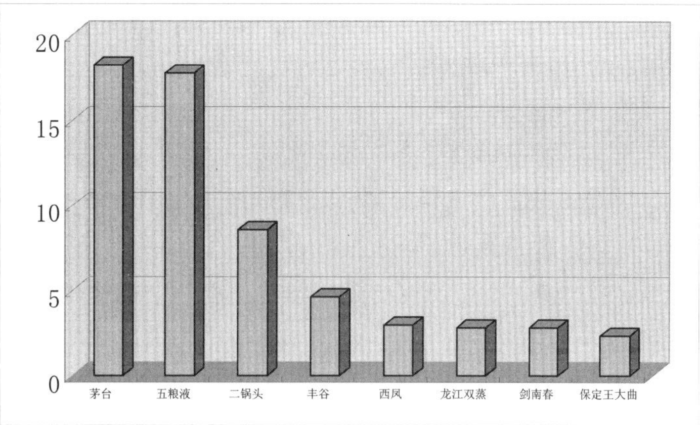

图3：白酒品牌提及率

资源分析之"知自己"

四川全兴集团位于成都市。据史料记载，起源于明末清初的"全兴烧坊"。现在全兴名列中国500家最佳经济效益工业企业，是成都市十大支柱产业之一。酒业是主要的利润来源。

而酒业中的中档产品——全兴大曲是集团的拳头产品，20世纪60年代就已跻身全国八大名酒之列，并先后三次入选"中国名酒"之列。20世纪90年代，全兴的净资产以年均52%的速度递增，在全国名酒业中的排名节节上升。到1999年，已经达到了销售收入第二名、名酒产销量和人均创利第一名的座次。90年代以来，原来一直占据中国酒类市场绝大份额的白酒在洋酒、葡萄酒和啤酒的三重夹击下，市场占有率迅速下降，而且逐步从杂牌酒向名优酒集中。而全兴酒业的主销产品大多是适应百姓消费水平的中低价酒。

提示：原有的市场体系更多的是在中档白酒市场建立的，与高档白酒市场可能存在脱节的现象。但是，由于全兴的大品牌背景已经深入消费者心里，将“全兴”作为担保品牌是可能的，并且可以使新产品切入市场时间加快。

策略——通过改变行业格局切入白酒市场

一、市场策略

在品牌树立之初，坚持把市场做深吃透的原则，不在全国搞大撒网式的低效劳动，而是结合企业自身情况，选择有基础的、适合新产品切入，并且有一定市场容量的重点市场。最终，水井坊选择了广东市场作为其品牌树立第一站并大获成功，市场选择起到了至关重要的作用。

二、目标群体策略

抓住白酒重度消费群体——宾宴群体，抓住品牌传播的重度人群——公务和商务群体，是保证水井坊一炮成功的关键。

三、产品策略

产品具有特色是基础。水井坊酒酒体丰满，入口甘美，幽雅怡人。科研人员在水井坊窖泥中分离到独特的水井坊菌群，这些菌群决定水井坊酒所特有的风味，也使得水井坊酒具备了不可模仿的特异性。

只有独特的产品才能够打造独特的品牌。水井坊占尽天时，从问世就已经是一个古、特产品，只需要把产品特色淋漓尽致地展现，一个个性化的产品就产生了。

四、价格策略

高价进入市场。水井坊酒在沿海、东南亚地区总经销供货价在 400 元左右，其中58°酒市场价在550~600元之间，宾馆价可达780元；38°酒市场价约400元，宾馆价达600元。其市场零售价高于茅台、五粮液、酒鬼等名酒，号称中国市场上最贵的白酒。

依靠对产业格局的清晰判断，依靠对市场的深度把握，依靠对消费者心理的多层次理解，水井坊成功在高档白酒市场撕开了一个口子，并不断扩大。在此后的两年中，跟随者众而成功者寡。这样的事实说明了一个清晰的道理：市场无法复制，同一机遇不会出现两次。只有站在前瞻的高度把握产业，才有可能真正打造成功品牌。水井坊，一个寻找产业变革而带动的高档品牌，仍在成功路上。

案例7：颠覆白酒市场游戏规则

——水井坊整合营销全攻略

· 整合营销传播打造新锐品牌。
· 后来居上，一鹤冲天排云飞。

“水井坊”背景资料

四川全兴集团位于成都市，据史料记载起源于明末清初的“全兴烧坊”。现在全兴名列中国500家最佳经济效益工业企业，是成都市十大支柱产业之一，集团的经营范围包括酒业、药业两大传统产业和现代生物工程技术产业，酒业是主要的利润来源，全兴大曲在市场上更是有不俗的表现。

20世纪90年代以来，原来一直占据中国酒类市场绝大份额的白酒在洋酒、葡萄酒和啤酒的三重夹击下，市场占有率迅速下降，而且逐步从杂牌酒向名优酒集中。而全兴酒业目前的主要品种大多是适应百姓消费水平的中低价酒，它也遭受了这一形势的压力。董事长杨肇基称，全兴酒业发展到现在已进入到第二次创业的阶段，目前需要一个新的品牌来填补“高档”的空白。1998年8月，全兴集团对成都市水井街的曲酒生产车间进行改造，当施工人员在挖至地表下约1米的时候，意外地发现了一个圆盘状的土石结合物，经进一步发掘，埋藏在地底下的文化遗迹渐渐凸现出来。全兴集团予以高度重视，立即报请省市文博单位进行考古试掘。“水井坊考古发现”已发现的面积约1700平方米，发掘面积约280平方米，发现不同时代的晾堂、酒窖、炉灶、路基等酿酒遗迹。其中晾堂3座、酒窖8口、炉灶4座、灰坑4个，并出土了数百件酒具、饮食器具等遗物。根据遗迹的分布情况和众多的出土文物，推测遗址存在“前店后坊”的布局形式。据专家考证，水井坊上起元末明初，下至当今，经过历朝历代不断增修重建，前后已连续使用600余年。

水井坊丰富的文化内涵、完整的堆积层面、完备的酿酒工艺设施以及酒窖酒糟中古老神秘的生物菌群等为世罕见，佐证了明朝著名医学家李时珍的观点，“烧酒非古法也，至元时始创之”，被誉为中国浓香型白酒酿造工艺的源头。2000年1月，水井坊被四川省人民政府授予“四川省文物保护单位”；2000年5月，水井坊被国家文物局授予“1999年全国十大考古新发现”。

在连续使用至今的水井坊窖池中，科研人员分离出后来被称为“水井坊一号菌”的菌种。全兴集团接着与清华大学建立了合作关系，利用微生物技术，激活繁殖了古糟菌群，以此为起源研制出新酒“水井坊”。全兴董事长杨肇基曾分析说，“水井坊”是一个崭新的品牌，“水井坊”和“全兴”这两个品牌的血脉关系不可分割，但“水井坊”绝不是“全兴”品牌下的系列酒，而是站在“全兴”肩膀上的品牌。

水井坊的营销策略

一、产品策略

水井坊酒酒体丰满，入口甘美，幽雅怡人。科研人员在水井坊窖泥中分离到独特的水井坊菌群，这些菌群决定水井坊酒所特有的风味，也使得水井坊酒具备了不可模仿的特异性。为配合水井坊的考古背景，其标识采

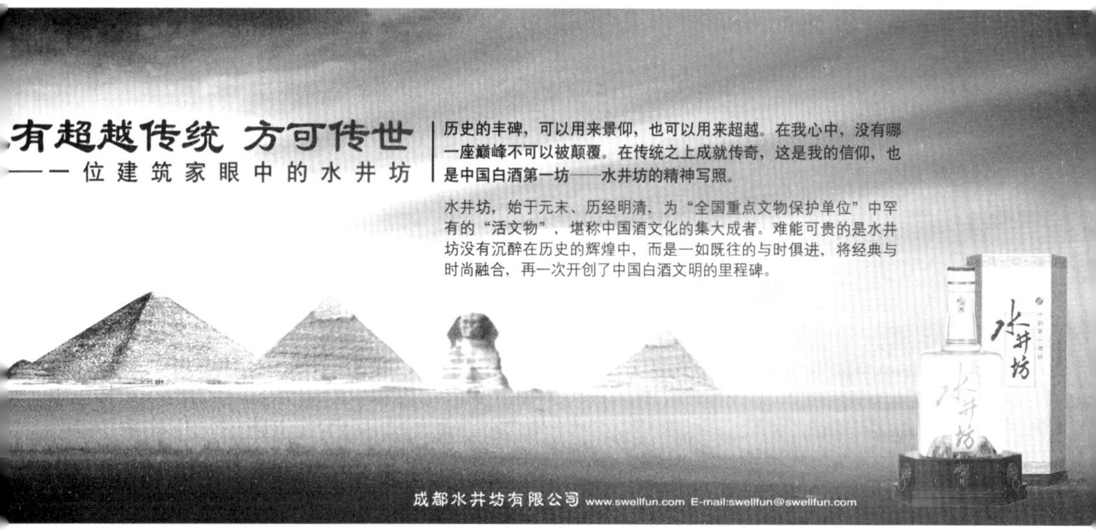

用现代物法表现中国传统文化，外形为六角井台形，远看像一个荡漾在水面上的篆书“水”字，近看像两片银杏叶组成的正六边形（银杏是植物中的活化石，也是成都市的市树），玻璃瓶底的形状与标识相呼应。该标识设计源自考古发现中的井台造型，图案阴阳对比、动静相生、内涵丰富、变化无穷，酷似戏剧脸谱，寓含“水井坊”来自佳酿之乡的天府之国。

产品的包装也着重突出其历史感与文化感。水井坊酒包装为纸木结构，采用多菱形立柱纸盒和木质底座，含五行相生之意，酒瓶瓶底是一个形如井台的内凹的六边形，采用国内首创的瓶底内烧花工艺把武侯祠、杜甫草堂等

锦官城六景分别烧制在内凹井台的六个面。整套包装申请了六项实用新型和外观专利。今年2月，水井坊酒包装在芝加哥荣获世界顶级广告设计大奖——第三十届“莫比乌斯”奖的包装广告奖(单项奖)和杰出成就奖(总评奖)，这是中国广告界首次在这一国际评奖中获此殊荣。

二、价格策略

水井坊酒在沿海、东南亚地区总经销供货价在400元左右，其中58°酒市场价在550~600元之间，宾馆价可达780元；38° 酒市场价约400元，宾馆价达600元。其市场零售价高于茅台、五粮液、酒鬼等名酒，号称中国市场上最贵的白酒。水井坊公司公关策划部经理徐斌认为：水井坊价位主要由品牌、品质、包装、产量和技术含量五个方面支持。水井坊是中国白酒第一坊，不仅是中国现存的最古老酿酒作坊，而且是中国浓香型白酒酿造工艺的源头，集中体现了川酒醇香隽永的特色，也代表了中国白酒酿造的最高水平，其品牌有很高的地位。水井坊菌群则是水井坊酒所独有的，技术含量极高，保证了水井坊酒的良好品质。同时，由于采用明清时老窖发酵，所以产量有限，加上独特的包装，令水井坊酒能以高价位进入市场。

三、渠道策略

全兴集团决定：水井坊目前只在广东沿海和东南亚销售，在沿海打开市场以前，绝不会在内地销售一瓶水井坊。为此，全兴集团分别设立了成都水井坊公司和广东水井坊公司，成都公司主要负责生产，广东公司主要负责销售。在广告费用分摊上，成都公司负责电视、电台等空中广告费用，广东公司负责地面广告费用。

四、传播策略

采取包括广告、公关、事件营销的整合传播策略，进行声势浩大的整合营销，为水井坊的成功打开市场起了极为重要的作用。

1. 电视广告

水井坊酒广告的联想象征是雄狮。电视广告中主要以故宫门前的石狮子、银行门前的石狮子及卢沟桥上的石狮子为象征物，分别代表文化、成功和历史，而这一切的源泉都在于中华民族数千年的历史文化积淀，水井坊前

的石狮子则是这一源泉的象征。在充满阳刚之气的浑厚的背景音乐中，故宫门前、银行门前和卢沟桥前的狮子依次出现，浮现“文化”、“成功”、“历史”等相应的字幕。然后，镜头切换到水井坊考古现场，遗址在略黄的光线下显得庄严肃穆，井口正上方出现字幕“源泉”，暗示水井坊浓缩了数千年炎黄文化。当水井坊酒瓶在各种石狮子像前移动时，所有的石狮子都像被赋予了生命一般或怒吼，或凝视，卢沟桥前的狮子更幻化为一群英气勃发向前奔腾的狮子大军。此时，红色背景上出现水井坊酒的包装形象，突现的专用标识“中国白酒第一坊——水井坊”格外醒目，浑厚有力的男声读出旁白：“水井坊，真正的酒！”这一广告以现代形式表达传统内涵，形式独特高雅，刚劲有力，令人过目难忘。不仅为水井坊酒注入了独一无二的内涵，还塑造出了水井坊酒高档第一的形象。

电视广告片选择在凤凰卫视中文台(广东目标市场有高收视率)黄金时段高密度投放，达到了短期见效的传播效果。同时，作为辅助，突现雄狮和水井坊酒瓶的路牌广告也开始亮相。

2. 杂志广告

为进一步强化此定位，省广继续在《新周刊》、《经理人周刊》等杂志上推出以古画为主题的系列广告。

“文物、文化、文明”篇，表现的是水井坊中蕴涵的历史源远流长。在纯白背景中，画面以近2/3的篇幅表现颜色由浅到深的近代、清、明三个年代不同的土层，文字说明分别为：“近100年的人杰地灵”，“清代300年的清风雨露”，“明代300年的日月精华”。水井坊酒的酒瓶占据画面的醒目位置，横跨三个年代的土层。整个构图既古朴高雅，又引人注目，深厚的历史不言自明。

“元明清”篇采用了元、明、清三个年代的古画。三幅画不同程度的泛黄显示出其不同的年代，但画面间却能协调地相互衔接，三图中的悬瀑一脉相承，流入下方水井坊酒瓶中，显示出水井坊酒由元至今品质如一。广告文案以《源远流长的水井坊——六百载天地酒，元明清历史文化》为题，传达出“水井坊，六百年文化的造化”的主题，显示出浓厚的文化氛围。“风雅颂”篇以标题分别为风、雅、颂的三幅古画，凸现水井坊酒深厚的文化沉淀。三幅顺序排列的古画表现的皆是文人墨客临境赋诗，对酒当歌的情景，巨大的水井坊酒在浮现在古画上，暗示水井坊酒与中华文化的渊源。文案标题为《风声、颂声，声声入耳；雅韵、酒韵，韵韵关情——水井坊文化之源》，点出了水井坊酒在传统文化中的地位，把其升华至中华文化的源泉。

此系列杂志广告，在水井坊酒电视广告的基础上，进一步丰满了其形象，诠释了水井坊酒的历史和文化内涵，深化了主题。

3. 公关广告

在形象广告之外，省广还配合社会事件推出公关广告，令水井坊的形象更为深入民心。奥运会期间，省广推出题为“为奥运干杯，为中国喝彩，为冠军庆功”的公关广告。画面的主体是巨大的奥运五环图案，但第五环则被水井坊的圆形标识所代替。广告中充满感情地写道：“当全世界的目光都聚焦在奥运场上，全世界的热情都投入到这体育盛会时，让我们举起酒杯，为光荣与梦想，为豪情与意志，为民族精神与奥运精神，为五星红旗冉冉升起，为中华健儿取得的历史性突破，干杯！”这辑广告在中国队连连报捷、民族热情高涨的奥运会期间，营造了水井坊酒饱含民族自豪感的爱国形象，为其争取到了广泛的社会认同。

在紧接着的春节，水井坊酒刊登出洋溢喜气的杂志贺年广告和贺年片，名为“鸿运临门，吐故纳新”。其造型为中国传统的大门，在吉庆的大红色大门上，传统的金属兽头门环格外醒目。读者若仔细观察，会发现只有其中一个兽头的口中含着门环，另一个兽头口中的门环则早就掉了下来，套在下方的水井坊酒之上。这则广告传统喜庆又不失新意，既迎合了人们的心理，又引起了人们的好奇，对销售有一定的促进作用。

4. 媒体策略

媒体策略把目标定位为：短期内迅速提高“水井坊”的品牌知名度，营声造势，构建“水井坊，中国白酒第一坊”的地位。前期以80%的到达率为主要的媒体目标，后期以锁定目标消费群体，有效频次为主要媒体目标，通过多媒体组合演绎“水井坊”深蕴的独特酒文化内涵。

在媒体投放的策略上，产品上市初期以大众媒体投放为主，采取电视广告和报纸软性炒作相结合的“软硬兼施”的手法，演绎“水井坊”深蕴的独特酒文化内涵。上市之后，选择中秋前后、国庆期间正对目标群体重点投放，并由点到面地从广州到深圳到珠江三角洲进行策略性扩张。

为了实现上述的策略目标，水井坊在电视广告、报纸广告和杂志广告上都作了精心的安排。产品上市时选定了有线的翡翠台和本港台等香港电视台为主要的电视媒体，并以“水井坊特约”的形式取得特别效果，先后赞助了《世纪之战》、《美丽传说》、《张立平常谈》等高收视的节目，使水井坊成为瞩目的焦点。除了常规投放保持水井坊的曝光率，并选择中秋前后、国庆期间正对目标群体重点投放。在广州取得知名度的迅速提升后，媒体选择开始转向省级媒体，实现“广州—深圳—珠江三角洲”的策略性扩张。

在报纸广告方面，水井坊采取了硬广告软操作的手法：先以8月9日上市新闻发布会为契机，开发《文物、文化、文明——从水井坊考古发现看中国白酒的起源与发展》主题软性报道冲击广州市场，在《广州日报》和《羊城晚报》刊出通栏广告，将软性报道排版成新闻版。接着在中秋节前发布系列软性广告，包括《大发现：水井坊，中国白酒第一坊》、《大假设：水井坊，中国白酒之源》和《大结论：水井坊，真正的酒》等，挖掘水井坊的文化历史内涵。后又结合奥运会中国代表团大获全胜这一热门话题，以“为中国健儿庆功”为切入点，投放硬广告。

在杂志广告方面，则主要选择高档的针对目标消费群体的杂志，如《南方航空》和《时尚（先生版）》等时尚类杂志、《世界经理人文载》和《新周刊》等新闻财经类杂志作为主要投放媒体。

5. 事件营销

除了广告攻势外，还进行了大量的公关活动和事件营销。

水井坊遗迹发现后，新闻界予以大量宣传，为“水井坊”打响了头炮。而2000年3月，在国内颇有名气的全兴足球俱乐部向外宣布：成都水井坊有限公司以1600万元人民币购买了四川全兴足球队2000年的冠名权，全兴足球队将更名为水井坊足球队，同时还以300万元人民币，购买了该队今年比赛服的胸前广告。以1900万的总价购买冠名权，在足球产业里被人称为“天价”，霎时引起轰动。当时的“水井坊公司”甚至被四川当地的媒体称之为“闻所未闻”，更凸显了这一事件的戏剧性和神秘性。然而，由于全兴足球队在球迷心目中有极高的地位，此举动引起了轩然大波。不仅报纸杂志大肆报道，社会上更掀起一场争论，人们茶余饭后皆讨论全兴该不该易名，一时令水井坊的名字街知巷闻。最后全兴集团宣布为顺应球迷要求，将球队冠名为“四川全兴水井坊足球队”，才让事件平息。经此事件，水井坊名声大振。

2000年8月9日，全兴股份控股的成都水井坊有限公司在广州花园酒店召开“水井坊考古发现暨水井坊酒展示会”，正式对外发布水井坊酒。展示会邀请了包括广州市领导、成都市领导、广东省经贸委领导和白酒专家、考古专家及亚洲电视等媒体在内的各方嘉宾，并在会上设置了考古现场的微缩模型，重现酿酒过程，此安排让人对水井坊酒留下了深刻的印象。在发布产品的同时，由专家宣布：在考古期间意外发现了举世无双的特殊菌群，这一菌群对白酒生产具有极高的价值，“水井坊”高档白酒就是这一菌群的杰作。此举加强了水井坊的知名度，迅速提升了其地位。

可以说，水井坊酒的营销策略十分全面，环环相扣。考古发现（新闻轰动，为以后的产品赋予历史文化价值）—足球冠名（为产品发布做事前造势）—异地发布销售产品、限定区域销售策略（锁定目标市场）—宣扬特种菌群作用（神秘主义令人遐想、向往）—高价策略（营造高端品牌形象，兼带轰动效应），一环扣一环。除了开始的考古发现是偶然因素外，其他的步骤都围绕产品、价格、通路、促销几个要素，构成一个精心策划的、完整的4P策略。

效 果

据估计，水井坊酒在目标市场的知名度可在6个月内超过50%，而在春节期间，水井坊酒在广州的销售回款额达100多万元/天，初步达到了塑造高档品牌，占据市场份额的目的。初战告捷，水井坊继续向北京、上海等大城市推进，通过整合营销向新的市场发起了进攻。

案例8：鲁花：发掘与生俱来的戏剧性

——鲁花品牌四级跳

小档案：1999年，鲁花广州分公司与省广建立合作关系。2001年，山东莱阳鲁花正式委托省广为其全面代理广告公司。合作三年间，中国小包装食用油市场由400多个品牌上升到500多个品牌，与此同时，鲁花品牌由市场前八位上升到前三位，销售额上升了两个亿。2002年，鲁花花生油的销量为全国第一。2003年，鲁花被评为“人民大会堂国宴用油”。

发现“绿色”新大陆

出生于山东莱阳的鲁花，以山东人特有的豪迈与大气，奠定了鲁花厚实淳朴的品牌个性。从百万亩绿色花生基地到无污染生产线，鲁花人对自己的产品如数家珍：“我们的花生油，是最好的花生油，我们鲁花人都特别爱用自己的油。我们的原料是地道的山东大花生，个大油多。那榨油的花生，都是精挑细选的；我们的工艺是纯物理压榨，比化学浸出的油好……我们还有最大的恒温仓库，咱的花生油不含黄曲霉……总之，我们鲁花是有益健康，还有绿色食品认证呐！”

“绿色食品认证!”省广鲁花品牌小组一听这几个字如“五雷轰顶”。真是踏破铁鞋无觅处，得来全不费功夫。“绿色食品”不正是我们苦苦找寻的“USP”（独特的销售主张）吗?

考察2001年小包装食用油市场我们发现：得到“绿色食品认证”的除了鲁花花生油外还有江苏和内蒙的两个品牌，但由于规模和实力所限，他们不足以对鲁花造成威胁。再则，根据《打造品牌的22条规则》，唱独角戏未免孤独，一个类目应该欢迎其他品牌竞争。挖掘产品的USP，不在于创造一个全新的概念，而在于将产品最出色的特点用显微镜放大出来。

于是，当“绿色食品”的概念还处在启蒙状态的时候（相当一部分消费者认为绿色食品就是无污染的绿色蔬菜），鲁花决心播撒“绿色”，以“绿色”概念为核心武器，掀起食用油的“绿色革命”。

确定了“绿色”为核心概念，推广思路变得清晰起来。接下来的工作，将鲁花品牌小组的创意人员都变“绿”了。当省广召开创意封闭会的时候，鲁花品牌小组的每个人都成了专家，并紧扣“绿色食品”衍生了一系列的平面创意。通过《每一颗花生都是种子选手》到《每一方土地都是乐土》、《每一道工序都精益求精》等稿件，将绿色概念演绎得淋漓尽致。

只榨取第一道原汁——让竞争品牌按捺不住

绿色演绎一炮而响。据鲁花北京分公司反映：鲁花在北京卖得火了，特别是文化水平高的消费者对鲁花特别亲昵起来。继鲁花之后，众食用油品牌趋之若鹜，先后有近十多个品牌申请了“绿色食品”认证。成功的负面效应就是群起跟风。

当“绿色”不再稀奇，鲁花便深入挖掘新亮点，演绎新的“戏剧”。

鲁花的第二个概念的灵感恰好源于消费者的疑惑。在我们的小范围消费者调查中发现，潜在消费者没有购买鲁花是因为对鲁花花生油的颜色和浓稠存在疑惑：为什么鲁花花生油看起来总是比别的花生油浓，颜色也比较深，不如色拉油、调和油看起来清澈透明。

原因其实很简单，因为鲁花只榨取第一道原汁，所以品质纯正，味道香浓，浓缩才是精华。就这样，“只榨取第一道原汁”便是我们第二个掷地有声的说词，它变被动为主动，将潜在消费者变成真实购买者。

我们创作了《第一次总是最纯的》的平面作品，关于花生纯情恋爱的故事在全国轰动上演。两颗花生在浪漫的蓝色夜月下恋爱了，初恋总是最纯的，犹如鲁花花生油纯正的品质一样，因为我们“只榨取第一道花生原汁”（见附图）。

当许多消费者都被地铁站里那两个恋爱的小花生逗乐时，鲁花的“第一道”就像地球引力把消费者吸住了（鲁花的《月夜篇》还获得了全国第九届广告节优秀奖）。也正是这个时候，竞争对手按捺不住了，发起了针对性的攻击。2002年4月，在《广州日报》上刊出了一个半版大的对比广告。一个好橘子和一个坏橘子，标题是：“只榨取第一道，如果不是新鲜的又如何？”恶意影射鲁花是“不新鲜”的。

当省广鲁花品牌小组欲将对手的不正当竞争行为告上法庭之时，鲁花总部传来他们的决定：“甭管它，他们使出这一烂招正好表明咱们的策略有效，危及到他们的品牌了。”

压榨专家——高屋建瓴，占领行业制高点

据2002年3月中华全国商业中心对全国重点大型零售商场的销售统计显示，销售前10位的食用油品牌及市场占有率分别为金龙鱼（28.67%）、福临门（18.75%）、鲁花（9.18%）、元宝（5.96%）、中昌（4.91%）、骆驼唛（3.27%）、红蜻蜓（2.15%）、胡姬花（1.58%）、鲤鱼（1.52%）、鹰唛（1.45%）。鲁花品牌排行第三，而在花生油单项的销量上，鲁花突破了十亿元大关，排名第一。

市场证明：出色的行销是产品销量的加速器。创造差异性，鲁花开辟了一条有“鲁花特色”之路。同样，鲁花的成功，又一次引发了食用油市场跟风的浪潮。

竞争对手在花生油上失利于鲁花，玩起概念游戏，打出均衡营养概念，更搬出了“中国营养学会”、“世界卫生组织”、“联合国粮农组织”等权威机构认证，以铺天盖地的宣传攻势直取花生油市场，以“大豆维A油”的“国家公众营养改善项目”摆出阵势要一较高下。一时间“营养学说”满天飞，消费者在强大的宣传攻势之下难免分心，加上固有的尝鲜心理的驱使，花生油的市场引起了阵阵波动。虽说在广东市场，由于用油习惯的原因，鲁花市场份额并未受到两大竞争对手的影响，但在消费心理不成熟的其他地区，鲁花花生油的销量下滑。

大敌当前，鲁花发起救市行动。鲁花与省广更紧密团结，确立一日一

沟通的制度。

“领导品牌要做的事是促进品类的发展”，因为品类发展的最大受益者就是该品类中的领导品牌。面对竞争者瓜分市场的举动，我们与鲁花制定了新的战略——立足行业制高点，捍卫花生油市场，将“防御战”进行到底。

纵观整个食用油市场，将所有食用油的品类从原料到工艺等进行严格比较之后，我们终于找到了花生油品类与其他调和油、粟米油等最本质的区别——制作工艺的区别：只有花生油是物理压榨，其他调和油、色拉油都是化学浸出。“对，就是物理压榨”。我们要利用“物理压榨”重新制订游戏规则，将食用油市场重新划分。从此后，食用油只有两类：一类是物理压榨油，保留了食物的天然营养；另一类是化学浸出，是通过原料与溶剂的化学反应，经过种种工序加工而成。作为花生油的领导品牌，鲁花花生油，就是“中国花生油的压榨专家”。

将工艺大白于天下，维护消费者的知情权：只有物理压榨的油，才可以真正避免溶剂的污染，才是健康有益的油。在此策略核心的指引之下，鲁花广告语由原来的“滴滴鲁花香飘万家”改为“压榨专家是鲁花，营养健康你我他”。

国宴用油——品牌升级行动

罗马不是一天建成的，品牌也是一样。鲁花品牌经历了“香”、“绿色食品”、“只榨取第一道花生原汁”、“压榨专家”等独特的品牌主张的精彩演绎之后，品牌内涵逐渐变得厚实起来。然而我们也清醒地认识到：前期提出的所有概念无论是“香”还是“压榨专家”，都着眼于产品或品类本身，在产品竞争初期，让我们收到了市场殷实的回报。然而当品牌进入成长期后，形象的整体提升就成了问题。以品牌的“牌格”论：我们靠广告靠终端建筑品牌之后，要用公关提升品牌。

“2003 年以公关为导向，提升鲁花品牌形象”，成了鲁花新时期的战略目标。

2003 年 2 月传来捷报：鲁花以其过硬的产品质量和良好的消费者口碑，被评为“人民大会堂国宴用油”。这一殊荣为鲁花独有，所有鲁花产品共享，为期三年。这个公关不简单，够权威够专业，还有什么宴会比国宴更排场？鲁花借助这一殊荣登上至高殿堂。

如何宣传“国宴”变成了品牌小组的首要任务。任何战略都离不开出色的战术配合。影视创意、平面创意、POP配合连续五天的头脑风暴，一次一次的自我否定，被毙掉的创意都快堆积成案头的小山了，直到，有人说了一句灵光乍现的话，创意才有如泉涌。人们才听到了希望，看到了曙光。2003年2月19日到山东总部提案，鲁花广州、上海、北京分公司三脑云集，与省广创意策划人员共同讨论鲁花品牌方案，当下就通过了一批稿子。鲁花人看了省广的创意作品，充满自信地说：“我们相信，和省广合作，鲁花今年肯定要打一个漂亮战。”

2月的山东刮着大风，但我们仍看见了枝头的嫩绿。

案例9：好“色”的新飞

——从白色家电到绿色营销的品牌之道

引子

2002年11月2日，一场别开生面的三方“绿色研讨会”在广州市东山宾馆悄然举行，与会人员包括：以中国广告界学术专家黄升民、刘立宾、金定海、朱月昌、李世丁为代表的五人专家顾问团，以新飞电器有限公司营销副总王建华、宋贤君为代表的广告主，以及广东省广告有限公司新飞品牌服务组成员。

研讨会是由省广牵头组织的，目的在于通过专家、广告主、广告公司的三脑碰撞，客观审视新飞品牌的发展状况。会议主题围绕新飞品牌的“绿色”定位展开，有声有色地探讨了新飞从白色家电时代到绿色营销时代的品牌转变……

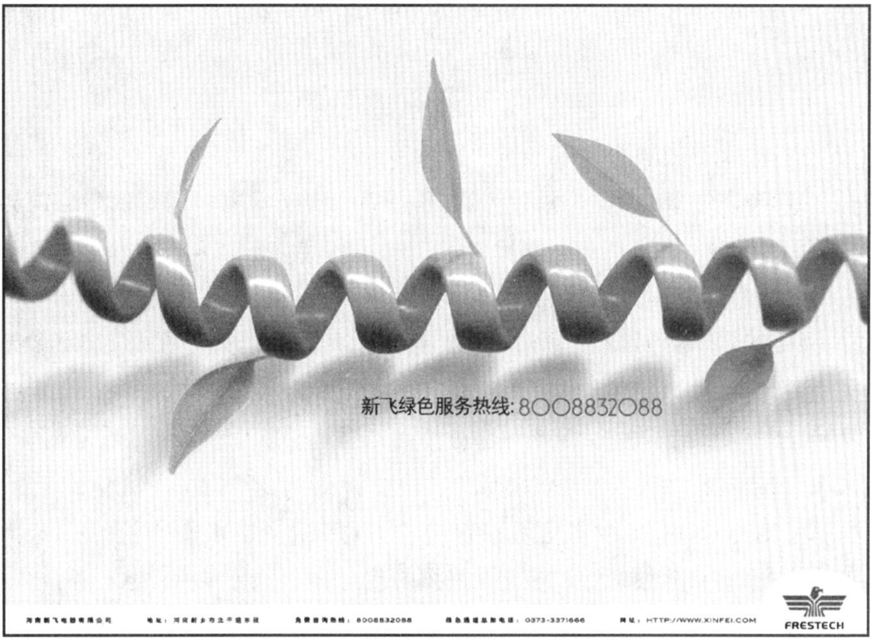
新飞绿色服务热线: 8008832088
8008832088
0373-3371666
HTTP://WWW.XINFEI.COM
FRESTECH

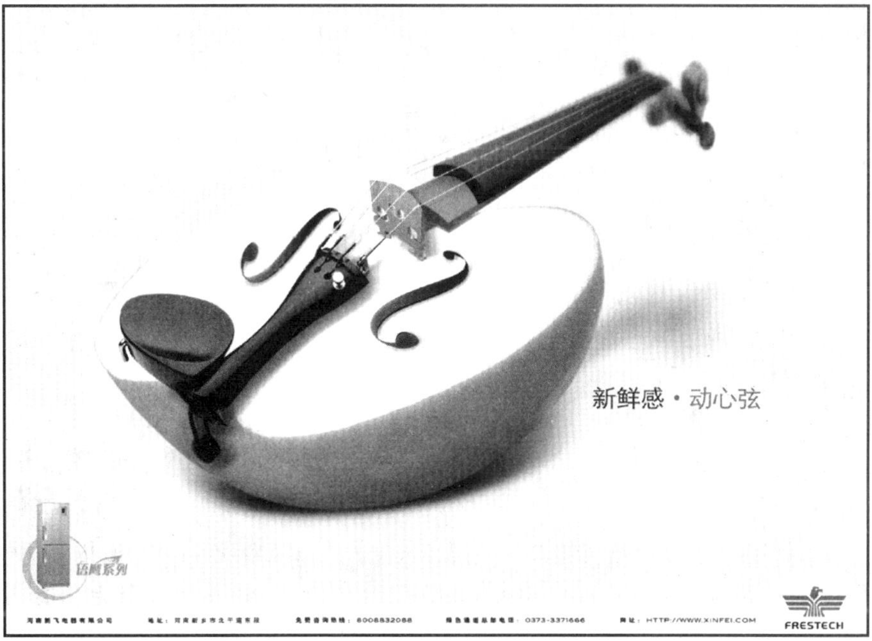
新鲜感 · 动心弦
8008832088
0373-3371666
HTTP://WWW.XINFEI.COM
FRESTECH

白色时代，沉寂的品牌压力

“新飞广告做得好，不如新飞冰箱好”——一句家喻户晓的广告词界定了新飞长达十数年的白色家电时代。在2001年之前，消费者对新飞的认知，以及新飞对消费者的告知，始终停留在冰箱产品层面。

据2001年6月省广市场部的一次家电业调查显示：新飞在冰箱市场的无提示提及率高达33.3%，位居前三，但在家电品牌提及率排名中却仅列第12位。由此可见，新飞作为家电品牌被关注的程度不够，消费者将新飞等同于冰箱，产品在很大程度上替代了品牌。2001年5月，新飞正式介入空调行业，圆了从1996年就开始的多元化之梦，但是，根深蒂固的冰箱产品形象却成为了新飞进军空调领域、迈向多元化发展的阻力。

与此同时，我国的冰箱产能已经超过2500万台，而市场的需求不过1000万台，供需差异带来的竞争压力，也让重塑品牌成为新飞提高品牌忠诚度、争夺家电市场这块蛋糕的当务之急。

在品牌开道的21世纪，新飞白色家电时代沉寂的品牌现状显然已不合时宜。

绿色时代，复苏的品牌活力

一个勇敢的决策者敢于创造新的时代。2001年，新飞新掌门人李根意识到新飞的品牌困境，首次将品牌管理提到公司重要议程，并最终选择了省广作为品牌代理公司。自此，新飞开始进入品牌复苏的绿色时代。

一、发现绿色时期

也许注定跟色彩有缘，在品牌规划“山重水复疑无路”的时候，品牌服务组在新飞的白色家电时代中发现了一段柳暗花明的绿色时期：1996年新飞在国内首次大规模推广绿色无氟冰箱，冰箱销量从80万台激增到120多万台，利润达到3亿多元！跻身国内三大冰箱品牌，产品知名度与美誉度同步提高。绿色环保帮助新飞单一产品的品牌建设取得了极大成功，成为消费者对新飞的主要联想之一，更成为新飞品牌重塑过程中不可放弃的品牌积累。

二、创造绿色时代

绿色时期的发现令品牌服务组所有创作人员眼前一亮，他们认识到“绿色”正是新飞与竞争品牌之间最具区隔性的品牌特质。在创造绿色时代的激情驱动下，一份大胆的新飞绿色品牌规划蓝图呼之欲出！

品牌服务组将“绿色”定位为新飞品牌的DNA，并围绕这一核心对品牌进行四位一体的立体构建：作为组织的品牌——绿色家电领航者；作为产品的品牌——绿色家电；作为人的品牌——绿色生活者；作为服务的品牌——绿色通道服务。

要完成这一品牌构建，必须有一个统一的声音将绿色新飞传达给消费者，于是“新飞，倡导绿色生活”作为一个全新的传播主题，引领新飞进入了充满活力的绿色品牌时代。

品牌之旗：倡导绿色生活

一、什么是“绿色”？

绿色>环保。在狭义的理解中，人们往往会不自觉地将绿色的内涵等同于环保，品牌服务组认为，新飞应该赋予绿色更广袤的外延，由具体的产品特征上升到一种生活方式的倡导，让绿色远远大于环保。环保是绿色，健康是绿色，新鲜是绿色，关爱也是绿色……

2002年1月，品牌服务组为新飞创作的企业形象广告片《写意绿色》新鲜出炉，新飞以一种感性的方式为消费者演绎了“绿色”的内涵：“绿色是挥洒的健康，绿色是放飞的心情，绿色是现代的时尚，绿色是永远的追求。”广告在央视播出后，很快就引起了消费者的关注，部分媒体和经销商甚至专门打电话表达了对新飞品牌发生转变的惊喜之情。

“绿色”概念满足“共时性”和“历时性”这两个品牌积累的特性，既具备传播的延展性，又具备时代的传承性，大大扩充了新飞的品牌内涵，也扩大了品牌与消费者生活层面的接触，给新飞品牌注入了创新与活力。

二、怎么才能“绿色”？

“绿色”是一个相对抽象的上游概念，要在品牌中具象地体现“绿色”颇为不易。经过创作人员多次头脑风暴的激情碰撞，大家一致认为：与其让消费者被动地接受怎么才“绿色”，不如让消费者主动地描绘自己心中的“绿色”。于是，一个与消费者形成良好互动的公关活动——“新飞绿色家电创意大赛”浮出水面。

2002年10月，“新飞绿色家电创意大赛”的活动宣传在电视、网络、报纸媒体上全面铺开。特别值得一提的是，活动分为网上参与和网下参与两种方式，新飞首次在新浪网上设立了活动专区。在大型公关活动中运用网络媒体的力量，对新飞来说是一次全新的尝试，它让相对年轻的网络消费群体也感受到了新飞品牌的活力。

创意大赛历时两个多月，共收到参赛作品2000多件，参赛者遍及全国各地，来自各行各业。从参赛作品内容来看，大多数作品都是经过作者深思熟虑的创意，虽然绝大多数创意暂时还不能应用到实际当中，但消费者对绿色生活的理解远远超出了我们的意料。最后冰箱、空调合二为一的“两栖冰箱”凭借创意的独特性一举夺魁。

产品之剑：直击绿色概念

产品是品牌最有力的支撑，成功的产品推广对品牌的塑造至关重要。新飞的绿色概念为其产品推广作了全新的注解。

一、绿色健康——空调“三健客”出世

2002年4月，品牌服务组为新飞“新风采”空调策划上市方案。这是一项艰巨的任务，之所以艰巨，就在于这是一款功能上非常同质化的产品，它所具有的功能别的品牌也都有，而新飞的期望，是将它作为形象产品推向市场，打开新飞空调的知名度。

经新飞研究所人员特别介绍，新风采空调的最大优势在于它的静音功能。作为柜机，它在室内低风运行的声音仅为37分贝，比普通的壁挂机还要低，因此，有人建议炒作静音概念。但是，品牌服务组创作人员分析后认为，静音对消费者来说已经毫无新意，单纯炒作静音只能陷入一场永无终局的数据大战，而37分贝很快就会被市场层出不穷的新概念呼声所淹没。因此，静音这条路行不通。

策划似乎陷入了僵局，一个关键的入市概念让品牌服务组创作人员绞尽了脑汁。灵感往往是不期而遇的，就在创作人员无奈地将新风采空调三大主要功能“37分贝超级静音、等离子体四重净化、双向换新风”排列在一起时，一个新颖的、充满震撼力的概念——新飞空调“三健客”诞生了。

“三健客”是一个浑然天成的绝妙概念，它体现了空调功能带给消费者的直接利益，同时也从健康方面体现了品牌的绿色内涵。顺藤摸瓜，品牌服务组创作人员又将新风采的三大功能分别拟人化，命名为“静音客、抑菌客、换风客”，统称“三健客”。

“三健客”的问世，无疑为成年混战的空调市场吹入了一股清新宜人的绿色风。为了让“三健客”上市一炮打响，品牌服务组创作人员为“三健客”分别设计了充满科技感的卡通形象，并以吊牌、跳牌、机身贴、台卡等POP形式在卖场进行了立体宣传；同时，在有限的时间内，紧急邀请香港制作班子全面拍摄制作了“三健客”电视广告片，赶在央视世界杯足球赛直播期间播出，取得了良好的入市效应。

二、绿色关爱——冰箱“上海寻亲”

夏季是冰箱的销售旺季，针对“节能金鹰”冰箱的旺季推广，新飞毅然决定在2002年7月强攻上海市场。

新飞对于上海市场存在一种特殊的情结，在十多年前物资匮乏的年代，新飞冰箱曾经在上海风靡一时，但随着时间的推移及公司营销策略的改变，新飞已经逐渐淡出了上海市场，而在国内外大小品牌密集上海的今天，新飞要收复失地谈何容易。

时间紧迫，但战机不容贻误。通过与客户的深度沟通，品牌服务组创作人员紧急赶赴上海进行实地考察，在短短的一周内制定了“新飞冰箱上海攻略V计划”，针对上海的地域人文特色，以“温情”和“实惠”两张牌同时出战，直击上海市场。

V计划以新飞冰箱“上海寻亲”的公关活动拉开战幕，希望以温情的方式唤醒消费者对新飞的记忆，而新飞更是派出了销售部、市场部部长共同坐镇上海，亲自指挥战斗。

“寻亲”活动的参与度远远超乎客户的预料：自6月28日“寻亲”活动开展以来，短短不到一个月的时间里，就得到了1200多名消费者的参与和支持。新飞欣慰地发现，新飞冰箱不少18年前的“亲人”至今仍能正常运转。很多用户在寄来冰箱证明资料的同时，还主动寄来了热情洋溢的信。一位叫于九红的女士在来信中写到：“我家新飞冰箱用了十多年，儿女们一致要求换台新的，可老太太就是不同意，说是这台冰箱虽然样式老了点，但没有一点毛病，用着好好的，扔掉太可惜。”消费者的认同，不仅带给了新飞极大的鼓励，也给了品牌服务组创作人员深深的触动和信心。

与此同时，新飞又通过充满诱惑力的实效促销攻破了上海消费者的最后一道心理防线。新飞冰箱上海战役初战告捷。

卖场之美：装点绿色空间

卖场是家电业塑造品牌形象的前沿阵地，要想在销售第一现场吸引消费者的目光，就必须创造出生动与互动相结合的精彩视觉表现。

一、“生动”的绿色

经过一年的绿色培育，新飞冰箱2003年新品迭出：“三鲜园”系列、“欧洲能效A+”系列冰箱的POP设计，都要紧扣高科技形象和绿色诉求。

“三鲜园”冰箱的主要特点在于具有独立开关、独立调温的冷藏、微冻、冷冻三个保鲜区，经过反复的创意碰撞，“一台冰箱，三个新鲜自治区”的推广概念跟紧主题，尘埃落定。为体现“三鲜园”的绿色新鲜感，品牌服务组选用了一个嫩绿的豆荚作为表现的载体，通过豆荚的三个小室分别代表冰箱的“三个新鲜自治区”，视觉风格清新自然，生动地表现出“三鲜园”的功能利益点，而电视片、平面广告也分别对“三个新鲜自治区”进行了一致的诉求。

“欧洲能效A＋”冰箱最大的特点在于拥有四大节能科技，因此它的推广概念非常直接——“24小时整机最低耗电0.4度”。绿色节能已经是被各品牌反复演绎过的主题，为了取得“意料之外，情理之中”的新颖效果，品牌服务组选用了节能的常规载体——电线插头，并出人意料地将电线插头创意为花洒，用花洒上的四个开关分别代表冰箱四大节能科技，喻意由它们控制电量的流失，这一新颖的POP形式恰到好处地表现了欧洲能效A+的节能特色。

二、“互动”的绿色

2003年4月，随着《壁纸篇》电视广告的播出，新飞“鲜氧多”空调活力上市。为了与广告片的传播保持互动，“鲜氧多”空调实行终端拦截战略，卖场的POP设计从色彩、画面、元素、风格上都与广告片一脉相承，而在形式上更追求丰富多彩的多样性。

从空中的吊旗、吊牌，到水平的台卡、机身贴、跳牌，再到地面的X形展架，空中、水平、地面三个空间层次均有不同形式的POP渲染卖场氛围，这种立体的包装效果与消费者形成了良好的互动，在消费者眼动、手动之间，达到心动的卖点。

服务之诚：开创绿色通道

绿色与服务是一对孪生姊妹。新飞的服务命名为“绿色通道”，保持绿色通道的快捷畅通，用心感动“上帝”，就是新飞服务的主要任务。

2003年是“营造放心消费环境”年，为打好新飞绿色服务牌，”3·15“消费者权益日期间，一场精心策划的以“营造放心消费环境，新飞为产品买保险”为主题的新闻发布会在北京隆重举行。发布会上，新飞宣布新飞为冰箱、冷柜、空调三大品类产品都购买了产品责任险，并与中国人民保险公司举行了承保产品质量责任险的签约仪式。

此次新闻发布会的举行恰逢全国人民代表大会在北京同期召开，因此引起了媒体的极大关注和争相报道。伴随着同一主题的广场活动、促销活动在全国各地的展开，新飞在消费者心目中品牌的亲和力大大增强。

至此，新飞的“绿色四重奏”已经奏出了品牌强音，在白色家电市场中显现出与众不同的绿色活力。

绿色成果，皆大欢喜

据国家有关权威部门统计数据表明，2002年第一季度，新飞冰箱国内市场占有率高达18.9%，新飞首次以强劲之势跨入中国冰箱行业前二位。

同时，在第九届中国广告节上，品牌服务组为新飞创作的语鹰冰箱《提琴篇》，绿色通道服务《电话线篇》，分别获得平面广告类银奖和铜奖。

皆大欢喜的绿色品牌成效令新飞和品牌服务组同样振奋，而新飞品牌的绿色时代才刚刚开始……

案例10：行动在“风口浪尖”

——海天味业危机公关之实案演义

大众传播业日益繁荣和发展，已使得企业危机不再像以前那样仅为少数人所知。这意味着企业的社会责任感将变得更为重要，一旦发生危机，人们希望企业能够就所出现的事故、正采取哪些具体补救措施等问题给予尽快且准确的解释——

危机公关于企业而言，从来没有显得像今天这样紧迫。

而海天味业所面临的这次危机，却非单纯的一家企业的问题，相反是整个调味行业所面临的共同问题。身为该行业的领头羊，海天的危机公关，无形中已经担负起维护整个行业的使命——

全行业的危机

2001年3月中旬，南方一家在全国颇具影响力的报纸刊登一篇题为《酱油浪起》的文章，把欧盟少数国家禁止部分中国酱油进口的事情夸大为“欧盟封杀中国酱油”，并将“氯丙醇致癌”之说严重化，在有意无意中把矛头引向广东企业，引向行业老大海天味业。

何为氯丙醇？据美、日等国资料，是一种“有可能引发癌症”的物质。一些企业在生产配制酱油的工艺中，出于提高鲜度和加快工艺流程的考虑而加入一种“酸水解植物蛋白调味液”，其中就含有氯丙醇。世界范围内对配制酱油中氯丙醇的含量虽有不同规定，但只要在规定值以内，都是安全的。因此完全不用谈“氯丙醇”而色变。更何况，以海天为代表的大部分中国酱油企业是以天然发酵的方式生产酿造酱油，没有添加调味液，和氯丙醇根本扯不上关系，怎会被“全面封杀”？

3月17日是星期六，本该是一个悠闲愉悦的周末，但紧急集中在海天市场部的人们却无法轻松。大家知道，严格意义上来说，南方某报的这篇文章所说事情已非新闻，早在1999年10月1日，香港报纸就以大篇幅炒作此事，李XX、珠XX、淘X等品牌都被测试出氯丙醇含量超标，在英国遭禁售，而海天产品全部合格，出口增量。当时，海天考虑到消息公布后可能造成市场混乱，就没以此做宣传。但现在经《酱油浪起》这篇文章如此一鼓捣，不知情的消费者却难免会风声鹤唳，对所有酱油都产生成见。

另据仔细分析，南方某报的这篇文章恰值酿造酱油、酿造食醋两个国家标准即将出台之际推出，难以排除其背后有北方某企业蓄意操作的可能，而且肯定马上引起其他媒体的连锁反应，势必导致酱油调味品市场的混乱。一场行业性的危机山雨欲来。海天作为第一品牌，处于一荣俱荣，一损则首当其冲的“风口浪尖”上。

海天必须在第一时间对市场说话。品牌组受命：即刻准备新闻稿，周一提交。

本色逐浪高

海天味业地处珠江三角洲中部，享有北回归线的充沛阳光资源，掌握200余年的酿造业精华，一贯坚持选用优质黄豆，通过阳光翻晒、天然发酵的

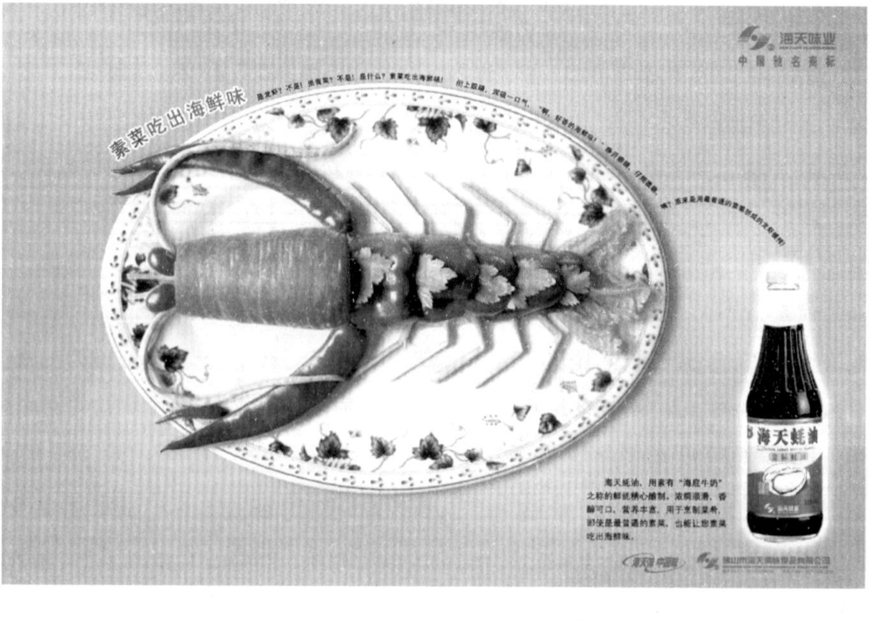

方式来生产酱油，连续几年都以年产销各类调味品20万吨的成绩名列国内第一，产品出口全球近100个国家和地区，市场声誉极佳。董事长兼总经理庞康的话很坚决：过去，海天靠品质赢得市场，今天，同样要靠品质取信于消费者，取信于市场！

3月19日，星期一。庞康总经理亲自召开品牌组会议。大家各抒己见，集体会诊。达成两点共识：（1）海天组成三人团，当天下午直飞北京，会晤中国调味品协会会长，了解详情，陈述观点，寻求支持，高屋建瓴洞察此次“氯丙醇事件”。（2）对于媒体方面采取积极沟通、主动出击的策略。第一步，在各大媒体刊发新闻稿件；第二步，紧密联系记者，庞总从北京返回即接受采访。

由于头一天是周末，故当天媒体对“氯丙醇事件”的声音还不多，但风波往往蕴藏于平静中，在未来两天，一场酱油风波必将形成。面对即将到来的纷扰，海天的表态宜早不宜迟，宜果断鲜明不宜含糊微弱。因此，品牌组周日赶写的新闻稿被毫不留情地推翻：“含蓄有余，力度不够。”必须重来。

会议结束已是下午，大家兵分几路，开始了争分夺秒的战斗。品牌组抢在下班之前联系媒体版位及记者采访，写稿的事只能拖到晚上。经过一个不眠之夜，一篇5000余字的稿件新鲜出炉。周二早晨传到北京，庞总首肯通过。他们在北京电话遥控稍作修改，《本色逐浪高》待命而发！

3月20日至3月23日，事实证明了我们的判断。短短三天，全国各类媒体关于酱油的消息相当于平常三年的关注量。媒体莫衷一是，消费者议论四起，市场在观望。海天作为行业的领导品牌，是时候表明态度了。得益于媒介部的大力配合，品牌组在短时间内选定了全国8家强势媒体的版位。自3月23日开始，全部以主要版面的1/2版，纯粹以新闻的编排方式刊登《本色逐浪高》一文，极富权威性和引导性。以至于《广州日报》一定要打上“广告”二字以示区别。

正本必须“清源”。海天品牌组讨论认为，南方某报较有影响而且是“始作俑者”，其一举一动意义不凡，故必须与其沟通协调。在媒介部的联系下，品牌组作为全权代表上门与编辑部“谈判”。我们陈述了相关真相及介绍了海天企业和产品的客观情况后，报社编辑部认识到新闻中的不妥之处，并承诺不再“跟炒”。事实证明，在接下来全国媒体的乱哄哄中，南方某报“沉默是金”，客观上起到了弱化危机的作用。好事者对此调侃曰：重拳出击，锁定八大媒体；找上门去，制止危机恶化。诚如斯言也。

化危机为契机

危机公关不同于救火。曾经在电视中看见火灾后一片狼藉的场景，火扑灭了，考虑的是重建问题。危机公关则不然。高明的危机管理者，不但要让企业在危机中“全身而退”，不能有丝毫损伤，而且要借势发力，提升企业或品牌的影响。

“氯丙醇事件”导致的这次酱油行业危机，自南方某报新闻出街以来，媒介开始哗然。而《本色逐浪高》一文见报后，短时间内却收到两个效果。一方面，消费者来电询问哪里可以买到海天产品或如何鉴别假冒产品，商家则纷纷来电要求代理销售产品。另一方面，媒体纷纷来电或登门造访，探问消息，要求采访。很明显，全国的焦点在海天，是进一步表明观点的时候了。

品牌组分两步来处理：

第一步，选择有影响的媒体记者到海天专访。先后有《中国青年报》、《羊城晚报》、《广州日报》、《南方都市报》、《南方日报》、《证券时报》等媒体在我们安排下对庞总进行专访，并参观海天独有的全国最大的天然晒池、先进的生产线和检测仪器等。报道出来后，反响非常不错。广州、佛山等地电台更是全文转播《广州日报》等媒体记者的专访文章。

第二步，撰写《海天味业关于近期酱油市场“氯丙醇事件”致各大新闻单位的郑重声明》。由于全国各地要求采访的媒体实在太多，但又不可能全部安排。品牌组撰写该声明，发往各媒体，起到了很好的说明作用。

长久以来，媒体是一道让企业既敬且畏的风景，如果沟通不畅，七嘴八舌的“独家报道”会让企业非常被动。而在本次危机公关的实案操作中，品牌组坚决贯彻庞康总经理“靠品质取信于消费者，取信于市场”的指示，与媒体的互动却非常成功。从3月23日庞总由北京返回、品牌组联系第一批记者上门采访开始拉开的长达半月的“媒体秀”，十分有效地传达了海天维护行业发展、关心消费大众的形象主题。“长袖善舞，借势扩大影响；媒体爆炒，真金不怕火炼”——化行业危机为品牌提升的契机，海天打了漂亮的一仗。

从90分做到100分

在国内外关于危机公关的教科书中，对于危机公关应该做到什么程度有各种观点。我们认为，套用中国的一句俗话，关键在于考察所操作的案例是否具备“趁热打铁”的潜质。

如果对海天所面临的这次酱油危机的处理进行到记者采访、媒体正面报道为止，就所取得的效果而论，应该说已经可以打90分了。但我们并不满足于此，品牌组经过慎重考虑，一份大手笔的计划出炉了。

“危机公关”，说到底在本质上也是一种广告宣传，但由于新闻稿考虑到客观性和第三人角度，因而不免显得含蓄。酱油市场的恐慌在我们的努力下虽然已经消除，但消费者还在观望。这时候，谁的声音最大、最明白，他就信赖谁。因此，我们的计划具有两个明显的特点：

一，直接诉求。告诉消费者，海天酱油是用优质黄豆天然晒制的酿造的酱油。

二，大手笔、大覆盖，追求大收获。我们一次性在全国地级市以上约100家媒体下单，全部要求A1头版彩色通栏，预算超过了300万元。创造了单一稿件投放额之最。

近百家媒体的下单、送稿工作繁杂而累人，但收获却更喜人。据媒介部透露，一些地级报纸从未在头版做过彩色通栏，是海天开了先例。因此，找领导审批、备案，忙得不亦乐乎，并纷纷惊叹海天的实力。当其时也，“危机”刚刚平息，市场需要一个坚强的声音，我们让一个可爱的黄豆小精灵走进千家万户，给市场带来了“春天的信息”。报社的反响已如此，对普通消费者的震撼就可想而知。公关或广告，我们要的就是这个效果。

因此，真正的感动，在2001年4月，这个收获的季节。有诗为证：阳光晒制，可亲可信小精灵；全国覆盖，可圈可点大收获！

“百分”竿头再进一步

风波过后，我们该干些什么？危机平息后，如何有效遏止类似事件的再次发生？性格敦良温厚的庞康总经理身兼中国调味品协会的副会长，考虑问题绝不囿于一家企业，而是整个中国调味事业的发展前途。对其思想的理解和运用，使本次危机公关增添了极富象征意义的高附加值。

“阳光黄豆”已经像一个可爱的小精灵，受到人们喜爱，海天的危机公关可以说取得了最终的胜利。但余音绕梁，三日不绝，品牌组还可以静心干几件事：

一，打到香港、澳门去。此次危机的直接源头本就是香港，况且香港对广东和内地有较大辐射影响。故我们在《东方日报》、《澳门日报》等媒体进行了较大力度的形象诉求。此举客观上提升了整个中国调味品行业在国际上的地位，并为海天进一步加大港澳市场的开发力度打下了基础，埋下了伏笔。二，举办中国调味行业的盛宴。针对国内调味品市场风波不断的现实，策划邀请协会领导、技术专家、品牌专家、强势企业代表齐聚广州白天鹅酒店召开研讨会，吸引了京、沪、穗等地媒体的广泛关注。本次研讨会在对整个行业的发展提出倡议和制定规划的同时，进一步强化了海天在业内的领导地位。自酱油风波中仗义维护行业整体利益、满分成绩完成危机公关后，海天又一次获得了加分。

风口浪尖的说话艺术

从《酱油浪起》到《本色逐浪高》，从市场议论纷纷，到人们对黄豆小精灵的赞许和感到可亲，从风口浪尖到风已止，浪已停，惟有感受越来越深切。危机公关由于变数太大，对其恰当运用是一种艺术之美。虽然我们的工作离艺术的境界还是太远，但是，这些感受却是真切的，愿共享：

- 处变不乱，掌握信息发布主动权——要主动说话；
- 沟通政府高层，高屋建瓴掌控大局——要说保险的话；
- 广泛收集媒体和市场信息，争分夺秒地行动——要有理有据地说；
- 与媒体良好沟通，把危机遏止在最小范围——要说良善的话；
- 最重要一点，解决“危机”本身并不是关键，关键是借力发挥，掌握主动，达到提升品牌的目的——要说最有效果的话。

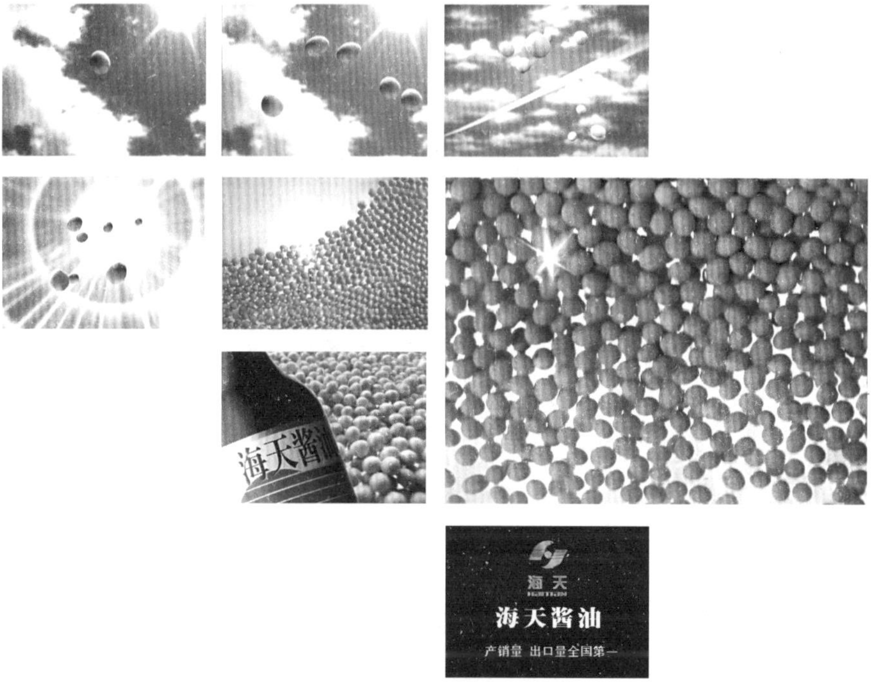

迂直篇

孙子曰：军争之难者，以迂为直，以患为利。故迂其途而诱以利，后人发，先人至，此知迂直之计者也。

译文：

孙子说：争取先机之利最困难的地方，是以迂回的方法实现直达的目的，把不利变成有利。所以，用迂回绕道的佯动，并利诱敌人，（这样就能做到）比敌人后出发而先到达，这就是懂得『以迂为直』的方法了。

两军相争，“争”的是什么？一为争胜，二为争利。“胜”是手段，“利”是目的。贩夫走卒，尚知“无利不起早”，何况企业？但是，中国的企业，还真有不少争胜不争利，花钱买吆喝的主儿，诸如秦池、爱多、三株、IT新贵等等，一味地烧钱，尽管风光一时，却免不了泥牛入海无消息。

以“养狼哲学”哺育的省广人，不仅好斗争胜，而且深谙制胜之道。他们本着“客户成功我成功”的宗旨，奉行兵以诈立，以利动，以分合为变，以迂为直，以患为利，后发先至的用兵之道。进不求名，退不避罪，而利合于主（客户与省广）。风云际会之间，他们进退有序，收发自如，颇有斩获。

5.1 客户、媒体、广告公司三赢共进

——媒介资源整合之道

从1996年，省广媒介部发生了质的变化：从服务性质上讲，是全面代理中的媒介代理服务；从范围讲，覆盖全国；从媒体种类讲，包括了电视、报纸、杂志、户外、电台各种广告载体；从手段上讲，已经基本实现了电子化；从营业额讲，达到了几亿元的规模；从媒介内容上讲，已经从一般的媒介排期、采购走到高水平的媒介策划，并且培养了一批策划、购买专业人才。确实，从媒介看省广，省广在前进，而且发展得很快。

近年来，广告业生态环境发生重大变化，其中媒介经营的变化，更是风起云涌。面对变革与挑战，省广将自身的媒介资源和关联公司广旭、广博的媒介资源进行深度整合，成立了"三赢传播公司"。

三赢传播公司的理念是：

源于双赢，商场如战场，毕竟不是战场，讲互利互惠，讲共同发展。

从业务上讲，省广、广旭、广搏，统一投放，以量制价；

从行业讲，客户、媒体、广告公司；

从利益主体讲，国家、公司、员工；

从公司内部讲，公司、业务局、媒介都要赢。

在媒介资源的整合方面，三赢传播公司由四大功能模块构成。

一、媒介策划

三赢传播在国内率先引入国际媒体公司操作模式，坚持专业思考—深谙国情的原则，先后为本土和国际的知名品牌提供专业的媒体服务，在媒介企划和发布，广告效果评估，广告监测等层面创建了自己的哲学和模式。

媒介策划的行业化研究：不同行业拥有不同的媒介运用特征，媒介中心多年连续服务国内外知名品牌，在电器行业、通信行业、房地产行业、

食品饮料行业、汽车行业等累积了丰富的媒介行业经验，媒介策划中心有很多成功的范例或有创意的实例。

媒体创意的差异化策略：媒体创意是媒介服务的重要的附加价值所在。媒体的本质是科学，优秀的媒介策划是科学的艺术。媒介中心在这样的策划思维引领下，为客户提供了许多媒体创意。

媒体扁平化作业流程：媒体服务中太多的程序，会导致不能灵活面对瞬息万变的媒体市场，不能对客户提供度身订做的媒体服务。媒介策划中心扁平化的媒体作业流程，为客户的行销活动提供迅速而深具弹性的媒介服务。

二、媒介购买

三赢传播发展全国性的媒体网络，立足省广和广旭的媒体投放，建立从一级、二级到三级、四级城市的媒体平台，同时与全国2000家媒体有广泛的业务往来和良好的合作关系。

全国性的优势媒体平台："量变产生质变"，三赢传播的广告投放量保障了有竞争力的价格与折扣；能迅速了解媒体的最新动态（优惠政策、收视、价格），快速准确落实媒介购买，具有版面时段位置安排优势。

媒体公关强势有力：软性新闻配合与新闻发布会操作优势；并能协助客户处理危机公关，措施得力效果明显。

央视黄金时段投标：每年一度的央视广告招标是企业广告的重头戏，也是体现广告公司专业化水准的一次大阅兵。媒介中心每年都非常谨慎地参与竞标的计划，确定央视投标策略，预估投标的价格，为每年参加央视招标的客户度身订做投资方案。

三、媒介经营

媒介经营规模化：

三赢传播的媒介经营独立对客户提供有竞争力的专业媒介服务。它凭借省广多年服务知名品牌的经验，融合媒介策划和媒介购买的优势，为客户提供整合媒体传播策略和执行。规模出效益，三赢传播成为广东电视台、南方电视台等多家强势媒体的一级媒介代理公司。媒体经营降低客户的媒体成本，加固了公司全面代理的实力。广告公司、客户、媒体强强联合,实现三赢。

四、媒介创新

媒介策划人员针对客户的特殊的传播目标，结合个别的媒体，实施媒体专案成为新的创意空间。

饮料广告传统的媒体策略是电视媒体和户外媒体主导，而饮料广告做足16版的生活杂志则是一种迥然不同的媒体传播策略。“第五季”以崭新的形式，突破半版、整版的模式，选用漫画专栏图文并茂、软硬结合的崭新形式，深度演绎“第五季”。“第五季生活杂志”使消费者头脑中深深印上“第五季”的认知烙印，刺激到消费者内心深处的感性地带，“第五季”饮料热销广东。“第五季生活杂志”成为媒介策划的经典力作！

5.2 “经典视线”后发先至

——户外广告经营案例

近几年，“经营媒体”成为广告界关注的热点之一。在广播、电视、报纸、杂志等传统媒体身上一时难于下手的情况下，许多有实力的广告公司把目光转向户外媒体的经营，省广亦然。

在此期间，省广把目光转向了西部重镇——四川成都市。首先，他们把驻成都办事处升格为成都分公司，并延揽当地人才，强化培训，在传授省广操作规范、技术的同时，让当地人才与公司文化融洽。紧接着，成都分公司挟天时、地利、人和之势，与成都公交公司合作，以“经典视线”为主题，在繁华地段建立了气势非凡的公交车站广告牌。此举一石四鸟：

一、气势非凡的广告牌，在成都引起轰动，市民大为赞赏，当地媒体亦大篇幅报道、评论，省广及成都分公司的品牌形象得分甚多。

二、参加“西部论坛”的中外嘉宾视察成都时，对“经典视线”颇有好感，并称赞省、市领导有经济意识。在四川各级政府眼中，省广形象自然加分。

三、当竞争对手白马广告公司赶到成都时，却发现省广后发先至，占领了最佳战略位置。

四、省广以此举竞标，获得四川一批企业的广告代理权，名声大振，并同时在进军西部的战略拓展中建立一个坚固的“桥头堡”。

当地的《成都商报》详细记载了这一举措的经过与当地的反响。

省广杀入成都

被成都广告业称作“省广”的广东省广告公司号称“中国本土最大的广告公司”，在成都设了一年的办事处后增加了对这个市场的信心，去年11月底，注册成立了成都分公司。在这一年里，“省广”通过竞标取得了托普集团麾下“炎黄在线”的广告代理，并与成都公交公司合作，改造了成都市主干道的公交车站广告牌。

随着开发西部进程的加快，外地广告公司甚至国外大公司势必将逐渐进入这个市场。在开发初期，抢先在这个市场上占据一席之地，也是广东省广告公司立足成都的一个长远之计。

本土公司依然乐观

据了解，成都目前有大小广告公司1000多家，可以说已经是竞争激烈了。而这里面有99%的本土广告公司不定期要面临外来势力即将大举进入的压力。省广成都分公司的成立正是这样一个让人担忧的信号。

即便如此，成都广告业界的老总们似乎并无太大的担心。四川工商广告公司总经理刘东说：省广的优势在广东，现在把触角伸到成都，还需要一个适应过程。省广肯定会是一个强有力的竞争对手，对我们本土广告公司也是一个考验，我们的压力也比较大。但是我们在本土经营的时间长，有相对固定的一个客户群，对本土文化的了解也要深入一些。这都是本土广告公司的优势，随着外来竞争的加剧，这种优势不可能永久拥有，所以修炼内功应是当务之急。刘东说，我们早已意识到这一点，最近花大笔费用送两名骨干去参加泰国举行的亚太广告节，就是为了在技术方面向国际水准靠拢。

四川新形象艺术设计有限公司副总经理蔡中民以一种文人的善良对待这个问题：“鱼有鱼路，虾有虾路，点不一样，各有各的生存空间嘛。”蔡

总说：省广给本土广告公司的冲击是肯定的，随着经济的全球化趋势，这种竞争不可避免。但这种外地大广告公司一般属于综合性公司，代理少数几家全国性品牌，而我们这种本土广告公司多做一些本地品牌，并且专业化很强。大家各有各的市场，互相之间并不冲突，再加上外地广告公司水土不服，有些业务还是要依靠本地公司。

蔡认为，省广的到来，其实会对成都本地广告公司和广告主带来观念上的促动，不会出现想象中的冲突。

广告业也讲“门当户对”

省广进入成都不久，就拿到了“炎黄在线”、“水井坊”电视广告片等几家本地企业的大项目，而本土广告公司似乎连听都没听说。这其中的原因，无论是省广，还是本土广告公司，都有一个共识，大企业找大广告公司，“门当户对”。

广东省广告公司成都分公司有关人士告诉读者，去年6月炎黄在线在广告招标时，竞标的只有少数几家大广告公司，其中有国际知名广告公司，只是好像没听说有四川的本土广告公司。目前国外大企业广告代理公司一般都相对固定，这对企业及品牌的形象树立至关重要，而品牌的推广及企业宣传涉及面很广，这就需要它所找的广告公司具备很强的综合实力。此次炎黄在线的招标是立足全国范围的，竞标者也都是综合性的大广告公司。广东省广告公司中标后，对炎黄在线的广告是全面代理、整体策划，这是专业性的小型广告公司很难做到的。

同样以综合性业务为主的四川工商广告公司总经理刘东也是一脸的无奈。他说，炎黄在线广告招标的事他不太清楚，因为有些企业竞标是在选定的几家大公司间进行，不是面向所有的广告公司。而且，像这种大企业的广告业务，本土广告公司一般也不会主动去联系。究其原因，刘东说：“大企业找广告公司，除了国外大公司以外，一般只认北京、上海、广州等地的广告公司，因为这些公司立足点高，可以辐射全国。大企业的广告宣传是全国性的，全国辐射力弱的四川广告公司很难接到这类项目。”刘东说，曾有一家本土公司为接一个大企业的项目，特意跑到北京另外注册了

广州东风东路(诺基亚)

成都世贸中心(诺基亚, 三星)

广州天河体育中心(佳都国际)

广州东风中路(中国民生银行)

广州天河体育中心(中国网通)

广州环市中路(JVC, 中国中信)

北京市东三环路(广州本田)

广州电视塔(广州本田)

广州外经贸大厦(水井坊,大金空调)

上海黄埔江边(海天味业)

广州滨江路(福建兴业银行)

广州解放北路(和成卫浴)

广州滨江路(海天味业,中国联通)

广州购书中心(夏普)

一家公司。他还透露说，他曾想联系长虹的广告代理事宜，但最终还是放弃了。目前长虹正在与跨国广告公司奥美接触。

“专业化”将成发展趋势

大企业挤不进去，本土业务又僧多粥少。业内人士分析，目前成都本土广告公司良莠不齐，前景堪忧。而专业化、细分化将是今后的发展趋势，也是本土广告公司的发展空间所在。

该业内人士说，成都现有的1000多家广告公司很多已经名存实亡；还有一部分是为了一个项目就注册一家公司，根本没有能力参与市场竞争；剩下的广告公司中，去做一个点的比较多。由于人才外流、观念落后等原因，成都的广告业市场水平较低，也很不成熟。目前广告业务主要依靠社会关系，也是这个市场的不规范所致。成都的广告公司多做单项代理，以小项目为主，在这种情况下，公司的生存空间就停留在专业化上。外地广告势力大举进入之时，专业化广告公司生存下来的几率要大一些，但在不久的将来，成都广告业将面临一次大洗牌。

5.3 “第五季生活杂志”刮起媒体飓风

——媒体专案传播之道

“中国的复杂的媒体环境让最优秀的媒体策划人员也满意。”

“有空间就有可能。”

中国的媒体生态环境让媒介策划人员不再满足简单或复杂的排列组合，转而上升为策略型思考。媒介策划人员针对客户的特殊的传播目标，结合个别的媒体，实施媒体专案成为新的创意空间。优秀的媒介专案就是客户、广告公司、媒体的三赢，健力宝“第五季生活杂志”便是这样一个成功的案例。

省广帮助健力宝推出全新饮料品牌“第五季”之后，随着“第五季”电视广告片强势推出，“今年流行第五季”的广告口号家喻户晓，五指张开的手掌形户外广告如天罗地网，第五季成为众所皆知的品牌，但高知名度低认知度却令消费者在“今年流行第五季”的口号中疑惑：什么是第五季？

于是全体主创人员迸发出这样崭新的媒介创意：用报纸演绎饮料：

推出 16 个版的“第五季生活杂志”——大篇幅主题漫画、专栏式文字、竖版异型广告，随《南方都市报》全省推出。

首先，饮料广告做足 16 版的生活杂志，就是一种迥然不同的媒体传播策略。一般而言，饮料广告传统的媒体策略是电视媒体和户外媒体为主导，打知名度和提示消费是媒体组合要达到的目标。“第五季”使用报纸做系列杂志广告，颠覆传统的媒介策略，它的媒体组合别有一番思考。其次，是以崭新的形式，突破半版、整版的模式，选用漫画专栏图文并茂、软硬结合的崭新形式深度演绎“第五季”。再次，以“上帝创造四季，我们创造第五季”，从概念及精神层面，充分演绎“第五季”饮料所宣扬的生活理念和态度。“第五季生活杂志”使消费者头脑中深深印上“第五季”的认知烙印。

非常让人兴奋的 IDEA！第一次提交就得到客户的欣赏和赞同。而且该方案推出之后，轰动羊城，“第五季生活杂志”刺激到了消费者内心深处的感性地带。

不过必须一提的是媒体策划必须要有评估，电视可以用 GRP\REACH 来评估，报纸可以用阅读率、到达人群来评估，媒体专案遇到的问题就是很难量化评估。媒体专案最直观的效果是造成的话题性，人们谈论的多少、关注的多少，即为媒体专案成功与否的重要指标。我们尝试的解决办法是在每一个阶段的推广之后，在为客户的跟踪调查中加入与媒体专案相关的问题，积累相关的经验，可以在下一次的媒体专案策划中借鉴。

5.4 软文撰写的策略与技巧

——服务科龙有感

在服务科龙的近一年中，共策划撰写了33篇软文，数量上可说是前几年所写软文的总和。由于科龙冰箱对软文质量与数量的重视，这项工作是非常艰巨的。在前期，软文撰写只由文案负责，由于工作极其繁忙与紧迫，缺乏与策划人员的沟通，与策划发生一定程度的脱节，常常事倍功半，浪费大量人力物力。12月召开全国订货会时，由于负责订货会工作的白羊广告公司失职与集团营销中心疏忽，广州三大报（《广州日报》、《羊城晚报》、《粤港信息报》）的软文宣传没跟上。我们在订货会召开前夜接到紧急任务，负责赶写3篇2000字以上的软文。当时心中很有些不平衡，白羊公司失职，却由我们来摆平，而且肯定又要加班熬夜。但是，大局为重，我们连续加班两个通宵，终于在清晨7时前将文章交给了报社，圆满完成了任务。在这里，还要感谢丁老师的临场指导和沙主席的媒体攻关。

经过这个波折后，在软文策划与撰写中，我开始逐步改进了工作方式。

1. 紧跟策略。与策划人员共同商讨，跟进市场推广策划方案，确定软文主题与发布时机。还打破了软文由文案人员执笔的常规，一些关于市场趋势软文的撰写，我就拉企划指导王宇的“壮丁”。经过双方努力，终于使软文与策划融为一体。

2. 学会投机。软文紧跟总体策划不够，缺少了新闻性、时效性，于

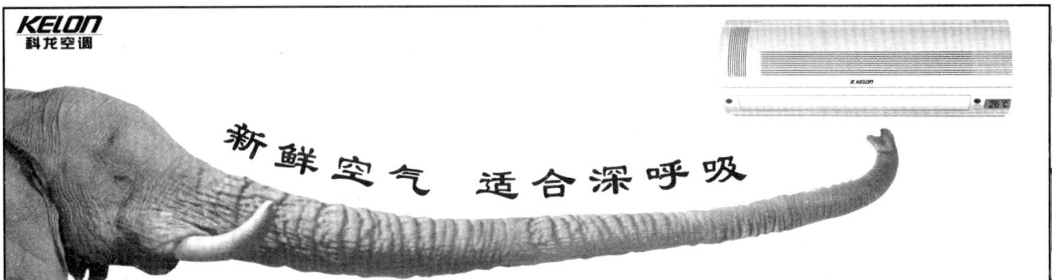

是我们关注科龙集团的大动向，主动收集有关信息，还向科龙营销中心建议双方亲密合作，要求由他们每月提供一份简讯（当时他们倒是答应得挺好，可后来一直没有实施），抓住机会，成功策划了一系列软文：3月，科龙荣获“保护大气臭氧层贡献奖”，我们大做生态文章，为全年的数字生态冰箱概念摇旗呐喊；5月，科龙成立中美智能研发中心，集团对这个事件大力宣传，我们也借力打力，顺势热炒系列产品中主推的人工智能冰箱；在7、8两月，配合“银色轨迹”科技巡展，进行紧密跟踪报道。

撰写过大量软文之后，我得到了11点秘诀。

1. 在新品上市、促销公关活动的炒作中，可按照预热——加热——散热三步骤进行，数量最少要确保在3篇以上。

2. 在软文中要尽可能地列举相应权威机构公布的结果、权威人士的证言，以保证文章的权威性。

3. 尽可能地运用精确的数据说话，如产品的具体功效、活动的时间、销售的成绩等，加强可信度。

4. 列举1～2个真实事例，事例中必须包括真实人物、性别、住址或工作单位，加强新闻性。

5. 可在版面上加相关的照片，图文并茂，更具生动性。

6. 开发多样的软文形式，如通讯、短讯、知识小百科、用户信箱、系列稿、新品发布栏等等。

7. 在每一篇文章前加上“本报讯”，在每一篇文章前或后加上作者姓名。

8. 注意排版格式。一篇优秀的新闻如果包装不善也会沦为街边卖狗皮膏药的，而普通的文章经过精心包装则会大放异彩。软文的排版要向报纸上的新闻版式学习，细到标题、字体、字型、行距、边框等都有一定讲究，即使下发到分公司刊发也要以标准版式作范本。

9. 标题必须精彩以吸引受众阅读，如果做不到则确保在标题上出现品牌名称。

10. 以通稿形式发放全国各地时，心须注意根据各地的情况作相应调整，如举例所用的人名、地名、机关单位等可相应改为当地的。

11. 为软文编号，并编制计划表，保证软文刊发的次序、数量、时间。

通过对近一年工作的回顾，可用一句话来概括，就是摸着石头过河，苦多于乐，得大于失。回顾1999年的自己，有几分稚气，有几分茫然，有几分生涩，再看今天的我们，则多了一些成熟，多了一些练达，多了一些专家气质。

当然，这首先要感谢公司领导给了我们这个难得的成长机会。

案例11：不冲击，休想搞大！

——“炎黄在线”开通、上市营销策划

想死还是想搞大?

2000年，新千年的开始。网络经济的发展飞速前行，疯狂的概念炒作和非理性投资已使互联网经济的泡沫飞速膨胀。

托普集团旗下的“炎黄在线”（Chinese.com）在这时计划开通，并企望引入风险投资以至股票上市。一个即将呱呱坠地的婴儿，又如何能预料这世界的荆棘与坎坷呢？摆在“炎黄在线”面前的又是怎样的路呢？

做门户……

此时，搜狐、新浪、网易已经在美国Nasdaq成功上市，在互联网业内已形成三足鼎立之势；同时，作为中国门户的概念在美国的投资市场没有任何新意了，而且这些现行的门户网站的业务范围都非常广泛和全面，“炎黄在线”也难以逃脱这些既定的套势。因此，如果单纯做门户，不仅陷入无尽的投资泥潭之中，股票上市更是水月镜花了。

这样，只会死路一条！

做专业网站……

专业网站的业务经营模式越来越受到挑战，资本市场对于专业网站的赢利模式和获利空间已经表示出怀疑的姿态。而事实上，此时众多专业公司已经在无休无止的投资和遥遥无期的回报间愈发彷徨，是坚持，还是撤离？或者转型？已经让他们备受煎熬。如果“炎黄在线”加入其中，非

但失去自己的方向，也很快会被消费市场和资本市场忽略，转瞬间灰飞烟灭！

因此，“炎黄在线”必须要走自己的路，而且必须是率领众人共同前行的康庄大路！只有将这份事业搞大，才能找到真正的出路！

搞大要从思想开始

一、大眼光、大战略

中国改革开放20多年来，经济发展突飞猛进，国家日益强大，人民日益富庶。中国在国际上的地位日益升高，华文备受重视，Chinese正在吸引全球的眼光，托普总裁宋如华欲以战略眼光抢占互联网世界中的Chinese.com的域名！

二、从域名中放大Chinese概念

当方式已经成为模时式，成功已经离你远去了！在互联网业内，以域名来确定运营模式已经成为潮流。

但对于 Chinese.com 来说，必须要发散这一概念：Chinese 应属于全球华人，要建立一个跨越地域界限的全球华人网站平台，共享资源，共建华人网站联盟。前瞻和包容的思想是搞大的第一步！

三、先进独到的营销策略

由于门户与专业网站都不适合“炎黄在线”的发展，为此我们为“炎黄在线”设计一个独特的营销策略：采用连锁加盟的方式，将遍布全国乃至全球的大小中文网站以“树”形的管理结构归纳到 Chinese.com 这一统一的品牌之下，形成统一而严谨的宣传、技术、营销平台。只有这样才能避免“炎黄在线”独家无穷的投资，发挥“众人拾柴火焰高”的作用，在最短的时间，以最小的投入，产出最大的品牌轰动和号召效应。

采用“冲击波策略”将“炎黄在线”搞大

基于“炎黄在线”营销定位，我们认为按照传统的市场推广方法，无法满足其快速、高效、强效果的轰动要求。这就如同在传统的物理世界里，TNT 黄色炸药的威力总是有限的，而以核裂变为能量产生基础的核爆炸的摧毁效力是空前的。因此，以核爆炸的冲击波策略作为将“炎黄在线”搞大的宣传策略。

为此，我们确定冲击波爆炸源：选择成都、上海、北京、广州作为市场宣传和推广的四大焦点城市，同时向周边地区辐射。然后，确定以网站联盟这一业务平台为“经”，以联盟城市分工协助为“纬”，形成能量辐射的冲击波推进路由。

一、冲击爆炸第一波：开通一举成名

2000 年 7 月 3 日，Chinese.com 隆重开通，为使之一举成名，在北京、上海、成都、广州同时召开新闻发布会，最为大众瞩目的是该消息通过中央电视台的《新闻联播》向全国观众进行报道。无论从高度还是广度上都引发了第一波冲击效应。

与开通事件紧密结合的是“Chinese 站起来了！”这一气势恢弘的广告

语。中国近百年来一直深受西方列强的欺凌和侮辱，很大程度上和我们科学技术能力的落后有直接的关系。在网络经济的新时代，我们非但不能落后，更应迎头赶上！1949年，我们国家站起来了。这次，我们在虚拟的网络世界里，也要振臂高呼："Chinese站起来了！"要让国人们知道：我们有我们的网络平台，一个大一统的平台，一个属于中国人的平台！

二、冲击爆炸第二波："让我们一起搞大"

网站广告铺天盖地，每天都有新增的网站为吸引眼球语不惊人死不休。我们也深深认识到信息的爆炸需要爆炸的广告！项目小组抱着"另类"的思想来处理Chinese.com的号召性广告。在思想的碰撞间，突然灵光一现，擦出火花："炎黄在线"不正是企望在最短时间将这一事业搞大吗？我们干脆就直接说："让我们一起搞大！"既琅琅上口，又意义深远，切合其主旨要求和营销策略。

而事实上，这一成功的创意成了Chinese.com的一面旗帜，它的成功表现在：

创意表达策略的到位。Chinese.com是华人网站联盟，而不是游兵散勇单打独斗。

创意表达方式的出位。画面是一个孕妇的黑色裸体剪影，在其高高隆起的腹部孕育着新的生命、新的奇迹。螺旋状的“@”犹如妊娠纹般逶迤展开，成为目光的焦点。

该广告投放市场后，引起传媒的巨大轰动和轩然大波的反应：《中国青年报》、《IT经理世界报道》都撰文发表评论，同时还引发了包括妇联、青联以及互联网业内的强烈讨论。

三、冲击爆炸第三波：放大西部论坛的影响力

2000年10月15日，中国西部论坛在成都开幕，“炎黄在线”独家网络在线直播，引起海内外媒体大力关注和报道。在这次论坛会议期间，李铁映、吴基传（时任信息产业部部长）、李荣融（时任国家经贸委常务副主任）等领导都视察和关注托普与“炎黄在线”。而且，利用这次会议，“炎黄在线”与康柏公司签订了全面技术合作协议。这些新闻宣传和“炎黄在线”在*China Daily*上的广告互相辉映，形成立体的全面宣传。

四、冲击爆炸第四波：“红色快车”行遍中国

在核变的能量积蓄之下，巨大的能量就需要向更大的范围和深度触动！此时，以“红色快车”走遍全国，迅速在全国范围内成功进行华人网站联盟推介活动，签署联盟协议，召开联盟大会，产生联盟章程，形成强有力的时代潮流！

冲击波搞大的波澜壮阔

·炎黄在线股票上市，水到渠成！

2000年11月，由涓涓溪流汇聚而成的Chinese.com已经发展为气势磅礴的长江、黄河，挟沙聚水地奔腾东流，其势，如破竹！其形，不复回！而此时，股票上市对于“炎黄在线”已是水到渠成了！

在短短不到半年的时间里，“炎黄在线”（Chinese.com）从无到有、从小到强。网站开通、股票上市，而且股价一路上升。无论在资本市场或者技术联盟市场都赢得良好评论和回报。

·2000 年以来被评为中国十大中文网站！

在门户和专业网站林立的年代，Chinese.com 以最小的投入，赢得了很大市场和业界地位，是与其策略之奇、方式之新密不可分的。

·2000 年底加盟网站 785 家，播种大江南北，网络遍布长城内外！成为真正的网络平台。

·西部论坛独家网上播报，无论在宣传攻势还是技术体现都赢得良好的反馈！

案例 12：130：减租减负青春剧

——中国联通 GSM130 广东市场的侧翼攻击策略

市场如战场，市场亦如舞台。倘若将我们沉浸于其中、呼吸于其中的市场当成千姿百态的大舞台，那么各种各样的品牌在当中的行销传播活动就是它们或精彩或拙劣的演出。

中国联通移动通信品牌 GSM130 在广东区域，从 1998 年网络建设二期工程完成之际始，每年都要上演一出青春洋溢的大剧作。在推动市场行销进步之同时，也吸引了行销传播专业界的眼球，其成功个案要么纳入权威著作，要么在全国广告精英大会“摘金挂银”，博得满堂喝彩。

舞台越变越大，戏分越演越重

早在 1994 年前，全国移动通信业务的经营由“全球通”一家独霸天下，无人染指。1994 年 7 月 19 日，中国第二家经营电信基本业务的大型国有企业中国联通成立，打破了中国移动通信舞台由“全球通”大唱独角戏的格局。入行之初，中国联通的移动通信品牌 GSM130 是个名副其实的小角色，埋首于基础建设，罕有动人演出。广东强势媒体对于中国联通挑战中国移动之举，曾有感而发："联通这孩子"太倔强；但"孩子"敢向"老大哥"叫板，对咱老百姓毕竟是件好事。1998年，当中国联通在广东地区的网络建设竣工、实现全省联通的时候，尽管舞台上的绝对主角仍然是老大哥"全球通"（彼时其广东市场占有率接近90%，广东全球通的用户达到320万，名列世界前十大网络运营商之列；中国联通GSM130知名度、美誉度皆非常有限，毫无疑问是人微言轻的小角色），但正是从这年开始，中国联通GSM130与中国移动"全球通"在舞台上的竞技正式展开，愈演愈烈。一方面在资费、增值服务方面展开近距离较量，另一方面在延伸产品上大动脑筋，以各种子产品如"神州行"、"岭南行"、"如意通"、"南粤卡"等来吸引细分市场人群。

同时，随着中国联通公司事业的飞速发展，GSM130在联通内部的角色也发生了变化，从原来的独撑大局到如今的与各种电信业务齐头并进。中国联通由只经营130移动通信到业务范围横跨GSM移动通信、CDMA移动通信、互联网、长途通信、数据通信、寻呼等，成为中国惟一全业务经营的电信运营商。GSM130在联通业务体系中成为"名角"。

塑造个性角色，上演青春偶像剧

随着硬件差距的逐步缩短，GSM130演出的成功因素，更多地向角色的个性倾斜。

有个性的角色，就是有差异的品牌。

角色的个性，是为了角色的观众而诞生。消费者行为学研究表明，"一种品牌能够通过广告创造与特定类型使用者（被描述为使用该品牌的那类人），或者在广告中认可它的那类人的联系，以此来树立个性形象"。有意无意间，消费者会把他们的所有物看做自身的一部分，因为通过购买和使用特定的品牌，人们可以获得品牌所象征的价值。人们不仅通过有形的躯体和职业来定义某人是谁，也通过人们所消费的品牌来定义某人是谁。

当"全球通"一统天下的时候，"全球通"是不分青年中年一网打尽的。只要是有需要、爱面子又有消费能力的人，便是它的网罗目标。大概在五年前，移动电话还是所谓的成功人士的必备行头，是有钱人的最佳饰品。在人们印象中，它更多地与中年人士关系紧密感情深厚，因为成功人士多是中年人，有钱人也多是中年人。

中国联通移动通信品牌 GSM130 的出场，正是要将人们关于移动通信消费的观念进行彻底改变，让移动通信消费从“旧时王谢堂前燕”到“飞入寻常百姓家”，从奢侈品变成日常必需品。其中最核心的策略，就是与青年群落建立牢固的关系。

通过市场细分研究，GSM130 锁定青年群体作为自己的核心“观众”，而其中的年轻白领则是核心之核心。

面对这样一群有文化、有品位、不一定很有钱却同样爱惜自己身份的受众群，GSM130 一定要巧妙地讲述年轻人的故事，要以年轻人的语言符号和他们进行亲密接触，使他们将 130 当做是其人际群体中的一个分子，是一个好哥们，有他们的着装、有他们的生活、有他们的言语风格。

此外，在外在的年轻人的语言符号中，应该包涵一种“青年精神”，时刻富有“青春冲动”。在精神内涵上，GSM130 是青春、活力、时尚、不羁、反叛的，同时又是敢于挑战的。“品牌不是一种有形实体，而是消费者看见品牌的标识或名称时所想到、感受到和想象到的有关内容”，这正是要将 GSM130 与“青年精神”建立起紧密联系。

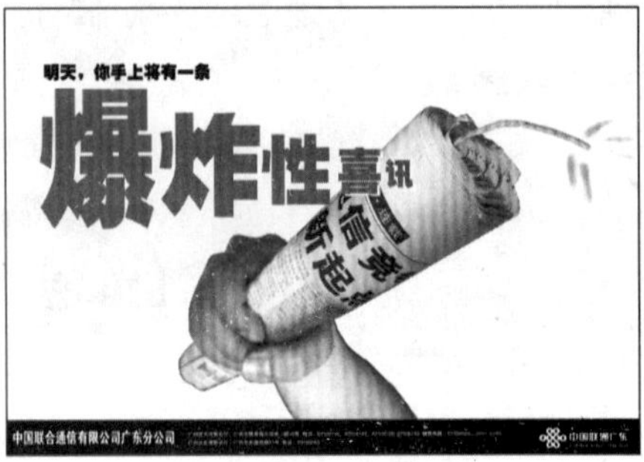

基于这种策略思路，中国联通 GSM130 在广东区域的青春大剧从 1998 年正式上演，年年有叫好、叫座的倾情演绎。

精彩回放之一：《减租运动》

上演时间： 1998 年。

行情： 移动通信消费，其成本由两部分构成，即购买成本和日常使用成本。随着手机价格的急遽下降和入网开支的锐减，购买成本已有大幅减少，基本达到人们的心理接受价位，因而当年的关注焦点集中到了每月 100 元的固定月租上。不论用或不用、用多或用少，都得交纳 100 元月租，令许多人觉得是个解不开的心结，因而暂不入网，徘徊在移动通信消费之外。此时，可谓天降大任，中国联通的《减租运动》隆重登场。

剧情：1998年9月22日，星期二，《羊城晚报》、《广州日报》出现大版面的套红悬念广告：《明天你手上将有爆炸性喜讯》。画面上一只有力的手握着卷成筒形如炸弹的报纸，导火线"滋滋"作响。鲜红的大标题气势磅礴、触目惊心，火药味弥漫在南粤上空。次日，《电信革命：减租运动》正式爆发。广告稿在全省各大报纸发布，精心制作的各类POP和海报，也在城市完全醒来前全部布置完毕。一场让移动通信市场老大哥措手不及的大戏正式拉开帷幕。

反响：《减租运动》具有极强的震撼性，首次擂响了广东区域移动通信舞台两相对阵的威风锣鼓。一向市场占有率较低的130品牌，当年底在广州的目标群中知名度高达94%，上升近20个点；新增用户市场占有率上升18%。同时创造了广告、行销界的热门话题，被作为经典案例载入《广东广告二十年》。

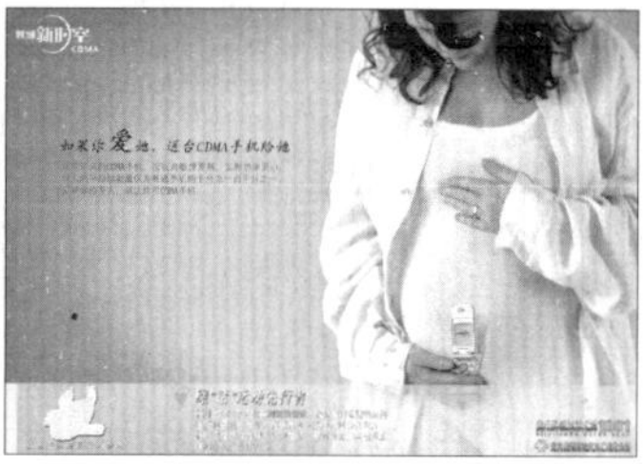

精彩回放之二：《不打不相识》

上演时间：1999年。

行情：这是个"以试为先"的时代。各种试用装、试用品、试用期琳琅满目，既表明了品牌们对自身产品品质的信心，又反映出消费群选择的自由和挑剔。GSM130首先对自身有信心，同时对自己的年轻人群关于自由的理想有深刻的理解，因而在移动通信市场，再一次敢为天下先，将网络加入与退出完全开放，推出"自由试用试打"运动。

剧情：主题语言“不打不相识”把观众引入一个自由试用 GSM130 的情节，简洁而单纯。起用一位充满青春活力的女模特作为消费者典型代表，让人感受到扑面而来的青春朝气。一时间，广东省内各通信业务营业点特别是通信业务一条街，布满了这个消费者代表的倩影。

反响：《不打不相识》在内容上搭建了 GSM130 与对象群进行畅通沟通的平台，将自由还给了用户。充满青春活力的消费者典型，旗帜鲜明地表明 GSM130 的青春路线。

精彩回放之三：《减负运动》

上演时间：2000 年。

行情：当年，媒体的推波助澜，引发了全国范围要单向收费及降低手机话费的舆论。资费再次成为关注焦点。权威部门证实“单向收费近几年都不可能实现”。而降低话费却是眼前的事。

剧情：在彼时广东全面开花的“给中小学生减负”的舆论中，中国联通借时造势，把给学生减负的概念借用到给手机用户减负，推出“减负运动即将启动”、“减负运动全面展开”系列节目。借助“先预告、后正式告知”的推广策略，静态的印刷广告和动态的影视广告协同出场，短时期内赢取了观众视线。

反响：《减负运动》作为《减租运动》的姊妹篇，站在用户立场，把他们的喜悦通过虚拟人物表达出来，引起目标群体的共鸣。市场收效之余，在第七届中国广告节上还捧回通信及办公用品类报纸广告最高奖。

精彩回放之四：《就吃联通这一套》

上演时间：2001 年。

行情：移动通信的热门话题，到了这一年，集中在全系列的资费套餐上。不论是中国移动还是中国联通，都推出了从低到高的资费套餐组合。如何传播数字化的套餐内容，如何教会用户选择适合自己的套餐形式，是

中国联通
CHINA UNICOM
成熟网络 地铁隧道照样打
除非这种情况……
嘟～
嘟～
成熟网络·联通130
GSM130
客户服务电话号码1001

中国联通
CHINA UNICOM
再说一遍
……
成熟网络 话音清晰
除非故意听不清……
成熟网络·联通130
GSM130
客户服务电话号码1001

中国联通
CHINA UNICOM
飞机
即将起飞，
请您关掉手机
成熟网络 随时沟通
除非这种场合……
成熟网络·联通130
GSM130
客户服务电话号码1001

关键所在。

剧情：简单地告知，是一个文字通告就可以完成的事情；有个性地告知，才可以吸引观众的视线。中国联通 GSM130 再次出演青春个性剧，主题语“就吃联通这一套”传达着人人可以选择到一个合适的套餐、就爱用联通的资费套餐的信息。配合推出的套餐选择公式及寓娱乐性的套餐选择轮盘，给用户提供了一个简单而明确的实用指南。

反响：广州《南方都市报》2001 年 4 月 1 日《本报广告研究》评：我们一直所知道的联通就是这样，年轻、另类、与众不同。《羊城晚报》同月《最有创意广告》评：人物形象用的是日本卡通中典型的酷少年，广告语也很酷：“就吃联通这一套。”看来是瞄准了看日本漫画长大的学生哥。妙的是广告语中的“套”字一语双关。

正在上演：《成熟网络，联通 130》

上演时间：2002 年。

行情：步入新世纪，130 历经大规模的网络硬件建设后，网络覆盖质量与通话质量均实现了质的进步。据广东省消委会的调查测试，130 在广东省内网络覆盖率超过 92%，高质量通话率接近 100%。专业性的指标表明 GSM130 已经不再是人们原先印象中的弱小的“孩子”，而是一个在“硬件”肢体和“软件”思想方面都已经很成熟的“青年”。

剧情：在“成熟网络”的支持和保障下，青春剧的演绎变得更加精彩，更有发展空间。始终不变的“青年精神”，在 2002 年又有了全新展现。新年之初全新上演，选取青年人最熟悉的生活情节，融入网络已然成熟的信息，以“青春生活系列剧”演绎品牌的青春内涵，把品牌传播推向另一个高潮。

反响：期待掌声响起，“每一次广告都是对品牌作的长程投资”。年代在变，130 品牌的“青年精神”却不能变，这样才能保证投资是有效益的。当源源不断的新的年青人加入受众群的时候，他们带来了新的趣味、新的要求。迎合这些趣味、要求，每一出青春剧的内容不同、表现形式不同，但内在的或蕴涵的品牌精神却是一以贯之的。在“青年精神”的驱动下，中国联通GSM130的青春剧必然将精彩地演下去。

案例13：007：借势入市，一举成事

——中国联通007移动电话储值卡上市前后

1999年9月下旬，中国联通广东分公司007移动电话储值卡精彩上市。进入市场两个多月，销售畅旺，吸纳10多万新用户，为广东联通在当年移动通信市场占有率的迅速提升，立下汗马功劳。

这是继1998年中国联通广东分公司在全省推出"减租运动"后的又一行销大手笔。

"市"途无限

移动通信市场，是典型的"二元竞争"市场，两强相争，状必激烈。广东作为中国最成熟的电信市场之一，市场成熟度和激烈程度在全国均属榜首。1999年，全省移动通信市场长足发展，继续保持国内手机用户第一大省的称誉；移动电话需求年增长率达到114%；消费群也从传统核心人群向不同年龄、收入、职业的人群扩展。

移动通信这一细分市场经过15年的开发培育，当时已进入一个需要进一步细分化的阶段：

1. 移动电话对于广东人来说，已渐成为生活必需品，进一步大众化、通俗化；低用量和临时使用的需求不断加强，构成一个具有很大潜力的细分用户群。

2. 市面上存有大量换代手机，且手机价格持续走低，移动通信消费的购机支出锐减。

3. 随着中国与国外交流的不断扩展、深化，到中国大陆的外国人和港、澳、台人士不断增加，他们也在寻找一种划算的移动通信产品。

4. 资费开支作为顾客移动消费的主要成本，始终是影响新用户加入的一大障碍，尤其是入网费、月租的设置，低通话量者倍感不值。

若把传统协议入网用户称为“固定用户”，那么那些只为满足临时需要而入网的用户可称为“临时用户”；如果把传统“入网费加月租加话费”的资费结构称为“正常资费”，那么那些对资费结构灵活调整组合的资费可称为“灵活资费”——为了进一步扩大移动通信用户群，以“灵活资费”去争取“临时用户”，是中国移动和中国联通共同面对的行销课题。

储值卡，也叫“预付话费卡”，是因应这一课题的重要产品。其资费结构是免入网费、免固定月租，每分钟话费比“固定用户”略高，以一种“套装”形式，广泛地在各类售点销售。

广东移动早在1997年底就推出过储值卡业务，面值分为200元和300元两种，号码为临时分配，有效期半年，用完不能充值，只能在省内漫游。由于广东移动仅把储值卡定位在外地到广东的出差用户，加上当时技术局限和市场刚处于启动阶段等原因，未能进行大规模放号和推广。但从其销售态势，已约略能见移动电话预付费卡的广阔前景。随后，1999年上半年，中国移动在全国范围推出“神州行”储值卡，在广东地区获得迅速增长。

“市”途无限，“市”途亦难。在这种竞争压力下，广东联通积极思考应变之策，果断决策：在全国统一的同类产品尚未推出情况下，迅速推出能在广东省内漫游的储值卡产品，与“神州行”展开正面竞争，争夺低用量和临时用户群。

1. 价格上，联通采取“竞争导向型”定价策略，确定了储值卡业务的基本资费标准：免入网费、免月租，移动话费每分钟0.7元，比中国移动的“神州行”移动话费每分钟少0.10元。

2. 产品差异化方面，直击“神州行”不能充值、用完即废的要害，改为可充值，号码可连续使用。

将下来，目标群锁定三种人：

临时用户，如：大学毕业班学生，外地来粤求职人士，刚刚踏入社会的年轻人等。

家庭用户，年龄大的父母或读中小学的子女。

国外游客，重点是来广东最多的港澳用户。

联通移动电话储值卡作为后来竞争者，为实现“后来居上”的宏愿，必须在很短的时间内迅速导入、成长，以突破“神州行”重金构建的市场优势——如何最有效率地导入，在推广成本与产品高知名度间寻找出一个黄金结合点，成为行销传播的要害课题。

“势”在何方

如果将新品上市的投入、产出效果以“矩阵”工具进行分析，有四种组合：

1. 高投入、高产出，不惜血本大造声势，以引起人的注意，就像多年来在中央电视台投放的一些品牌，其高知名度完全是用高昂的费用堆砌出来的；

2. 高投入、低产出，应归属最失败案例；

3. 低投入、高产出，诸如把产品与某种众人注目、熟悉的人、事、物结合在一起，借“力”打力，用“巧”劲，使人们在不知不觉中关注到产品；

4. 低投入、低产出，寄希望于细水长流、集腋成裘。

在上市行销传播企划中，“借势推广”一开始就被列为核心策略，纳入核心议题。

广东联通与省广共同在寻找可借之势。

大卫·奥格威形容的“黑暗中的那盏明灯”，只有一盏，也只有它才是我们的指路之神。

在对储值卡作命名设想时，一个不经意却是闪现灵感光芒的名称立即引爆了企划小组的激情，“我们把它叫作007吧！”。可谓“一语定乾坤”，刹那间所有参与企划的人员就像重石坠地：“这正是我们寻寻觅觅的势!”

007，这个从上千个名称中挑选出的、具有特殊含义的名称，不仅清晰表达了产品的资费特点——0入网费、0月租、移动话费每分钟7角，使人联想到产品的利益，有强关联性；还充分转借好几代人都心仪的银幕偶像人物007特工在人们心中积蓄的情感记忆和情感价值。

这就是联通储值卡所需的“巧”力。

有独特的名称，还需赋予007产品独特的个性形象。上市广告一改通过讲述电信硬件优势来争取用户的传统宣传策略，在联通大品牌的统领下，全力塑造友善、活力的个性。为此，专门设计了一个脸带微笑、打着电话的识别符号，充分折射出品牌的朝气和亲和感。

“事”半功倍

产品名称、识别形象、产品包装等基础工作做好做足后，“如何将007传播出去”的一系列动作，脉络清晰，颇有章法。短短两个多月，细分成3个行动段落：

一、亮相

报纸广告结合参与性活动，吸引受众注意、议论、介入。

第一期报纸，以一个悬疑性广告“是特供，还是特工？”推出“007神秘人物”竞猜活动。无论是活动内容的设计，还是奖品的设计，企划小组都作了精心准备；在随后的六天时间里，这款只在《羊城晚报》、《广州日报》各发布一次的广告，发挥出“诱人”的魅力，参与信件以日均2600多封的数量纷至沓来，六天共收1.5万多封信。

第二期报纸，以“是特供，不是特工！”的正面诉求，隆重告知天下007储值卡的登场，与第一期报纸相辅相承，有序推进。

二、强攻

全面动用电视、广播、POP工具，形成广告火力燎原之势。

时隔几日，上市广告紧锣密鼓地全面展开。电视广告《特工篇》、报纸广告《是特供，不是特工》、广播广告《偶像篇》及售点各类POP广告，在全省范围同时统一推出，形成组合广告攻势。

电视广告片移用007电影片头所营建的音乐背景和画面神秘感，引人注意，然后一个类似007特工的潇洒身影拿着手机如握手枪，打出联通007移动电话储值卡“0入网费、0月租、移动话费0.7元”内容。15秒内电视画面简洁、利益点清晰，诠释“借势”策略。

广播广告在统一策略指导下，是这样表达的：

男（兴奋地）：我买了 007……（话未完）

女（兴奋而神往地）：哇！我的偶像，灵敏、机智、英俊、潇洒……

男：哈、哈，我说的是联通 0、0、7（重音强调）移动电话储值卡。

女（不明地）：啊！

旁白男：中国联通广东 007 移动电话储值卡（重音），0 入网费，0 月租，移动话费每分钟 7 毛钱。

旁白女：特别供应，限量发售。

男、女：中国联通广东，只在乎您真正的满意。

这篇广播广告不仅得到年轻消费者认同，在随后的广东省广告协会等单位主办的广播广告大赛中也赢得众多评委赞誉，喜获头奖。

媒介运用上，品牌小组认为必须在短期内迅速建立知名度，为此，电视新闻和港台电视剧中的插播及售点 POP 的全面展示，被确定为主要的媒介传达手段，广播广告和报纸广告则加强品牌在面上的覆盖和提示。

三、延续

推广后期，维持电视广告、POP 广告的提示作用。

历经两个多月的上市推广，“007”取得了传播效果和销售效果的双赢。低投入赢得了高收益，高知名度促进了高销售业绩的达成。广告主与广告代理商在这个成功案例运作中，也积累下弥足珍贵的经验。

案列 14：快译通 PDA：感性颠覆理性

——快译通市场重整方案

快译通，中国电子词典市场的巨头之一，但她在向掌上电脑市场拓展时却发现：自己已经落后于商务通。对手的强劲、自身品牌延伸的力度不足，使这个在中国市场成功运作十多年的品牌一下子又要从头做起。

中国PDA用功能启动市场

抛开明星的噱头，以商务通为代表的第一代国产PDA的核心资源就是手写输入的“名片机”。围绕这一核心，商务通做出了许多令人叹服的大手笔：首先，她在发现中国名片机的致命弱点——输入缓慢的同时，也找到消费上的空白；其次，商务通非常具有胆识地强势启动市场，使自己成为这个市场中的第一品牌，很长一段时间，商务通成为“名片机”代名词，由此可见一斑；再次，商务通在手写输入上树立了当时较高的门槛（商务通拥有手写软件的高版本和该版本的独占性）。无论是市场空间的分析，还是品牌高度的树立，以及核心技术门槛设立，商务通都聪明地走在竞争者的前面。

用价格毁灭市场

商务通成功之后，跟随者、竞争者纷至沓来，需求很快地被满足了。在这种情况下，价格战往往是中国企业家最先使用的方法。名人杀出来了，但令人失望的是，无论是商务通还是名人，无法给中国消费者更多的选择。在海外PDA谈论GPRS、BLUETOOTH的时候，我们的市场中充斥了低价和低幅度的产品革新。

更让人痛心的是，这种情况一直延续到市场开始惩罚市场的运作者。中国PDA市场出现了大幅的下滑。

快译通：重新排队，才能重新领先

曾经和商务通大斗手写输入，也曾经和名人较量价格，但是，在近乎疯狂的广告投入的保护下，快译通难于撼动其地位。

快译通发现，自己总是跟着对手的节奏在踢球。对手不仅将快译通拖得疲惫，也将他们自身甚至整个市场推向死亡。

在2001年的一次广告策略的讨论会中，省广和快译通市场部得出了一个共识，我们必须找到市场的突破口，我们不能再希冀在原有的市场排序中提升自己的名次，而应该重新排队，这才能使自己有一个成为领头羊的可能。简言之，就是要重新制定一个游戏规则。

透视中国PDA消费之怪现象

对企业在痛定思痛之后委以的重任，省广人信心十足。

我们通过大量的消费者和市场调查，发现了几个非常有价值的怪现象。

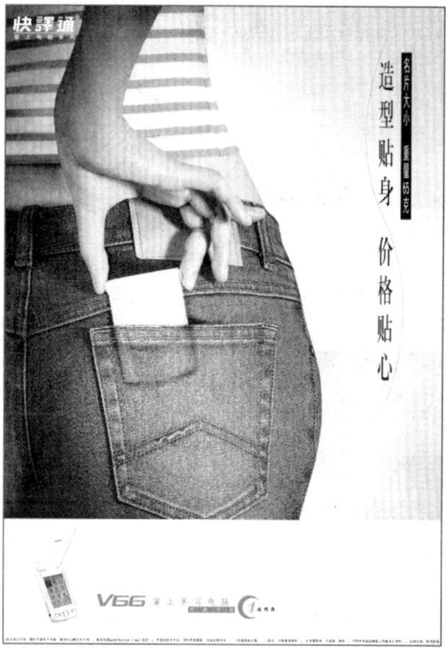

第一，消费者对于低端PDA购买和使用分离。就是说，购买者不是使用者，礼品市场成为现阶段低端PDA的重要市场。

第二，中国消费者对于复杂的高科技的功能尚需教育，多数自用消费者追求的是心理的满足——虚荣心，而对功能的追求仅限于一小群PDA发烧友。

省广充分考量了这两个论点的可信性，从目前中国消费者的不成熟性，从经济发展中产生的浮夸心态，以及从激烈竞争中凸显出产品个性的需求，对我们的广告策略制定带来非常重要的支持，我们认为中国目前的消费者是冲动购买型而缺乏理性的思考。如果我们引导消费者进行理性购买的话，中国目前的PDA产品功能都无法让消费者产生购买行为。

长久以来中国PDA的广告都在走一条产品功能的路，这条路走得太累，忽视了消费者的心理满足。当记名片的需求被满足后，中国PDA诉求的只是一些细枝末节的功能和一些实用性不高的功能（如所谓上网、所谓发短信）。由于直接诉求产品的功能导致了广告的煽动力不足，当然这也有手法的问题，厂家千方百计诉求的功能又无法支持消费者的真正使用。中国 PDA 的广告出现一个了矛盾，没有心理满足的同时也失去了实用的可信性。

颠覆中国PDA的传统

这一切都是因为一个经验的误导。我们知道 FCB 格栅将产品分为高度参与、低度参与、思考型产品、感觉型产品四个区间。（见图 1）我们对一个全新的 PDA 产品完全是凭借经验，将其置入高度参与的思考型产品中，用理性的功能诉求来面对中国的消费者。省广分析，这一经验型的划分和他们对中国 PDA 消费形态的分析存在强烈的反差，虽然在 PDA 推广的前期，这一经验性的判断支持了商务通的成功，但也导致整个 PDA 市场的整体失败。

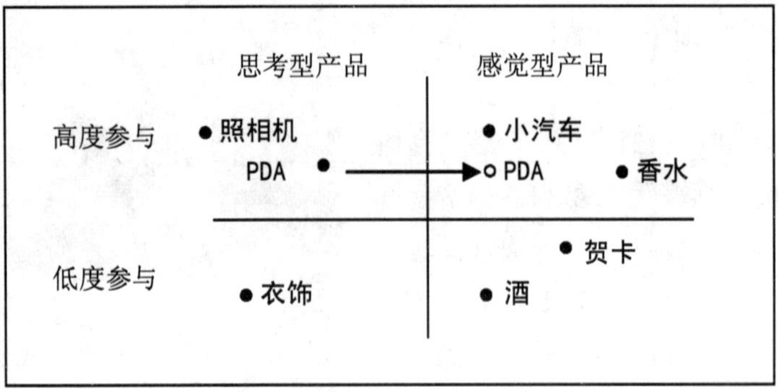

消费者和产品关系的 FCB 栅

由此，省广找出了新策略的核心，那就是将 PDA 纳入高参与度的感觉型产品中，这个看似简单的设想，其实具有颠覆性。它将对抗整个 PDA 市场的广告操作模式。将时尚与个性嫁接到产品上，使其成为人们心理满足的有力支持。这种支持可以分为两个层面：一个是送礼者的心理安慰，另一个是自用者的个性体现。使用（或赠送）快译通 PDA 只是一个过程，让自尊、自信、个性、差异在这个过程中体现十足。简言之，我们的策略就是用情感颠覆理性。

幸运的是，快译通的高层认可了这个策略构想，他们愿意让市场检验这个反叛的思维。

快译通 V88：24K 的虚荣心

策略的第一个实施对象就是快译通 PDAV88，这个产品的特点归纳起来有三个：8 兆内存、纯金属超薄外观、可阅读电子书及多种资讯。哪个才是让消费者冲动的诱因呢？阅读资讯与 8 兆内存一对因果关系的买点，只有足够的内存，才使阅读资讯成为可能。前者具有功能性价值，后者具有一定的竞争差异性（当时市场上同等价格的产品没有 8 兆这样大的内存），但过于专业。在提案的时候，省广与客户对说什么的问题足足讨论了 4 个小时。有的说应该推 8 兆；有的说 8 兆虽然具有差异性，但对手容易超越，一旦提出 10 兆内存，我们就很被动，还是应该推阅读大量资讯。省广认为在这么纤巧的 PDA 上阅读资讯太艰苦了，相比之下产品外观更具有吸引力。消费者容易对时尚有型的产品产生购买冲动，尤其是对于礼品市场。这个提议将讨论引向了一个统一的方向，大家认为应该对产品的外观再加分才能具有足够的冲击力。当时的 V88 的机身是金色和银色的，于是省广和客户不约而同地想到镀金。就这样，中国第一台 24K 金的 PDA 从灵感的火花中诞生。

明确了产品的推广方向后，省广从产品的包装盒开始，将电视、报纸、POP 等所有媒体整合到一起，金色的裸女掩映金色的 V88，唯美与性感相融，将“24K 金”的诱惑发挥到极致。投放开始了，一个被牵强的功能堆砌出来的传播环境受到前所未有的冲击，V88 的销量扶摇直上。

表面功夫为人不齿，但成功者不受谴责。

快译通 V98：6 万真彩的心理满足

V88 的成功证明了策略是对的，在接下来的 V98 推广中，省广更加自信。V98 的卖点非常直接——6 万真彩显示，突出的卖点，在 2000 元的价位上无人可比。省广的任务就是继承并发展既定的策略。

首先，我们用彩色的女性舞者替代 V88 的金色裸女，将策略的表现加以延续，同时也将情绪的煽动承接下来；其次，将产品与消费者的情绪连接得更加紧密。每一个产品都有它戏剧化的一面。省广的创作人员都在想，能不能让 V98 的广告刻画出更强烈的戏剧性，让煽动力更强。于是，一套将时尚与彩色互动的广告诞生了。虽然是平面广告，但它具有动态和情节，而且从表现的张力上更加锐利，画面的质感也更加高档。

销量提升250%后的自我批判

据客户的统计，V88和V98的成功推出，使快译通的销量同比增长了

250%，这是一个值得振奋的消息。快译通的市场占有率也是坐二望一。

然而，作为浸淫在 PDA 圈子中四年之久的广告人，我们还是有很多考虑。从产业的角度去思考，我们上述的这个策略，理论上没有问题，可从执行上看，这种做法其实只是权宜之计。

为什么这么说？高度参与的感觉型产品，最终还是需要一个强有力的支点。否则那种情感的满足将无法持久，最终会被理性所战胜。也就是说，中国的 PDA 如果不在产品的技术和功能上进行大的突破，情感的诉求也将走向山穷水尽。

PDA 毕竟不是首饰和美酒，它是未来 3G 技术的整合者，它所承载的使命更为重大，希望国产 PDA 能够有一天和 PALM、IPAQ 相抗衡，真正从低端走向高端，从概念走向人性化的实用。

快译通已经认识到这一点，专门研发并生产了集移动通信和掌上办公于一体的高端 PDA 产品，并将不断推出全新的高科技产品。虽然目前他们的路还很艰难，但是为未来而勇敢付出的人永远值得人们敬佩。

案例 15：信合万事兴

——农村信用合作社形象重整方案

传播的意义，于传播主体而言，是释放既利己又利受众的信息。当昔日分散、各自为政的农信社形象传播的弊端日益凸显之际，广东省广告有限公司的传播智慧获得青睐，我们有了一次农信社形象重整之旅。

一家卓然出众的金融机构

今日中国的金融服务业，已然是老牌银行、新兴商业银行、外资银行百花齐放争奇斗艳。众花丛中，有一家金融服务机构必定会因为其独特之处而引人关注。

它是农村信用合作社。老百姓把它简称为“信用社”、“农信社”、“信合”。它提供与各家银行别无二致的金融业务服务，却并不被称为“银行”；它的服务已经进入城市市区，却仍然与“农村”二字密不可分。它诞生于1951年，是典型的“中国特色”，可以说见证了中国农村改革各个时期的历史变化，拥有丰富的历史经验积累。

在为广东农村信用合作社进行形象规划的时候，我们把农信社的不寻常之处提炼成以下几点：

1. 网点最全，渗透最深。

农信社营业网点密布农村，深入乡、镇，在这一层次区域拥有比其他任何银行都要好的基础，在广东地区，是营业网点最多最全的金融机构。

2. 人群最广。

农信社服务“三农”（农业、农民、农村经济），是农村金融主力军，面向最广泛的村镇人群，在客户群绝对数量上占优势。随着农村的城镇化和农信社自身的发展，业务范围又向城市延伸。

3. 实力强大。

在广东地区，存款、贷款总额排名第二，仅次于工商银行，绝非一些新兴银行可比，是当之无愧的“农村金融航空母舰”。

4. 个性服务。

农信社凭借网点广泛、深入基层的特长，积极采取上门服务的形式，与客户面对面交流，帮助客户解决实际问题，以优质服务建立起在群众中的好感、信任感。

这样的特点，是企业特点。我们希望能从中萃取出更加富有概括力的灵魂，形成品牌特征，建立品牌差异。

今天的农信社面临的是一个银行品牌的战国时代。在金融产品、金融服务日趋千人一面的今天，各家银行已经开始认识到品牌建设的重要意义。它们在以适当的说辞与宣传行为，诠释着品牌的主张：

如诉求银行在成就事业方面的支持作用，“选择中国银行，实现心中理想”；以关切的语言、亲切的形象试图唤起认同，“社区金融服务，走进千家万户”；或者强调银行的信誉来建立信赖，“您身边的银行，可信赖的银行”。

一个熟悉而陌生的朋友

正是因为农信社的历史和网点渗透率，在广大的城镇地区、城市郊区，众多的企业和家庭与其密不可分。在人们的眼中，“县农信社”、“乡农信社”几乎就是自家的邻居。

熟悉的关系却并不代表了解的关系。一直以来，农信社给人的印象，总是摆脱不了“小的”、“土的”、“地方的”、“非正规的”影子。

为了把这样一些陈旧、错误的印象从人们印象中驱逐出去，规划农信社形象的首要课题，是“如何建立一个统一的、有效的、具有提升作用的品牌形象？”。只有“统一”，才有利于在全省区域建立印象，培养忠诚，并有利于统一管理，有序发展；“有效”是为了整合各地资源，提高效益；“提升”则有利于改变认知，提升档次。

规划中的形象，会在什么样的人群前进行展示呢？概括来讲，有两大人群：

一是生活在村镇地区的中青年人群，他们是农信社的主要目标客户。这些人群散布于广东的东西南北中，不同区域各有特点：珠三角地区——“城市化”明显，生活环境或生活观念向城市逐渐过渡；粤东粤西沿海地区——渔业、养殖业发达；粤北山区——传统农业向现代农业的转变。

他们在对金融服务的需求和消费上，个人存、贷款额度有限；行为慎重、保守，相互之间口碑影响较大；对银行认识不够，对主动投资理财缺乏了解。

二是城市地区的中青年人群，目前属于农信社的次要客户群。

他们对国有四大商业银行认同度高、忠诚度高；理财较为灵活多样，乐于尝试新业务；受广告宣传及社会风尚的影响，易于接受形象好的新兴银行。

这样的两类人群，是我们这次“形象秀”的核心观众。他们爱看怎样的“秀”，决定我们作怎样的“秀”。

我们采取了排除法，来取舍形象传播核心主题的切入角度：

1. 实力形象——农信社的存贷总量虽然可以笑傲群雄，但综合实力还不能同以四大银行为代表的大银行抗衡。

2. 历史形象——历史悠久的诉求并不能保证长期地吸引客户。况且历

史的诉求早有交通银行标榜的“历经百年，信誉卓著”。

3. 网点形象——在长期的、统一的形象宣传中，网点不适于用作主要诉求。农信社未来的发展还需要突破现有网点主要集中于农村地区的局限。

4. 服务形象——诉求服务的银行比比皆是。

和顾客之间的密切关系——此切入点能满足农信社自身特点与对象群需求的结合，又与已经存在的其他银行的定位没有明显、直接的重复。基于这一特色发展出来的品牌形象将带来一种密切的、互动的、伙伴般的关系。

这是一个合适的切入发现。基于这样的切入方向，顺利地发展出品牌定位：

农信社是“人生事业支持者和创业伙伴”。

翻译成老百姓的话，就是：“我的成长与农信社有关；家庭的、事业的、生活的成长都和农信社紧密相关。”

这样一个基础定位，我们通过一句高度凝练的传播口号来传达：

“信合万事兴！”

语出“家和万事兴！”寄托了普通百姓家庭的共同愿望；又升华了“家和万事兴！”是作为“人生事业支持者和创业伙伴”的农信社对广大顾客的美好祝愿与承诺：在农信社的支持下，万事可兴，万事皆兴；同时，也是农信社对自身的一种良好期待和对员工的一种有力激励——农信社将继往开来，在新世纪事业更加兴旺 。

一场盛大而朴素的演出

关于农信社的品牌定位以及传播主题，获得了农信社决策层的高度赞同。而对此定位的创意演绎，则成功地将概念进行了形象化的展现。

这场演出是盛大的，因为它调动了多种手段，时间横跨2002~2003年度。在总体思路上，首要的策略是集中时间，集中资源，统一导入全新形象。继而以长期的、统一的宣传形式巩固效果，不断丰富和强化品牌。分解动作是在2002年10月至2003年春节期间，完成传播导入至传播高潮的过程。春节后则继续沿用既定的形象进行长期宣传，宗旨是灵活机动地做好传播提示工作。

这场演出又是朴素的，因为我们完全摒弃了在做企业形象传播时极易落入的“假大空”俗套，采用了朴素无华却又源自内心的创意概念，来突出农信社与顾客间的独特关系。

在表现企业与顾客间关系的时候，最有说服力的方式，的确是顾客们的实话实说。农信社的广告受众群在教育程度、知识视野方面层次不一，尤其应该以一种既易理解又易信服的方式来表现。

最后推出的“百姓人生，诚信关怀”系列电视广告由三篇组成，主题统一，诉求各有侧重：

1.《老太太篇》。广告里的老太太，生活于广东潮汕地区。富有潮汕特色的配乐，把观众带到了美丽富饶的渔村。随着老太太带有当地口音的叙述，我们知道了农信社在她生活中的位置：“我今年65岁了。儿女都很孝顺，就是忙着挣钱，没时间陪我。儿子把家用存在信用社里，出门就可以取到。平时有了难题，信用社也挺乐意帮忙的。就像一家人！”

2.《企业主篇》。珠三角地区是广东地区最先富裕起来的地区，大批以农民身份创业起家的企业主，在事业发展的过程中，几乎都与农信社的支持密不可分，第一笔贷款，可能就来自农信社。本篇广告的主角，就是他们的典型代表：“我的工厂和办公室都在这里。这些年变化实在太大。以前我搞过桑基鱼塘。有些积蓄后，又从信用社贷了款，自己开工厂，已经开始赚钱了。信用社主任说过，能干加巧干，就一定可以干出名堂来。我真是很信赖他！”朴素的独白，表达的却是对农信社衷心的感激之情。

3.《村长篇》。场面转换到了山区的村庄。一村之长在颇具岭南特色的花场讲述老百姓自己的故事：“这是我们村。家家都有自己的花场，村里还有园艺公司。信用社的人给我们很多帮助，教我们理财，给我们出主意。支持真是很多！”

三篇广告分别选取了潮汕地区、珠三角地区、客家地区的普通居民、企业主、村干部为主角，作为农信社顾客群中普通家庭、乡镇企业、农村基层组织的代表，以适应广东东西南北各地不同接受习惯；以纪实风格表现农信社在不同人的生活中扮演的"诚信关怀"角色，并最终令人感受到"信合万事兴"就是活生生的身边的故事。

为了更强化本系列广告的纪实性，同时提前在社会引起对广告片的关注，在创意确定之后，立即在全省范围展开了广告主角征选活动，公开征集真实的、具有代表性的广告主角三位——企业主、老太太、村干部。短暂的10天时间，主办方即收到符合征选条件的参与者资料近百份，既成功地制造了社会话题与新闻效应，又为广告片的拍摄执行提供了有效的帮助。

当时间来到喜庆的2003年春节前夕，农信社在人们眼前展现的是另一幅喜气洋洋的收获景象。这是从主体角度做出的"万事兴"的另一种承诺。循着"不同的收获，来自同一种支持"的创意概念，人们看到的是不同收获场面的各种笑脸。他们年纪不同、性别不同、角色不同，发自内心的源于收获的喜悦却是相同的，背后的支持力量也是相同的。同样以纪实风格拍成，主要用于贺岁、企业周年庆以及其他喜庆之机，传播企业"信合万事兴"的核心主张。

在传播载体的选择上，电视媒体无疑是重中之重。尤其在乡镇地区，有效地利用当地收视率高、播出成本却不高的有线电视媒体，是我们发挥形象传播力量的重要策略。

同时，充分发挥不同时间对不同媒体的需求以及不同媒体的功用，组合运用其他媒体进行配合：春节期间，信息下乡，不仅在各营业场所布置了全套海报、吊旗，而且把富有浓郁春节气息的年画、利是封送与客户；整个2003年度，在以电视广告为主导的同时，配合高速公路大型立柱广告、公共汽车车身广告、候车亭广告等提示性媒体，传播"信合万事兴"的统一主题；善用活动传播形式，如展开"露天电影100站巡映"，让久违的露天免费电影重现乡场，以反映当代城乡生活的国产片为巡展影片，并在电影播放前播放农信社形象广告，既繁荣了乡镇文化生活，又宣传了农信社企业形象，让形象信息彻底到达顾客群中。

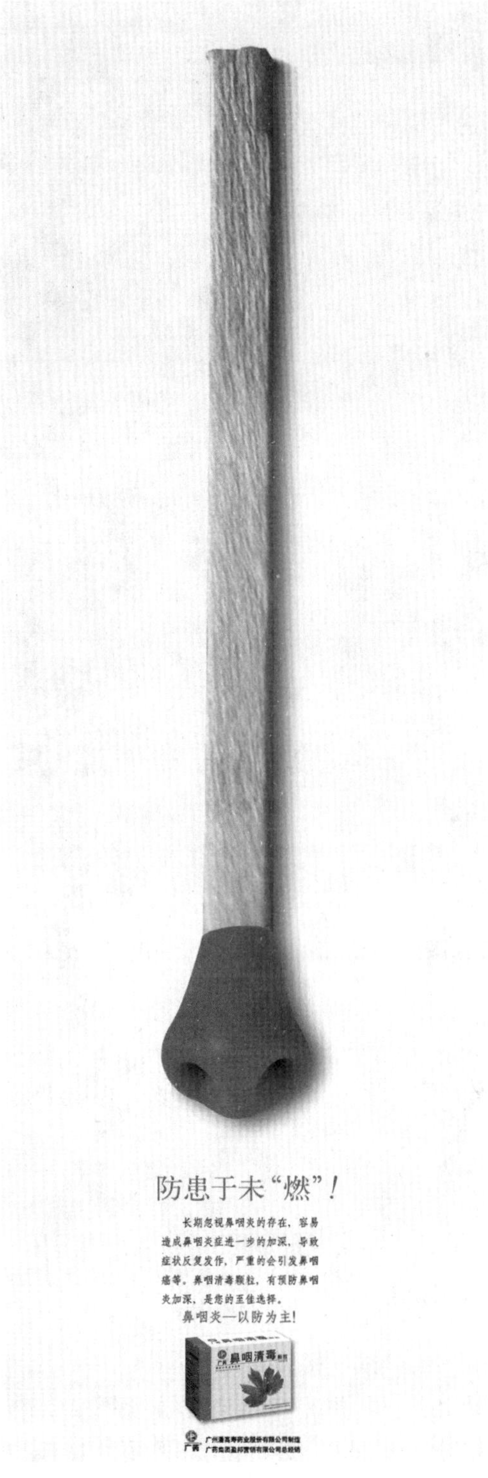
防患于未“燃”！
长期忽视鼻咽炎的存在，容易造成鼻咽炎症进一步的加深，导致症状反复发作，严重的会引发鼻咽癌等。鼻咽清毒颗粒，有预防鼻咽炎加深，是您的至佳选择。
鼻咽炎—以防为主！
鼻咽清毒

知胜篇

第六卷

孙子曰：知胜有五：知可以战与不可以战者胜，识众寡之用者胜，上下同欲者胜，以虞待不虞者胜，将能而君不御者胜。此五者，知胜之道也。

译文：

孙子说：预知胜利的情况有五种：知道可以打或不可以打的，能够胜利；懂得多兵与少兵不同用法的，能够胜利；以己有备对敌无备的，能够胜利；全军上下意愿一致的，能够胜利；将帅有指挥才能而君主不加牵制的，能够胜利。这五条，是预知胜利的方法。

要预知胜利，很难，孙子一口气就提出了五种方法，其中每一种都不易做到；要预知胜利，似乎又很简单，孙子一言以蔽之曰：“知彼知己，百战不殆。”

值得注意的是，孙子把知“彼”放在知“己”之先。知道自己，已属不易，常言道“人贵有自知之明”。知“彼”，则更不易。其一，“彼”是不可控因素；其二，“彼”是多层面的，它不只是对手，还包括对手的朋友、敌人、环境等等；其三，是以上种种对“己”的互动影响。

编者与丁邦清谈竞标，他不无自豪地说，省广的竞标团队，几乎是百发百中！省广实行“三级管理，三级策划”，因而，凡是省广竞标项目，必是公司必欲得之的具战略意义的项目。此类项目，多半也是国际4A广告公司欲争取的项目。换句话说，即丁邦清的每次竞标都主要是同国际4A公司硬碰硬，并最终战而胜之。其制胜之道，一言以蔽之，仍离不开“知彼知己”。窥其知“彼”之道，尤为精深：他们不仅知对手，而且知客户，知市场，知消费者，知本土市场文化、价值取向及消费习性。

当然，知“胜”并不意味着一个劲地打下去。“合”，也是“胜”之道。如省广与日本旭通信社的“合”而为广旭广告公司，与日本博报堂“合”而为广博广告公司，则不失为另类之胜。

案例16：劲量级的征战

——广州本田“雅阁”轿车广告竞标前后

这是经过四轮比拼，历时3个月，有近20家著名跨国广告公司、本土广告公司角逐，跌宕起伏的竞标传奇。这是中国境内第一宗壮烈的“国际广告”大战，是整合品牌营销的实践篇。

1998年11月24日，广州本田汽车有限公司宣布，其“雅阁”轿车的广告代理，由广东省广告公司独家中标！省广战胜“武装到牙齿”的对手，在自己家门口迎接世界级挑战，旗开得胜，令业界震惊不已，兴奋不已。

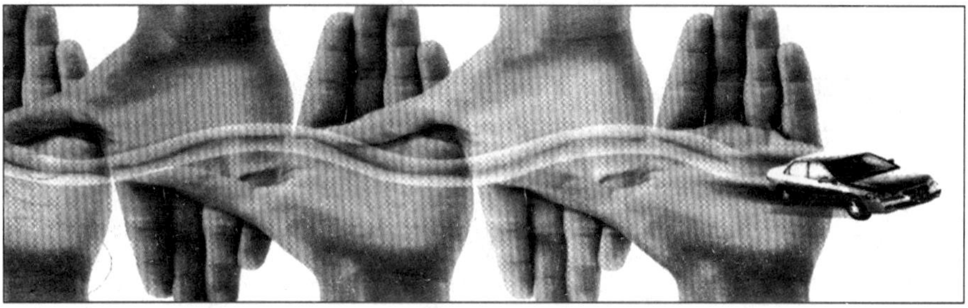

本田：所有合作者都必须是世界一流的，广告伙伴亦不例外

本田汽车，是中国汽车市场竞争的迟到者。早在1985年，广州就和法国的标致汽车集团合资生产标致汽车，是国内汽车合资项目的始作俑者。但是这个耗资上百亿元的项目历经多年，一直亏损，最后“壮士断臂”，结束了这场合资“噩梦”。

与标致“婚姻”的破产并未使广州人完全放弃汽车工业，新的合作伙伴很快“浮出海面”，这就是日本的本田。被专家们认为是“强有力的汽车品牌”的本田，在全球汽车市场有口皆碑，而广州本田选用的北美版“雅阁”（ACCORD2.3VTI）在美国市场销售连年排行第一，全球销量则超过1000万台，其新技术应用、质量控制、可靠性三方面处于世界领先水平。

广州市政府对广州本田项目做出“只许成功、不许失败”的承诺，而本田则下定决心要使“广州本田”成为它第二次创业的一个契机。因此，广州本田一立项就成为世界瞩目的焦点。

本田称：它的合作者都必须是世界一流的，广告合作伙伴亦不例外。因而，广州本田一系列招标项目吸引了世界众多一流公司奔走羊城，广州本田则采用世界顶级标准谨慎地选择合作伙伴。广州本田汽车广告的招标理所当然地令众多中外广告公司趋之若鹜。

四轮搏杀，竞标奇观，省广“金球”制胜

1998年10月27日19时许，硝烟尽散，广州上空已是繁星满天。

1998年7月28日，广州本田“撒开大网”向中外20余家广告公司发出广告招标邀请，按国际惯例选择广告代理商，可谓“汽车未动，广告先行”。但令竞标公司始料不及的是，广州本田广告竞标前后历时三个月，历经了四轮角逐，其场面扣人心弦。

这是一场“国际广告战”。卷入这场“国际争端”的除少数几家本土公司外，大多是外资、合资跨国公司，声名赫赫、威震四海。

8月中旬，经首轮筛选，7家候选公司脱颖而出。广州本田方面给出广告命题，采用单循环淘汰制，让这些公司“比武招亲”。一家以创意闻名于世的跨国广告公司幽默地对省广说：“我们原本准备在第二轮打败你们，没想到第一轮我们就出局了。”

8月21日，第二轮比武鸣金收兵。有4家广告公司幸存下来。

9月28日，广州本田向“出线”的4家公司再次发出竞标函告：“贵公司已进入最后一轮广告代理商的竞选，我们决定在本公司内为贵公司提供演讲机会。”并且规定，“限时45分钟，包括日语或英语翻译时间。”

“大决战”来了。4家公司都已在函告中注意到“最后一轮”四个字眼，成王败寇在此一举，一场紧张的行兵布阵在各个对手之间悄然展开。

10月14日，4家广告公司齐齐奔赴“战区”。

省广此役排出了27人的投标大阵容（含项目组、市场、媒介、设备保障人员），第一次动用同步翻译设备（中、日文同步演讲）、多媒体电脑投影、声控幻灯三套设备，“武装”得像个剑齿虎似的。

其中一家跨国广告公司更富“创意”，雇用搬家公司搬运设备，营造出广告竞标的一大景象。

另一家跨国公司携在香港“大本营”精心“炮制”的策划案，及在港制作的精美作品，也是踌躇满志。

一场广告界的“世界大战”一触即发。

竞标本着“公开、公平、公正”的原则，现场打分，从回应时间、客户冲突、策略定位、策划案质素、展开计划、创意体现、服务能力、收费标准等八个方面对竞标公司综合实力进行评判。近40人的会场“如临大敌”，空气凝固，鸦雀无声。省广从企业、品牌、产品、销售服务、用户五个方面阐述广告策略，判官们对此提案频频颔首。

10月20日，广州本田汽车有限公司给4家公司分别作复，又有两家受到“别有一番滋味在心头”的“感谢”，省广则接到如下函告：“十分荣幸聆听贵公司10月14日精彩演讲，让我们感受到了你们的诚意和专业水准，为了对贵公司实力做出更全面准确的判断，我们愿为贵公司再安排一次演讲。”

这可能是广告界有史以来遇到的最难也最旷日持久的一次投标了，对于人疲马乏的竞标公司来说，这场“加时赛”更加残酷，广州本田采用了足球竞赛的“突然死亡法”。

省广最后的对手也是预料之中的最强竞争者，即一家跨国公司在华合资机构，其母公司大名在世界广告业如雷贯耳，多年来一直代理着日本本田汽车的部分国际广告。

省广决定“破釜沉舟”与对手一决雌雄，连夜在顺德培训中心召开紧急“前敌”会议，商议对策。接着，“广州本田广告创作组”被拉到省广顺德培训中心二度“闭关”。

对手也是志在必得，动用全球多个分公司的力量，精干人马在广州花园酒店扎下营盘。

10月27日下午5时30分，两家竞标公司在广州本田总部展开短兵相接的“搏杀”。这场争斗，煞是好看。一个是本土广告公司中的“旗手”，潜

心准备，出手不凡；一个是国际性广告公司，凭仗实力，志在问鼎。两个45分钟，“两军”竭尽全力，杀得昏天黑地。离开广州本田公司时已是繁星满天。

11月24日，广州本田一言定乾坤：广东省广告公司独家中标！

牛刀初试，便显光芒。
起风头，整合传播聚焦品牌核心价值

俗话说：“没有金刚钻，不敢揽瓷器活。”省广既然揽下了广州本田的活儿，于是，业界都翘首以待，看省广一展绝技。

令省广措手不及的是，其借以夺标的影视、平面等呕心沥血之作，被广州本田公司打入“冷宫”：一切从头来过！

世界级大公司，果然出众！不过，省广亦是个出彩的主儿，他们殚精竭虑，整合运用电视广告、平面广告、事件行销等传播工具，突现本田“理想源自梦想”的企业信念，光大其“世界品质，精湛技术”的品牌价值。

1999年3月26日，广州本田“雅阁”轿车下线仪式隆重举行，同日，广州本田“雅阁”轿车的电视、报纸、杂志、POP、户外看板，齐齐亮相，果然不同凡响。

无路也有本田车

广州本田广告整体策划中电视广告是“开路先锋”，这个头开得好，广告策略就会顺风顺水。如何将广州本田独特的品牌优势魅力表现出来，引起

受众关注？策划小组调集了100多分钟世界各地的汽车电视广告片来观摩，主创人员从中悟出一个规律，大凡汽车电视广告都在“运动”中做文章，只是各种运动的角度、节奏、方式、场景、情节不同，但百“动”不离其宗，就是给消费者表达一种感受。

广州本田如何“运动”?首次亮相向消费者传达怎样的感受？主创人员认为关键在于捕捉“运动”的关联性，即汽车动态与跑动之间的关联，找出这种关联的主线，贯穿广州本田诉求的主题。没有主线的运动，形如“无头苍蝇”。再从表现方式上看，传统表现一定是先有路，才有车，似乎是“逢路有车”约定俗成。何不来个反其道而行之？一个叛逆的念头油然而生，主创人员大胆提出“逢车有路”的意念，于是一个“集大成者”的《道路篇》创意横空出世：一辆广州本田雅阁在没有路的山石丛中疾驶，车到之处，一条坦途自然延伸；远处一座高山拦路，广州本田雅阁冲入山体，所到之处，一座隧道浑然天成，迎面一条宽阔的大河，广州本田雅阁一跃而起，所到之处，一条恢弘的大桥向对岸延展；开进一座现代都城，广州本田雅阁渐渐离开地面，一条高架桥在轮下升起……

《道路篇》创意表现手法新奇悬念，给人一种勇往向前势不可挡的时代节奏感，“路是车开出来的”这一新概念，深化了广州本田雅阁上市的内涵，突出表现出广州本田“理想源自梦想”的企业信念。电视片音乐则选择了19世纪捷克著名作曲家德沃夏克的e小调《自新大陆》交响曲。这支乐曲是作曲家登上美国大陆情感迸发之后创作出来的，与广州本田在中国这块热土的抱负十分吻合，音乐被恰到好处地运用，营造出昂扬、奋进的气氛，极富冲击力，将整个创意推向高潮。

这个创意，客户一次通过。广州本田总经理门胁轰二说，《道路篇》让他想起日本一首叫《道成》的诗，大意是我们面前总会有一条路。好创意的“诱惑”使广州本田加大拍片投入，选择碧水、蓝天的新西兰为外景地。香港广告四大名导均对此创意青睐有加，最后由欧阳志伟“捷足先登”。

值得一提的是，拍摄过程专业化分工极为严谨，动用了12台工作车，地面拍摄和空中航拍分别由两个摄影师“抓机”，驾车手则请出了一级方程式的赛车高手，为的是以每小时170公里的“生死时速”奔驰，给人们感受的不是惊险，而是轻松、惬意、舒适。

“下线”翻开新篇章

期盼已久的广州本田下线仪式，广州市政府办公厅格外看重，召见省广主创人员汇报下线创意，要求简朴又不失体面，其难度不言而喻。

1998年12月17日，上海别克下线仪式曾在汽车界津津乐道，该仪式还在因特网上一展容姿，上海别克第一辆下线车创意是冲破一张绘有别克的画纸亮相，寓意一种超越自我的精神。

广州本田雅阁如何下线？怎么亮相？主创人员认为“悬念”是整个下线活动的“穴点”，在此策略的基调下，创意力求达到通过来宾猜疑如何下线到“原来如此”的豁然兴奋，向社会传递这么一个信息：广州本田汽车下线翻开了广州汽车工业的新篇章。

据说，先期策划方案有从地下冒出，由天而降的怪诞创意，几易其稿，最后拍案的是简洁、高雅、热烈的“新篇章”创意案。

1999年3月26日，下线仪式在广州本田4800平方米的总装车间隆重举行。主席台背景是一幅广州本田巨型“画册”。当广州市副市长宣布下线时，全场1000余中外来宾引颈翘望，广州本田汽车从何处入场？整个会场充盈悬念。此刻，《自新大陆》交响曲奏响，但见巨型“画册”缓缓开启，广州本田执行副总驾驶挂有001号牌白色广州本田雅阁从“画册”中翩然驶出，闪亮登场。翻开的“画册”扉页上“谱写汽车工业新篇章”主题词赫然醒目，它标志着广州汽车工业结束徘徊，由此走向复兴。这时，广州本田驶出“画册”后的空位背景落下一幅广州本田雅阁喷画，与霞光万道的广阔地平线大背景浑然一体，无言地宣告，第二辆、第三辆广州本田雅阁将源源不断开出。

中共中央政治局委员、广东省委书记李长春，全国人大副委员长邹家华等领导欣喜地走上旋转展台，在洁白的雅阁车身上签名，为身光颈靓的001号增色不少。广州本田当场宣布，将这辆签满领导及来宾大名的001号作为珍藏品留供展览。

《人民日报》、中央电视台等全国几十家报纸、电视媒体报道了广州本田下线仪式盛况。《羊城晚报》头版报道中说：广州本田今日下线标志着广州市重振汽车工业的宏伟计划成功迈出了重要一步，广州汽车工业在经历了一段坎坷和波折之后进入了新的发展时期。至此，广州本田雅阁轿车开始角逐中国市场。

起步，就与世界同步

广州本田雅阁的定位锁定在“现代商务、公务用车”，这与上海别克放眼中国公务车市场，同出一辙。尽管此前上海别克称国内没有对手，但由于广州本田开始角逐中国市场，“对手戏”必然是好戏连台。

由于本田与别克的背景不同，营销手段就各有侧重。别克在中国的保有量仅3000辆，中国消费者对其缺乏认知，故其广告宣传手法是以企业形象带动产品的方式进行，在广告宣传上突出表现上海通用对质量、人才等方面的诉求，来增强中国消费者对别克的认识与好感。

本田雅阁在中国有10万辆保有量，其知名度与产品情况已被较多的社会公众认识和了解，本田雅阁世界品质，无可置疑，但广州本田怎么样？这是消费者最关心的问题。通过报纸广告作理性诉求，是品牌整合力的重要步骤，主创人员在报纸广告宣传中利用本田品牌形象、美誉度，重点宣传广州本田雅阁的性能特点，将品牌形象广告与产品广告合并，诉求点侧重强调广州本田雅阁与世界其他地区的产品质量同样是一流的：广州本田雅阁将使本田一贯的世界品质、精湛技术发扬光大，并且处处散发创新的气息，独具集营销、售后服务、零配件供应、信息反馈四位一体特约店

的营销法宝。这个策略性创意，强化了本田品牌的整体地位。在感情诉求上，针对“劳斯莱斯”、“奔驰”这类让人顶礼膜拜的汽车的车主大都由专职司机抓方向盘，而作为商务用车的广州本田，则是由商务精英自己驾驶这一特征，对目标消费群作一番“煽情”：“广州本田优雅的流线型，体现力与美的结合，澎湃的动力与卓越的舒适性、安全性赋予驾驶者一种得心应手的控制感。”从而强化首选商务、公务用车的独特定位。

广告主题词“起步，就与世界同步”，一语双关，巧妙地将广州本田雅阁下线与其世界品质一脉相承的承诺，有机地组合，提升了品牌的社会价值。在广告版面运用上也十分考究，3月26日，广州几家大报头版报道广州本田汽车下线仪式盛况，对开版可欣赏广州本田全彩版广告，这种新闻与广告前后呼应的策划，强化了读者的记忆。

这条报纸广告的汽车照片拍了八天。日本两名摄影师曾关注过广州本田雅阁的拍片，认为中国摄影师拍不出高水平的汽车照片，省广的四位摄影师为了争这口气，连续几天凌晨4时起床，赶赴广州市郊“梦幻城”，静候朝阳初升到夕阳日落两个最佳时刻抓拍，后期又在珠影最大的摄制棚摆开阵式，在用光和角度上充分表现广州本田优美的流线外型，照片给报纸广告大为增色。

广州本田汽车广告整合策略上市后，广州本田执行副总陆志峰评价说：这么短时间省广能搞出这样的水平，看来没有选错广告公司。

胜败，乃兵家之常。如果我们仅仅为省广的一次竞标胜利而沾沾自喜，那也太小家子气了。我们之所以为省广的胜利而兴奋，主要是此役为本土广告公司的生存发展问题提供了广阔的思索空间。省广为什么能获胜？广州本田的评语道破了“天机”：“熟知国情，市场调查能力强，具有一流策划人才，项目组人员配备完整，有雄厚的物业及服务设施，服务热情诚意感人。”

怎样才能做到这些？卢泰宏、李世丁两位教授关于省广的一项研究（见《国际广告》杂志1999年第6期）中，有深度阐述。

省广，是一家善于学习，有雄心，有抱负，很执著的本土广告公司。他们执著地要做中国本土最大、最强的广告公司。这种执着，有如“子规半夜犹啼血”，因为他们“不信春光唤不回”！

案例17：为广州本田布局

——服务广州本田纪实

起步，就与客户同步。

1998年7月，广州本田汽车有限公司成立。同年底，广东省广告公司即成立广州本田项目，对该项目实行真正的单一品牌运作。至2000年底，广州本田部正式升格为广州本田业务局，拥有客户服务、策划、创意、设计、文案、展览、媒介等工作小组，对企业品牌“广州本田”和产品品牌“广州雅阁”实行广告垄断经营，业务覆盖率达95%以上，实现了真正意义上的“全面代理”。

省广对广州本田项目的服务，是以品牌管理为导向，以服务执行为核心，以客户沟通为基础的品牌全面代理服务。

服务导向：品牌管理

从服务广州本田项目伊始，省广的品牌管理服务队伍就明晰了广州本田品牌管理的实质和内涵，明确了品牌管理应尽的职责。

品牌管理职责

品牌宪法：协助广州本田制定品牌管理的战略性文件、规定品牌管理与识别运用的一致性策略方面的最高原则；建立广州本田企业形象品牌的核心价值及定位，并使之适应公司的文化及发展需要。

品牌架构：协助广州本田定义品牌架构与沟通组织的整体关系，并制定整个品牌系统，使广州本田每一个品牌都有明确的定位。

品牌规划：协助广州本田解决企业形象品牌、轿车品牌及服务品牌的延伸、扩展及提升等方面的战略性问题，以及不同发展阶段的指标。

品牌体检：对代理的广州本田企业形象品牌、产品品牌和服务品牌定期进行体检，对品牌整合营销传播进行战略监控。

广州本田汽车有限公司向社会承诺“一年推出一个新车型”，产品的改型换代和产品结构的丰富完善与市场需要同步，以应对轿车消费需求的多元化和个性化发展趋势。继在中国市场上成功推出广州雅阁 2.3VTi、2.0EXi、3.0V6 系列轿车之后，广州本田于 2002 年 4 月在全国统一发售新款多人乘坐多功能轿车—— ODYSSEY（奥德赛）。

品牌迈向多元化和层级化，势必导入对品牌的整合与区隔。这是广州本田品牌管理的基本原则。对企业形象品牌、产品品牌和服务品牌进行整合，是因为企业品牌可为产品品牌的推广营造有利背景，而产品品牌的深入人心则对企业形象起累积作用。另外，服务品牌则可以提升产品品牌的附加价值，并为企业形象品牌提供更强有力的支撑。产品品牌走向多元化，区隔品牌个性，首先是为应对日趋细分的汽车市场和目标群体需求。而按照目前广告传播的趋势来看，有个性的品牌才能以品牌文化的力量打动消费者的心。

在整合与区隔品牌的基础上，形成了广州本田品牌管理框架，即由企业形象品牌统领的，由服务品牌支撑的二级产品品牌并行运行模式。

服务核心：品牌管理的执行步骤

品牌管理的一切价值最终必须通过良好的执行来体现。

在确定了品牌管理职责、品牌管理原则和品牌管理框架后，广州本田业务局建构了品牌管理的执行步骤，并以出色的专业服务能力，对广州本田品牌的广告运作进行策划、制作、执行与监控。

第一，建立品牌规划程序。品牌规划首先确定了广州本田的品牌人群（即目标消费群）、品牌定位、品牌口号、品牌风格。

第二，建立品牌培育程序。通过视觉识别标准、广告表达、服务车展、SP、PR的表现，培育和提升品牌形象。

广州本田的视觉识别标准包括企业形象视觉识别系统和广州本田汽车特约销售服务店的视觉识别系统，分别针对企业和特约店，对企业文字标志（司徽）、特约店的名称规范、产品标识、标准字体、标准色、各种标志牌及日常沟通物品（如名片、信封、制服、公函文书等）的应用范例和禁用表现建立起了统一规范且具有延续性的视觉识别标准。

广州本田局策划并组织了产品下线仪式、国际车展、企业周年庆典、NHC亚太区大会等活动。良好的执行能力赢得客户赞誉和认同。历次车展的策划和组织，是广州本田局的活动策划、创意、展厅设计、物料制作、现场监控等专业服务能力的综合体现。迄今为止，广州本田局已全程策划执行了1999年上海国际汽车工业展览会、2000年（第五届）大连国际汽车暨零部件展览会、2000年第六届北京国际汽车工业展览会、2001年第九届上海国际汽车工业展览会等车展。

2000年北京国际车展，广州本田/Honda的联合展区以“热爱生命，关爱自然”为主题，配合排放指标达到欧洲Ⅲ号标准的广州雅阁、Honda已投产的油和电混合动力汽车Insight、以甲醇为燃料的FCX概念车等展车的布置，着力宣扬广州本田/Honda“人·车·自然”相互融洽与协调的文化理念。主展区采用极具亲和力的设计，以绿色为基调，布置棕榈树和绿草，将展车布置在叶形喷画地台上，营造出自然浓郁的南国风情。专门设计了环保区和安全区，以高写真喷画形式阐述广州本田和Honda在环保与安全方面的杰出贡献。展区设置环保球，表达“循环与再生利用”的环保概念。还请专人谱写环保歌曲《完美世界》，广泛宣扬环保概念。

第三，建立品牌评估程序。一方面通过“四度标准”，即知名度、认知度、美誉度、忠诚度来评估品牌的形象和价值，参照评估结论及时修正策略方向，调整战略步骤。一方面以二维方式，包括定量市场调查和定性品牌研究，进行深度品牌调研。

广州本田局坚持每月向客户提供一份市场月报，并不定期地对一些汽车业界的重大事件和新出台的相关政策措施进行分析和评估，以迅速有效地掌握市场动态。

2001年广州本田局投入资金逾40万元，与华南国际市场调查有限公司合作，在北京、上海、广州、成都4个主要城市进行了一次全方位的市场调查，为三年来的广告宣传效果作了一次客观的评估，也为今后广州雅阁的策划准备了翔实的第一手资料。市场调查显示：在所有的消费者中，广州本田、广州雅阁拥有69%的知名度；而在目标消费群中的知名度，广州本田、本田的知名度更是高达90%。

第四，建立品牌警报程序。全方位的信息渠道建设，使广州本田局以灵敏的触角，迅速获知产品认知警报、品牌方向警报、公关危机警报、品牌衰老警报等。品牌警报程序的建立，可以防患于未然，尽可能降低不良事态的影响和扩散；另一方面则可以帮助广州本田局对偶然突发事件快速反应、及时处理并妥善解决。

2002上半年，央视《焦点访谈》在节目中曝光了广州本田汽车某特约店关于维修服务不规范的个案。当晚广州本田局的有关人员就通过各种渠道获知了事件的状况，且于次日早晨拿到《焦点访谈》的录像资料，以最快速度召集新闻媒介、市场、策划、公关的专业人士紧急商讨应对措施，并将整理后的结论和建议及时反馈到客户。事件发生不到24小时，广州本田局从警报获知、应急措施和意见反馈等方面作出迅捷反应并拿出完满的解决方案。由于客户对事态积极回应、处理果断、态度诚恳，赢得了社会和媒体的信任，防止了不利消息的传布，迅速平息了事态。

服务基础：客户沟通

有人说，一切哲学问题都是语言问题。对于广告来说，一切广告问题都是沟通问题。

目前广州本田局服务的客户群体包括：（1）广州本田企业的7个部门（销售部、总经理办公室、企管部、采购部、总务部、工会、党委办公室）；（2）广州本田汽车特约销售服务店，迄今已在全国80多个城市建成120多家特约店；（3）东风本田（销售部、总经理办公室、企管部）。服务内容从广告策略制定、创意设计、广告制作、媒介发布策略与执行、事件活动策划、市场调查到日常客户沟通，是真正意义上的全方位品牌代理服务。

只有畅达的沟通渠道，贴身服务、快速反应的沟通效率，以及全员的客户服务的沟通意识，才能有效地服务如此庞大的客户群体网络和纷繁的业务。

在广州本田品牌管理服务队伍中，我们的每一位成员都有服务客户的沟通意识和心态，并通过良好的沟通技巧与客户交流意见、协调工作。广州本田局以提案会、总结会等正式会议，电话、传真、E-mail等通信交流和不定期的公函往来等方式建设了畅达的沟通渠道。日常沟通甚至保持每周四次以上的进厂频率。这就保证了每周与客户零距离交流的时间达到了15小时左右。在与客户的贴身服务中，省去了不必要的周折，信息传递沟通无碍，易于达成共识。当然，与客户沟通不仅仅是冷冰冰的工作关系。广州本田局不定期组织形式多样的联谊活动，与客户建立了朋友式的关系，使沟通渠道畅通顺达，交流起来也更轻松愉快。

案例18：广旭广告：本土洞察力的少数派

——国际理念与本土市场的融合样本

广旭背景

广旭广告有限公司，是广东省广告有限公司与日本旭通广告公司合资组建的，成立于1993年4月28日，至今已是十年华诞。广旭的公司规模从十年前的40余人发展到现在的近90人，营业额翻了几番，成为中国广告协会推荐的中国优势广告企业，中国大陆广告公司创作实力50强。广旭以汽车广告见长，有多家汽车客户与之合作；而广旭的“小糊涂仙”的策划创意，则成为中国白酒品牌经营的经久不衰的佳话。

省广，是一家勇于且善于争强斗胜的公司，也是一家善于把握“竞”、“合”之道的公司，“合”亦其“知胜”之本，广旭的诞生、发展、壮大轨迹，即为见证，亦为国际理念与本土市场的融合提供了一个难得的样本。

广旭广告，是一家对中国本土市场有深刻洞察力的国际性广告公司。

与全球经济相融合的中国市场，特别青睐既有国际化思考能力又能深刻洞察本土市场的广告公司。因此，有不计其数的广告公司声称自己有这种能力，但实际上拥有这种能力者却少之又少。广旭能成为这少数中的一员，源自其公司背景及与之相关的资源优势，同时也源自其十年如一日地对本土市场的深耕。

广旭广告，是中国“本土广告扛旗者”广东省广告有限公司与WPP集团成员、日本国位居第三的旭通DK广告集团（ADK）的合资公司。2003年4月，广旭已是十年华诞。所谓十年磨一剑，剑华露青霜。今日之广旭，在经营力、策略规划力、创意执行力、媒介策划与购买力等诸多方面，功力已皆臻上乘，成为中国广告协会推荐的优势广告企业，IAI中国大陆广告公司创作实力50强。其力作，诸如“小糊涂仙”、“逸景翠园”、“风神蓝鸟”、广东移动通信IP电话“省钱金三角”、东南汽车“得利卡”、“富利卡”及“菱帅”等等，无不脍炙人口，堪称经典。

资源奠定优势，为客户创造差异价值

广旭缘于其中、日母公司的强大背景，一开始便在优势资源的基础上进行了高起点的运作。

广旭导入了ADK的国际4A公司管理规范、“全员经营”理念及“品牌勇士”操作模式。ADK的国际经验与广东省广告有限公司犀利的本土“广告兵法”的有机结合，使广旭成功地实现了国际广告理念与中国本土市场文化的对接。这一优势，令广旭具有强大的开发本土企业的能力。这一优势，也成为对本土企业的强大吸引力。

广旭的客户结构中，虽有日系客户，但广旭的营业额与利润源泉，则90%以上来自本土客户。

广旭的本土客户不多，但都是大客户、优质客户，诸如东南汽车、南山乳业、海南马自达、南方航空、大印象酒业、清华源兴生物医药等，每个客户每年的广告投入少则千万元以上，多则超过1亿元。

这样的客户结构，是令人钦羡的；这样少而精的客户结构同时也隐伏着很高的风险。谁都知道，在中国市场上流失了一个上千万元级广告量的大客户，对并不很大的广告公司意味着什么。但广旭愿以优势的资源服务于优质的客户身上，从而取得广告界很高的ARPU值（单个客户的投资回报值）。

因此，广旭把全心全意维系客户关系、120%地倾心为客户服务、为客户创造价值当作公司的目标和使命。

只有为客户创造价值，广旭才有自己的价值。为客户创造价值，不只是要令客户满意，更重要的是助客户成功。满意了不一定成功，成功了自然就会满意。

广旭认为，助客户成功，首先是一个态度问题。态度决定一切。中国广告界有一个怪现象，广告公司开口闭口“顾客至上”，但对自己的顾客，广告主则怨忿丛生，什么“强奸创意”、“不懂装懂”、“土包子”之类的诅咒之声不绝于耳。广旭认为，不能只图自己玩创意玩得很爽，而令客户遭受损失。

助客户成功，同时也是一个认知问题。广告界有人喜欢言必称欧美。殊不知，欧美市场是成熟的市场，跨国公司是成熟的公司。而中国本土市场则是转型期市场，本土客户亦不是成熟的客户，其必然带有本土市场文化特色。大多本土客户，他们找广告公司，其实不仅仅是解决广告问题，甚至主要不是广告问题和创意问题。比如说，风神蓝鸟Ⅱ型车上市之前，首要问题是解决蓝鸟Ⅰ型车的库存销售问题，你解决不了这个问题的话，其他问题就免谈了。而广旭以锐利的营销企划力为客户解决了这个难题，并以具震撼力的创意让新蓝鸟一飞冲天。

当然，助客户成功的基础条件归根结底还是资源和能力问题。

为了客户成功，广旭依托母公司的国内外网络资源，千方百计满足客户的需要。例如，在服务东南汽车的过程中，调来了ADK在台湾的关联公司的人员助阵。

为了助客户成功，广旭实行全方位，24小时贴身服务。国际4A公司喜欢“教育客户”，让客户知道广告能做什么和不能做什么。这本无可非议，如果你面对的是成熟市场的成熟企业的话。但这对本土客户来说，就不一定行得通。本土客户要求广告公司解决的问题，远远超过了一般意义上的“广告”问题。问题是全方位的，而且给你的时间又极紧迫。因而，“全方位”、“24小时”服务，决不是喊句口号这么简单，而是态度、资源、实力的整合。

维系一个客户与开发一个客户的投资比是1∶5~1∶20。而维系客户的秘诀则是助客户成功，为客户创造价值。东南汽车这个超大型客户，与广旭合作已经六年。六年里，广旭助东南汽车这个中国汽车市场的迟到者，把东南“得利卡”推上了商务面包车的第二把交椅，把“富利卡”做成了RV休闲旅行车的第一品牌，让“菱帅”占据了“中档轿车中的高级车”的有利定位。东南汽车面市六年，已成为有价值的，值得信赖的品牌。东南汽车的成功，无疑也彰显了广旭的价值。好一个双赢局面！

知识创新品牌，以策略玩转广告魔方

广旭并没有躺在优势资源上睡大觉。他们在成功实现国际广告理念与本土市场文化的对接之后，在本土市场的实战中不断总结经验，不断与国际经验、实战案例相比照，并把经验提升到理论，开发出广旭的Know-How：“品牌广告策略六面体魔方”。

"六面体魔方"，是品牌、广告策略的思考模式。这一模式，从广告行销目标——有效地影响消费者购买决策出发，厘清了行销传播的两在误区：加大广告投入，但事实证明广告投入加大一倍，只取得市场份额平均3.5%的增长；若以全新创意取胜，研究报告却指出，广告宣传活动引起的注意力比其他广告提高20%，平均只带来市场份额大约0.5%的增长！

难怪广告主在半个多世纪之前就愤怒地发问："我知道广告投放的一半被浪费掉了，但我不知道是哪一半？！"

"魔方"提出了解决之道：正确的广告战略会带来广告行销活动效果的倍增！

何谓正确的战略？其精髓就在于一定要有一个主导的、诉诸理智、情感或心理的动机，才促使一个人作出购买决定。

你把握了一个人作出购买决定的主导动机了吗？广旭在为客户开发广告行销战略时，其过人之处就在于能把握消费者作出购买决定的主导动机。所以，广旭的广告很有效，可以直指人心。

在2001年代理风神蓝鸟时，广旭就以"魔方"中的"指标"性定位策略，以竞争对手一半不到的广告投入，首季销售订单就达到了万辆。正确的广告战略，效果何止倍增！

"魔方"的魔力屡试不爽。后来，广旭又以"增值"性策略为东南"菱帅"占领了"中档轿车中的高级车"这个有利的位置。

"增值"性策略只是"六面体魔方"之一面中的一部分，倘若六面都转起来，将是怎样的情景？

"魔方"主要构建者、广旭副总经理兼执行创意总监杨海标经过多间国际4A公司历炼，娓娓演绎其"魔方"的精妙时，声音平和而清晰，没有一点过分修饰，没有一丝故弄玄虚。有趣的是，当过教师的广旭总经理李崇宇，说话也是声音平和而清晰，但那低调的语言，骨子里却透出韧性与执著，携20年广告经验所散发出的睿智气息。而日方常务副总经理庄岛英一则持"快乐做人，快乐做事"的东方哲学，副总经理兼执行客户总监钟敏雄却是一位豪情万丈的人。这样的一个团队，真是妙不可言。多元互补的广旭，让人所感受到的是严密的逻辑力量，是理论与实战的一一对应。这常令人萌生茅塞顿开之感，感受到邢天舞干戚般的激昂，尽管广旭一点也不激昂。

也许，激昂并非电闪雷鸣一秒形成，地火无声奔流而一朝喷涌，但同样叫人激昂。

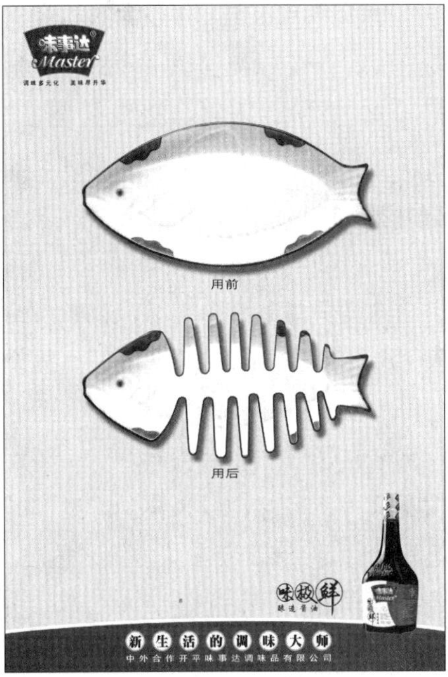

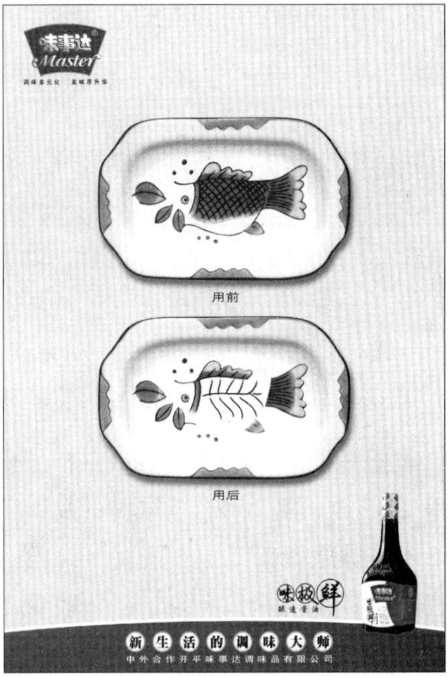

案例 19：造就中档轿车中的高级车

——东南菱帅推广策划纪实

广旭和东南汽车的合作已迈入第八个年头了，算得上是双赢的“金玉良缘”的典范。八年中双方形成的默契难以言说，客户尊重广告公司的专业，广旭尊重客户的权威，彼此互勉互进，在市场和广告方面，都形成了一整套科学运作流程。

好产品本身不会说话

继东南得利卡成为商务车第二品牌、富利卡成为国内RV车领头羊之后，东南汽车再次发力，推出畅销台湾10余年的经典轿车：菱帅（LIONCEL）。它本是源自三菱的蓝瑟（LANCER），产品经过几代更新，日臻完美，无论是外观还是内饰、配置，在同级别轿车当中都属前列，具备很强的产品竞争能力。东南汽车也希望借由新产品推出进一步提升形象，成为国内前五大的汽车厂。

菱帅的定价属于中级轿车，这也是国内竞争最激烈的市场，在其价格带范围内的竞争品牌多达近20个，而且几乎都是国际著名汽车厂商的产品。东南菱帅的品牌力显然不足。

在接下来的消费者调查中发现，消费者在了解产品后普遍表示希望能购买菱帅，但觉得东南菱帅的品牌名气不够大，另外，原来在台湾制作的5条菱帅原型车TVC在测试中纷纷“落马”，大陆消费者在广告诉求内容、表现风格等方面与台湾消费者表现出较大差异。

现实情况是：好产品本身并不会说话。那么，应如何切中消费者需

求，准确表达产品优势，与各国际著名汽车品牌展开竞争呢?

创造中级轿车新基准

中级轿车主要由“老三样”——桑塔纳、捷达、富康，和“新四样”——宝来、福美来、威驰、爱丽舍在主导市场，其他还有不少新品牌千里马、西耶那等加入战团，而经济型轿车——夏利、赛欧、奇瑞等也推出较高价格的车型，参与中级车市场的竞争。菱帅的上市，将面对前有狼，后有虎的复杂竞争格局。

在接到东南菱帅招标书后，广旭东南品牌服务中心（广东广旭和台湾联旭）立即在广州、北京、杭州3个城市举行了9组消费者深度访谈，希望了解消费者对菱帅的产品评价及购买考虑的重要因素。

结果显示：中级车消费者购车首先会给定一个价格区间，进而考虑产品的外形、安全、性能和配备等情况。目前情况下，他们对品牌的考虑不是十分强调，但品牌作为与产品、服务评价的影响指标，仍然非常重要。受访者对菱帅的产品评价甚高，不仅在配备和操驾方面极具吸引力，安全标准上也获得受访者的一致认同，整体表现为同级产品中的佼佼者。

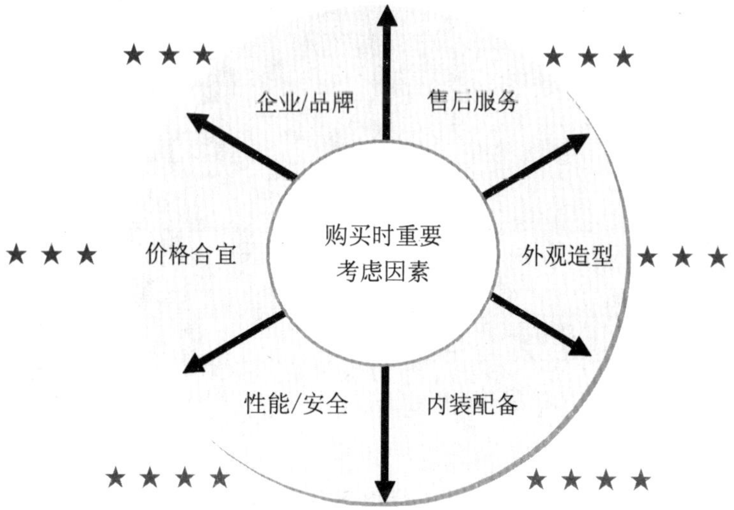

图1　东南菱帅产品力评价

广旭东南品牌服务中心惊喜地发现：东南菱帅产品力的出色表现，尤其是性能与配备、安全性方面，令受访者对中级轿车的认识大为改观！一个大胆而又谨慎的传播目标在我们心中升起：让东南菱帅创造中级轿车新基准！(参见图 1、图 2、图 3)

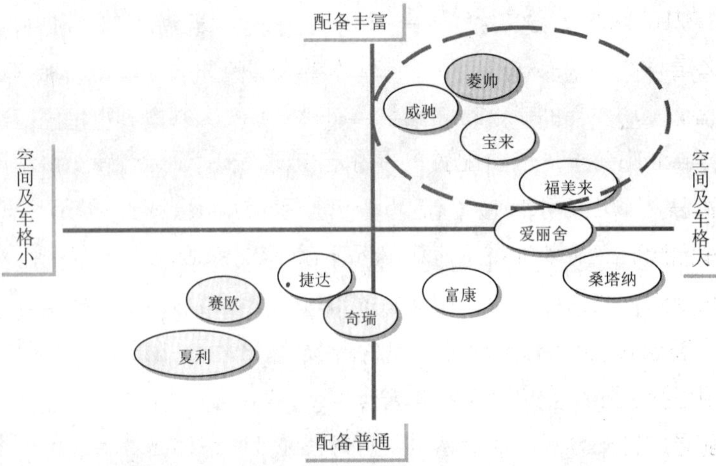

图 2　东南菱帅产品力评价

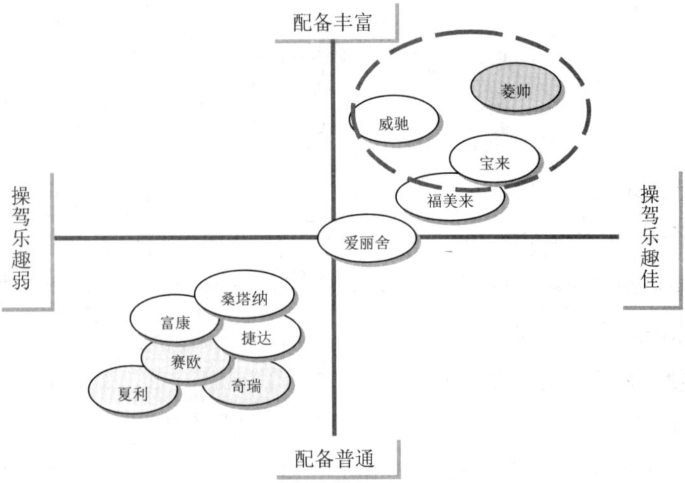

图 3　东南菱帅产品力评价

标签的力量

困扰广旭东南品牌服务中心的首要问题，是如何解决品牌力提升，以支持菱帅中级车中的高档轿车的定位，为其系列车款的上市提供市场空间和品牌拉力的问题。

什么是高档的价值感？怎样才能让人联想起高档的价值感？标签！

没错，借用众所周知的高级轿车的标签，用到菱帅身上。那就是BMW、Audi在高档轿车中配置的“手自排系统”，而菱帅也恰恰拥有这一高档配置“Sports-Mode”。借用手自排系统所代表的豪华造车工艺和高档轿车品牌联想，菱帅将迅速获得近乎BMW、Audi一样的尊荣，从而大大增强东南汽车的科技印象，拉升品牌。

作为整合传播中主要诉求信息的一环，“Sports-Mode”将在产品上市前动用电视、报纸、户外等媒体先行露出，“未见其人，先闻其声”，以悬念式的前导广告充分吸引消费者对菱帅的关注，制造话题。

创造高价值杀出重围，这仅是菱帅进军中级轿车市场的头一步棋而已，好戏还在后头！

好戏：科技大餐

通过前期消费者调查和对市场、产品等的了解，我们发现东南菱帅最吸引消费者的地方在于它的价格和内饰、先进的配置，尤其是国内比较少见的高档电子配置：电动后窗帘、倒车雷达、车载电话、INVECS II等等。而且消费者普遍抱怨汽车广告对产品信息露出太少。所以东南组的品牌勇士决定将传播主张确定为人性化科技——“科技在手，操之在我”，既集中体现菱帅的产品优势，又能满足消费者购车的心理需求和社交需求，是对消费者成功人生阶段性体验的一次总结（参见图4）。

在这一主张下，广旭东南品牌服务中心集中了海峡两岸的创意精英，为目标消费者准备了一道分量十足的“科技大餐”，做成动态脚本Motionboard的广告片长度为1分钟，对菱帅多种高科技配置予以突显，画面

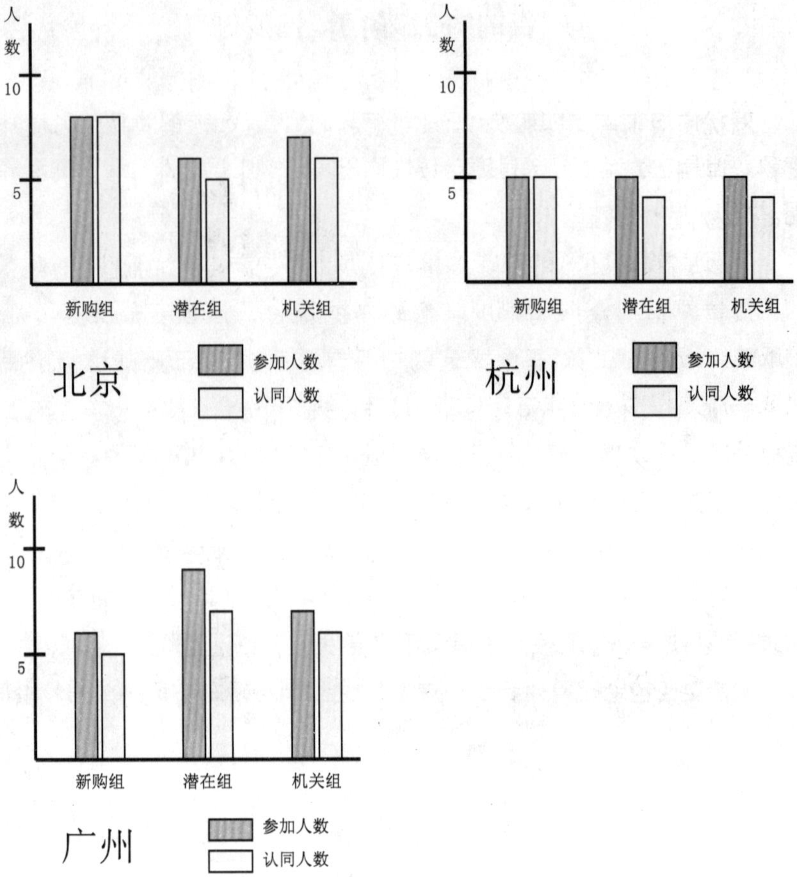

图 4　三地对传播主张的评价

处理流畅、精美绝伦，再加上冲击力强的平面广告及一浪超一浪的整合传播规划，无不展现出这部人性化科技房车的无穷魅力。

东南汽车的投标会操作规范，进行有序。当广旭东南品牌服务中心提报方案之后，来自中华汽车、东南汽车和各省的经销商代表发出热烈的掌声！很快，客户确定我们赢得投标，并和我们一起进行了广告创意事前测试，菱帅人性化科技的展现大受消费者好评，甚至不少消费者说这是他看到的“最好、最过瘾”的汽车广告。

广告的魔力来自理性的思考

好广告如同优秀的魔术，它能带给人们惊喜，在人们心目中留下深刻的印象。但是它的诞生，却是源自理性的思考，是广告公司方方面面实力的体现。

广旭成立10年来，在与客户共同成长的同时，逐步形成一整套科学的、行之有效的品牌管理制度、作业流程和市场工具箱，协助客户获得更大的成功。我们也相信，越来越多的客户将遵循品牌成长的规律，与广告公司达成品牌建设上的更大共识，中国必将涌现出一大批能走向世界的优秀品牌。

案例20：创意让蓝鸟一飞冲天

——国产汽车电视广告首获美国QUESTAR大奖

中国汽车市场在短短几年间，跃升为全球五大汽车市场之一，相应的推广费用也水涨船高，而且相配合的广告项目与推广物料众多，所要求的品质也一样期望值颇高，可以说施展的舞台和资源都大而丰富；但在另一方面，因为市场发育时间短，生产商和广告代理商都还缺乏操作经验，对广告的评价标准未能系统地建立，所以常常见到平庸之作；正可谓机遇与尴尬并存，左脚踏上了雪白的沙滩，右脚就可能被打湿。

自八年前接触汽车广告至今，我所做的创意也是沙泥俱下，博得喝彩的佳作和被人诟病的作品同时参差其间。拿为风神汽车生产的日产蓝鸟创意拍摄的电视广告片来说，这条叫“起风篇”的片子获得了2002年美国Questar奖（国际影像作品大赛）汽车类的银奖，而当届金奖从缺，算是此类别中的最高荣誉；而同样的一条片子在国内的广告竞赛中并不被看好。当然，最让我开心倒不仅仅是受到获奖的肯定，而是这条片子及其相配合的一系列广告整合传播计划，令蓝鸟在短短半年的时间便销售超过2万辆，从藉藉无名到一举跻身中国中高档轿车前三名之列。

这条广告片一开始就展现了“大漠孤烟直”的环境，暗示一丝风也没有，接着是一动也不动的风力发电车，静静停在宏大风车阵中的蓝鸟轿车；这时没有任何音乐，只听到渐渐加强的类似秒表的“嘀哒”声，让人感受到暴风雨前的短暂静默；突然间只见蓝鸟轿车的车轮急速起动，特写镜头快速切到风车风叶上，似乎被汽车带来的暴风瞬间推动风车，转动越来越快，随着蓝鸟在风车林中穿梭疾驰，一片片的风车被带动，当蓝鸟稳稳地停在完全转动的风车林前时，一种舍我其谁的王者之风，从壮观的风车林吹向观众。旁白适时地念出来：“世界随我而动，风神蓝鸟。”一气呵成。

那么，一条能既叫座又叫好的汽车电视广告的创意与摄制，需具备哪几个要素呢?

厚积薄发，留心处处皆文章。在此创意发祥的几个月前，我正好去新疆旅行，达坂城风力发电厂的风车林给我留下很深的印象，因而遇到风神汽车的蓝鸟轿车时，很自然地就将两者联系在一起。另外，在此片后期配乐时，遇到气氛营造不足的问题，在与香港的作曲家反复沟通后，忽然想起以前看过的法国电影*Taxi*，其中用到的秒表嘀哒声来加强静默的等待，感觉非常到位，顺理成章地又把此处理嫁接进去，起到了画龙点睛的作用。

二次创作，与导演互动再提升。在实际拍摄过程中，导演的思考和经验往往是执行环节上的又一次创作，沟通得好，往往有加分的效果。此片的导演是澳大利亚资深广告导演Ray Wagstaff，除了准确捕捉早晨和黄昏前后的光线勾勒汽车造型的独到处理，他也创造性地利用突发的起风扬尘天气，加入了蓝鸟绝尘而去的镜头，给广告片增色不少。

策略先行，衡量创意的惟一标准。当创意的灵感不断迸发火花的时候，最后记得要用策略去检验创意的准确程度，否则就不免会有手段凌驾于目的之上的嫌疑。《起风篇》的策略是营造新车型的强力上市感，并且在生产商只有蓝鸟一个产品时，产品形象即企业形象；因而，风神的品牌就与风车具有了天然的紧密联想，观众会得到一个强烈而直观的品牌认知。

单纯信息，单一诉求方可直指人心。通常在拍摄制作过程中，创作人员往往有乐于添加细节的倾向，殊不知反而会让广告信息分散，落下画蛇添足的笑柄。《起风篇》初剪的版本，香港的剪辑师为了加强汽车起动瞬间镜头的爆发力，特意增加插入车钥匙点火、速度表指针快速跳动的两个镜头，希望起到叠加的作用；但事实是反而让“瞬间起动”变成了“一会儿起动”。后来改为车轮急速转动扬起沙灰的一个特写镜头，即可准确传递原来的意图。

其实，在汽车电视广告的创意与摄制上，并无一成不变的定式，只有变才是永恒的不变。

相关链接：QUESTAR AWARDS 简介：

QUESTAR AWARDS 是每年 4 月在纽约举行的国际影视作品比赛，2002 年是第十三届。

参赛作品来自世界各地广告公司、公关公司、制作公司和导演、制片人。

评判团由美国、英国、澳大利亚及加拿大资深广告创作人及监制组成，评审准则比较注重创意、艺术性及制作技巧。

每一比赛项目只设一个金奖、一个银奖、一个铜奖及一个入选奖状。每一项目的金奖得主，自动有资格角逐全场大奖。

“风神汽车”影片参加“汽车产品”项目，该项目在当届没有作品获得金奖。“风神汽车”获得银奖，是当届“汽车产品”项目的最高荣誉。

案例21：上帝创造四季，我们创造第五季

——健力宝新品牌策划揭秘

当第17届韩日世界杯频频颠覆球迷的传统观念之时，央视世界杯赛事转播的冠名广告——健力宝集团的第五季《手势篇》，以其全新的概念，引起了人们的关注。

健力宝是国产饮料的第一品牌，一直承载着国产饮料的光荣与梦想。这个在1984年洛杉矶奥运会上崛起的“中国魔水”，从一开始就与体育结下了不解之缘。组建少年足球队去巴西留学，赞助大型运动会，一系列的体育营销事件不仅为健力宝赢得了极高的品牌声誉，也抵挡住了“两乐”的资本冲击，短短18年时间，健力宝发展成年销售额超过20亿元的饮料巨人。

20亿元的年销售额既是国产饮料的骄傲，也成了健力宝发展过程中难以逾越的一道坎，市场促成了世人瞩目的健力宝变革。2002年1月，资本高手张海正式入主健力宝，以3.38亿元收购了健力宝集团的75%股份，开始了健力宝凤凰涅槃的历程。这个睿智的年轻人给健力宝不仅带来了先进的企业管理运作模式、雄厚的资本，也带来了最新的饮料配方，其产品涵盖了果汁饮料、茶饮料、水饮料、碳酸饮料四大领域，品种多达30余个，强力打造全新的健康休闲饮料。一改健力宝凭借单一运动健康饮料打天下的局面，为成就中国饮料市场的领导品牌奠定了基础。在选择新品牌的广告代理公司时，健力宝集团格外谨慎，六家竞标公司中只有一家本土公司，它就是广东省广告有限公司。

一纸千金，省广竟敢背道而驰

春节假期后第一天上班，没来得及休息的策划创意局创作人员，就先期介入了健力宝的招标工作，与此同时，市场中心和媒介中心开始对饮料市场资料进行系统的研究，在短时间内为策略的形成提供了强有力的数据支持。出乎创作人员意料的是，不仅仅是汽水的领导品牌占据绝大部分市场，就连茶、矿泉水、果汁等近年来的新兴饮料，CR_3 也都在 70% 以上。面对一个寡头垄断初现的市场，如何形成产品的差异化，是新产品切入市场首先要解决的难题。挖掘产品的 USP？对产品同质化程度高的饮料市场

来说，任何 USP 都缺乏长久的生命力。要想在饮料市场别具一格，健力宝新品牌必须在视觉语言、心理感受、活动参与等一系列传播沟通中，形成自己的 UEP（Unique Emotional Point），与消费者产生情感关联，在与消费者的关系上形成品牌差异化。于是，他们提出了健力宝新品牌应该做成饮料消费者自己的品牌，凭借品牌 UEP 切入市场。

对健力宝招标工作经一段时间的酝酿后，在 3 月一个周末开始了第一次上山封闭作业。这一次，温卫平总经理调集了策划创意局、市场中心、媒介中心和多个业务局的创作骨干 20 多人，指定由公司策划总监丁邦清亲自挂帅，对健力宝新品牌进行全面架构。

夜里 10 时，创作人员召开第二次创作会议。烟雾缭绕的会议室里，创

作人员兴奋地陈述着自己的创意。丁总监突然中断了创作人员的讲述，抛出了自己的疑问：健力宝新产品应该是推一个品牌还是多品牌？从招标书来说，客户要求一种产品一个品牌，推出两类产品就需要两个品牌；从市场来说，竞争对手每年1亿元以上的媒介推广投入对健力宝形成牵制。健力宝新产品如果走多品牌的道路，势必分散推广力量，难以达成客户的推广目标，不利于新产品的近期推广，从品牌的长期管理来说，多品牌也容易陷入顾此失彼的困境。健力宝与其张开五指去抓市场，还不如握紧拳头去敲击市场，高度集中的品牌更容易形成市场优势。在创作人员的一致认同下，省广决定与招标书要求背道而驰，只推一个品牌，这不仅仅是对客户负责，也是对省广的声誉负责。此时，经过脑力激荡出的上千条产品名称，许多不错的创意就因为产品关联度过强而被弃用，一切从头再来。

一"名"惊人，省广颠覆上帝旨意

深夜12时，第三次创作会议在咖啡香味里召开。会议一开始，大家先对饮料市场上所有品牌进行会诊，从小儿科到神经科应有尽有。会诊结果让我们大为吃惊，命名少有缺陷的品牌，就是健力宝新产品最强劲的竞争对手。如此看来，品牌名称在市场竞争中发挥着不可低估的作用，健力宝新产品要想在竞争激烈的饮料市场占有一席之地，首先必须在品牌名称与现有品牌拉开差距。

创作人员先按优选法选出自己最优秀的孩子，两千多条品牌名称刹那间就只剩下三十余条。从创意上来说，这些品牌名称都有自己的独到之处，但是大家仍觉得创意不够，连自己都没有感动就意味着失败，整个会议室陷入一片沉闷之中。此时已是第二天凌晨2时，忙碌了一天的创作人员没有丝毫睡意，冥思苦索着一个语不惊人死不休的名字。创作总监曹雪不时说出几个有趣的名称，来刺激创作人员的思维，但是收效微乎其微。山穷水尽疑无路，柳暗花明又一村，丁总监从一位创作人员的作业中挑出了"第五季"，这个第一次听到觉得怪怪的名字，引起了创作人员的注意。从直接意义上来说，"第五季"带来了一个游离在四季之外的时空，仔细琢磨又发觉它就是消费者自己的精神家园。"知道春、夏、秋、冬四季，你知道生活在第五季的感受吗？"

"吃过四季的水果，你知道第五季果汁的味道吗？""忙碌劳累在四季，休闲轻松在第五季"……在大家七嘴八舌的讨论中，第五季的休闲饮品概念呼之欲出，凭着广告人特有的市场敏感，大家知道"第五季"已经做到了名称超凡脱俗，这就是大家苦苦追寻的属于消费者自己的品牌。

对追求完美的省广创作人员来说，健力宝新产品命名过程的一波三折，仅仅是整个创作的一段小小的插曲。投标结果出来以后，一位广告公司总监，颇费周折地打听他们到底输在哪里，仅仅听了"第五季"这个品牌名称，就当场无语。省广20多人为一个品牌名称花费一天时间，值。

一言中的，第五季赢得满堂彩

投标的时间到了，省广排在了最后。在听了几家公司的陈述后，健力宝高层脑海中已有了很多概念，更何况健力宝总裁张海是何等聪明的人。省广如约而至，胸有成竹地抛出自己的方案。正如事前所料，健力宝高层听到省广提出的只推一个品牌的建议非常吃惊，在听完丁总监对市场和企业的深入分析后，他们看到了省广的专业和真诚。

用什么名字来称呼健力宝的新产品，是健力宝高层极为关注的创意点。他们在听了省广对饮料品牌的会诊后，对品牌名称在饮料市场上的作用有了更充分的认识，健力宝期待着自己的新生儿完美无缺，希望省广提出的品牌名称能摆脱命名弊端。"第五季"，省广亮出了自己的创意杀手锏，品牌自有的新、奇、特、美的特点引起了健力宝高层的注意，随着省广对第五季品牌内涵的剖析，张海激动了，带头鼓起掌来，招标会的气氛变得非常融洽。抛开四季的烦恼，抛开四季的单调，第五季就抛开了竞争对手名称的模式和框子；带给消费者一个心情季节，留给消费者一个想像空间，第五季赢得了消费者的情感依附，一个游离在四季之外的时空概念就这样征服了客户。

这一天最兴奋的不是第五季的创作人员，而是健力宝总裁张海。张海当场向他的同事建议，将健力宝山庄改为第五季山庄，还戏言说自己要做第五季的掌门人，将第五季做成一种与时俱进的时尚，一种个性张扬的文化。客户的认同给了省广莫大的鼓舞，张海的豪言壮语也让大家感到责任重大。在成功的喜悦里，省广与健力宝一道开始描绘第五季的无限风光。

一改故辙，第五季到底有多大

作为一个超常规的品牌名称，第五季的品牌规划让省广创作人员绞尽脑汁，工作一度陷入一筹莫展的境地。第五季的品牌空间随着消费者的接受能力而变动，消费者能想到它有多大就有多大，任何人为的定义都有可能对品牌造成伤害。然而，营销不同于玄学，必须对第五季的品牌空间进行界定，从而决定整合传播的主题。在深思熟虑之后，省广将第五季定位在“轻松生活，表现自我”上，以此作为第五季的品牌原点，借用休闲、时尚、梦幻等元素，来演绎第五季饮料的“休闲饮品新概念”主张。就这样，我们既奠定了第五季的品牌平台，又给第五季提供了足够的品牌发展空间。

从第五季中标到上市，只有不到两个月的时间，这期间不但要完成第五季整套饮料形象的设计，还得完成电视广告的创意制作和上市推广方案，省广健力宝品牌组任重道远。在整个创作过程中，一切工作都围绕着“轻松生活，表现自我”的品牌定位来进行。整合，既让工作少走了弯路，也让创作人员掉了不少头发。

省广为第五季设计了四套品牌标识，每一系列都是上乘之作，健力宝最终选择了健力宝品牌组设计总监杨缨的密码系列，因为它的梦幻色彩可以很好地阐释品牌内涵。密码很好地运用到了以后的创意中，在健力宝独家赞助转播世界杯比赛的电视广告中，在《南方都市报》的“第五季生活杂志”里，郑州订货会上，密码都给人耳目一新的感觉。

作为快速消费品，电视广告对产品销售起着重要的拉动作用，第五季的电视广告创作成为上市推广的头等大事。健力宝总裁张海对广告创意非常感兴趣，这个曾经参与润讯传呼和清嘴含片创意的年轻人，不仅是商界精英，而且才华横溢，他对省广前几次的创意提案都不置可否，第五季又一次难住了思维敏捷的创意人。在百思不得其解之时，有人想到了第五季所追求的人性回归，提出用人类最原始的肢体语言来表达我们的主张，“手”就成了我们第五季上市初期传播的主要元素。省广将这个创意讲给新锐导演苏夏听时，苏导情不自禁地拍手叫好，当即推掉了其他的片约，全力以赴地制作第五季的电视广告。为了拍好这条电视片，一个动作最少要重复三遍，上千个镜头苏夏拍摄了整整一天。在后来由亚洲第一刀吴锋璘剪辑的第五季电视广告中，178个镜头很好地表达了第五季的内涵。

不同的手势表达着不同的含义，健力宝主题画面用什么样的手势，才能感召饮料的目标消费者呢？省广用数码相机拍摄了上百个手势，总感觉不到第五季的味道，在创作总监曹雪举起左手的一瞬间，一只看似人体彩绘却又带着梦幻色彩的手跃然纸上。一切都解决了，在后来的影视、平面广告里，个性张扬的第五季“手”招引着时尚潮流。

一手遮天，第五季在豫闪亮登场

2002年5月15日，第五季上市新闻发布会暨订货会在郑州召开。裕达宾馆的外墙上、展厅内、房间里、前面的街上，一夜之间伸出许多只第五季个性张扬的手。还没到会场，沿街的刀旗挥舞着热情的手欢迎着你；来到宾馆，迎面而来的巨幅户外喷画和一字排开的送货车车体彩喷，张开个性的手簇拥着你；步入会场，在撒满密码的灯光中，你看到第五季梦幻般的手召唤着你。清新的品牌个性随处感召着前来参加会议的每个人。

用一手遮天来形容第五季上市并不为过，第五季鲜明的个性赢得了所有经销商的心。会议尚未开完，摆在现场的“堆头”就被人们一抢而空，为了满足经销商的需求，健力宝不得不再从广东调货。经销商从第五季整合的传播信息和营销政策里看到了第五季的光明前景，倾囊订购第五季，甚至有许多经销商打电话回家追加订货。签约场面异常火爆，短短两天时间，各地经销商就与健力宝签下了1.5亿元订购合同，这是近年来饮料市场罕见的景况。

得人心者得天下，健力宝能在竞争激烈的饮料市场赢得头彩，除了企业名声、产品品质、营销政策外，一个重要因素就是高质量的广告支持。来参加会议的各地经销商纷纷为第五季的形象叹服，私下里都认定只有跨国广告公司才能制作出如此高质量的广告，当张海总裁宣布广告代理公司是省广时，惊诧之余，他们向省广的创作人员伸出大拇指。

一举成名，第五季风行全中国

健力宝的复兴和第五季的树名始于第十七届韩日世界杯，它为健力宝集团提供了一个闪光的舞台。张海总裁出资3100多万元买下了中央电视台的世界杯赛事冠名转播，此举赢得了国人的尊敬，许多球迷打电话到健力宝总部，感谢健力宝集团为他们所做的这一切。在世界杯赛事转播期间，球迷看到的不仅是精彩的足球赛事，个性张扬的第五季电视广告也给大家留下了深刻的印象。太原的一名小球迷，在看了第五季世界杯期间的广告后，满街寻找第五季产品，最后在健力宝山西办事处买到了第五季；中山大学一位老教授，在看到第五季的电视广告后激动不已，立即下楼买第五季产品。如此感人的事件还有很多，第五季在短时间内就成了一种时尚话题，市场反应良好。

市场是检验创意最直接的手段，在第五季上市短短的半个月里，第五季得到了市场的认可。分配给各地经销商的货销售一空，各地提货的车在工厂前排起了长队。

省广创作人员紧张的心终于可以暂时轻松一下。忙碌了几个月的健力宝品牌组，一边欣慰于来自市场的精彩反应，一边精心地策划着第五季的每一天。

相关链接一：Д юЖы жЮ???……

看不懂，那就对了，因为这是“外”文，如假包换的“外”文。

“第五季”这个反常规的名字，不管是听了，还是看了，脑子里就会不由自主跳出很多问号，也会引出很多梦幻般的遐想。她的品牌空间如此之大，让我们这些策划设计人员仿佛银鱼入大海，虽然活动、发挥的空间很大，但就是有点漫无目的。

且看思维活跃的健力宝总裁张海是如何感觉“第五季”的，“在拥有记忆之前，喜玛拉雅还沉睡在海里面，我们生活的地平线，编织着你我今生的奇缘，等了千千万万年，直到你的出现……”还有几句诗让你听了就会想起达利，“忘了摇的摇椅，打不开的抽屉，要想换个空气，画了个新天地。抛了一枚硬币，坐了五彩的滑梯，滑到你的梦里，幻想上天入地，彻底打乱四季……”

“第五季”就是这么反常规，充满奇异，梦幻，不可思议。

因为时间紧迫，策划设计并行，在一番艰苦卓绝的头脑大战之后，在丁老师的带领下，“轻松生活，表现自我”的定位终于出台，在这统领下，设计师们又开始了另外一场生命大战。设计之初，就有一种力量在感召着我，说不清道不明，在电脑上有意无意地打出一串连我自己都不知的乱码，“……”贴在特粗黑里，有感觉了，最原始的“第五季”品牌字体的设计就这样形成了。经过几轮筛选，我们始终坚守着这个方案。不过里面的乱码也改朝换代了几次，最终演变成了真正的“外”文，UFO上的文字符号，成了“第五季”的密码，正配合了“第五季”这个游离于四季之外的超时空的概念，有几许的另类，几许的梦幻，几许的不懂。由此逐渐设计了饮料的瓶型，太空瓶（后由于产品工艺问题没采用）LOGO选定了。在接下来的一两个月里，是发疯的，忘我的，无眠的，兴奋的，激动的，泪流的，拼命的，我和战友们完成了30多个品种的饮料产品的瓶帖、纸箱、VI、终端、户外广告和产品发布会的设计，在第五季的召唤下，实现了一个设计、制作上的奇迹。看着这些心血凝练的作品，一起日夜苦战的兄弟姐妹——曹老师、彪哥、芳芳、志国、罗兰、邬颖辉、雷又能等等终于露出了欣慰的微笑。

相关链接二："今年流行第五季"列 2002年印象深刻的新广告语首位

印象深刻新广告语的评选是经专家研究和筛选的，最终落定以"印象深刻"和"新的"两点为重要依据，并根据部分网友提到的广告语，决定了今年评选结果。

这一项评选活动颇受网友的欢迎，参加者高出其他项目几培，有些人还撰写小文补充其后。

这次优秀广告语有半数为国内品牌，可见本土品牌正在拉近与国际品牌的距离。这些优秀广告语的共同特征是短小简洁、真实，表达着一种人类共有的感受，令人心灵产生持久的共鸣。评选结果见下表：

序号	广告语	品牌	序号	广告语	品牌
1	今年流行第五季	健力宝	9	胃！你好吗？	斯达舒
2	冰力十足	康师傅冰红茶	10	建筑无限生活	万科房地产
3	MOTO 全心为你	摩托罗拉	11	火热的生活 冷静的选择	奥克斯空调
4	专家品质 信赖全球通	中国移动全球通	12	动力 宝来	大众宝来
5	是你吗？POLO（r u POLO）	大众 POLO	13	金龙鱼 1:1:1	金龙鱼食用油
6	一切皆有可能	李宁	14	比肩世界的品牌	柒牌服务
7	时尚科技主义	诺基亚	15	连接通信未来	联通·新时空
8	城市让生活更美好	上海申博广告语			

表1　2002年印象深刻的新广告语

资料来源：《国际广告》2003.2

相关链接三："第五季"市场质疑

第五季电视广告火热播出后，相关人士对其营销物流提出不同看法。

目前第五季的电视广告投放量很大，而在一些地区比如说北京，第五季的铺货面却不大，这在快速消费品市场是比较少见的。为此，本刊记者采访了相关人士，共同探讨第五季这种做法背后的营销策略。

蒋兴洲（健力宝集团销售公司总经理）：大家都能看到第五季的广告我就高兴，因为这些广告照亮着第五季的品牌之路。关于这个问题，我要强调一点：健力宝集团要推的是第五季休闲饮料品牌，而不仅仅是品类齐全的饮料产品。第五季是健力宝集团健康事业一个重要的组成部分，它基于健康休闲之上，与健康运动饮料健力宝形成区隔。要打造一个成功的品牌，急功近利是不行的，自上市以来，第五季正在踏踏实实做自己的事。大家应该知道，第五季的广告最早出现在中央电视台2002年韩日世界杯赛事转播里，健力宝集团独家赞助了这次足球盛事的电视转播，从一开始大家就可以看出第五季是在做品牌。紧接着，第五季又出现在了CCTV、MTV2001—2002年音乐盛典的颁奖晚会电视转播中，健力宝集团再次独家赞助这次音乐盛事。在广州，第五季还赞助了美在花城广告新星大赛。从这些公益活动中可以看出，第五季一直在认真地塑造品牌。目前有些地方出现货源不足的情况，这是个不太好的消息。不过，从中我们也可以感觉到消费者对第五季品牌的认可和需求，从这个角度来讲，这真是个好消息。

于雷（中央人民广播电台记者）：第五季的营销策略在快速消费品市场别具一格。首先，在产品命名上，它触击的是饮料消费者的深层次心理利益，而不选择浅而易见的功能利益命名；其次，在广告宣传上，别的饮料品牌都是围绕促销展开的，而第五季宣扬的是一种生活态度；再次，在销售策略上，第五季采取饥渴销售策略，一些地区货源不足，吊足了消费者胃口。这些反常规的做法，值得营销界关注和研究。现在媒介上对第五季的营销有一些不同的看法，如果目前去定论这些争论的是非，恐怕为时过早。就我个人的观点来说，市场在变，营销也需要创新，第五季的反常规营销自有它的道理，只要市场认可就行。

王先生（北京地区第五季经销商）：健力宝发送一批货，就会提供相应的广告支持，这笔广告费直接汇给当地的电视台，为产品销售提供了广告保证。自从第五季上市以来，健力宝集团进行了大量的广告宣传，企业的诚信让我们经销商很放心。如果说北京市场上第五季紧缺，这说明两个问题，一是第五季在北京地区的销售很好，二是第五季市场的空间还很大，我们会增加订货来满足市场的需求的。

晓晓（省广健力宝品牌组成员）：品牌的终极价值体现在它的文化价值，广告作为品牌塑造的一个重要手段，它不仅要为商品的近期销售服务，更重要的是要为品牌的长期发展服务。可口可乐卖的不是饮料，而是一种美国文化，为什么就非得把第五季的广告与商品紧紧联系在一起呢？健力宝作为国产饮料的龙头企业，不仅承受着商业竞争的压力，还肩负着诠释中国饮料文化的使命，否则，健力宝集团不会这样做的。对于市场上出现的这种现象，如果大家从文化的角度去看第五季现象，就不难理解第五季的营销策略。

曾青元（品牌研究专家）：第五季的广告打了两个多月后，我转了大半个北京城，从家乐福到华联，各超市均声言没见过第五季饮料，低档店也不见铺货。最后，总算在十里堡的一家华堂超市看到了有三种口味的第五季。为了进一步了解这种时尚饮品销售情况，我在柜台前停了一段时间，成效不多。

我看到的情况真真实实地说明，第五季在北京市场铺货的确严重滞于广告之后，这在任何产品的行销过程中都不曾见。现在已过了饮品的热销季节，也就是说，一个在品牌命名上就先声夺人的饮品并没有在第一个夏季中创造神奇，也许明年还有机会，但今年已不可能了。广告的喧嚣与铺面的行销成为“两张皮”。真不知健力宝的广告投入要达到什么目的？难道仅仅是玩企业文化？有人说可口可乐卖的不是饮料，而是一种美国文化，鄙人实不敢苟同这种观点。回忆可口可乐刚打入中国市场那会儿，还不是先有货，后有广告。世上哪有凭空造文化的商人！

王琦（健力宝集团北京销售分公司）：按照集团的统一部署，8月15日第五季就应该进入华联、家乐福等大型超市，但由于运输的原因，健力宝总部发往北京的大批饮料仍在路上。目前，我们只能先组织一次“试铺货”，上市的第五季系一家合作公司早些时候从广东健力宝总部进的货。先期铺进丰台区的一些便利店，是想试试北京消费者对第五季的反应，以便大规模地将第五季推进各大超市。从昨天的反馈来看，北京人对第五季表现出相当高的热情，有的消费者整箱整箱地搬回家，甚至发出“终于见到第五季了”的感叹。大批饮料预计将在最近两三天内抵达北京。最晚在本月底，第五季将在北京各大超市全面亮相。

相关链接四：差异化品牌营销的思考

第五季的广告震撼引起了业界的广泛重视与关注，已证明了它的影响力。不同的观点，是评论，也是探讨，是否正确与有益，最终结论还在市场。

第五季在竞争激烈的饮料市场，通过概念动作的游戏，创造属于自己的差异化优势，力图吸引一批忠诚的消费者。

这是一次勇敢的尝试，也是一次情感与文化的飞跃！是健力宝在传统的功能饮料基础上，向着更高的品牌境界的关键一跳！但也引起了一些思考。

一、品牌战略

第五季的品牌战略，走的是概念运作的路线，力图创造出一种另类的文化，实现差异化优势。

从健力宝对第五季的期望来看，应该是一个长线品牌。但就第五季这一概念来分析，它和可口可乐倡导的运动与健康有着本质的区别。运动与健康可以成为人类永恒追寻的文化。但第五季不同，它只不过是一个想像出来的文化，对于消费者来说，既陌生，又不懂，也就不可能成为广大消费者追捧与狂热的对象。

一些靠概念运作的品牌，一般也是短线品牌。那些对消费者来说，既不急需又不需要的概念，要想引起他们的长期追捧，看来很难。

作为一个概念型的品牌文化，会不会跳上品牌轮回的快车呢？思考过后更多的是担心。

第五季的上市，贯彻了一个清晰的经营理念："满足消费者的真正需要就是我们的发展方向。"

第五季是创造出来的一个虚拟文化，按品牌经营的常理来分析，它更应该是创造一种需求，创造一种另类消费者的内心对虚拟文化的渴望，这和健力宝的"适应需求"的经营理念是相互矛盾的。也就是说，以"适应需求"的经营理念，进行着"创造需求"的品牌营销，让品牌同时向着两个方向急驰，然而，终点是哪里呢？

二、品牌资产

第五季在品牌传播的过程中，所能接受到的惟一的"单一信息"，就是"现在流行第五季"。

从这一点上来分析，品牌的核心利益承诺应该是第五季本身。也可以这样推理，因为第五季是一个全新的另类空间或另类文化，所以在饮用第五季时，给你带来的是一种另类的享受。果真如此的话，消费者会不会真的因为第五季这一核心利益去进行品牌消费呢？

其实什么七种味道之类，对于产品本身并不重要，这样做的目的无非是在品牌形象上做文章，为其品牌利益点提供一个支点而已。

同样推理，第五季的利益支点应该是“现在流行第五季”，也就是说，消费者进行品牌消费时，应该这样理解：我要买第五季，因为现在流行第五季。这似乎有点牵强，因为有个性、另类的消费者，绝不会因为现在流行而跟风，这样的话，他们的另类与个性的内心满足感，又将放在哪里呢？

第五季在品牌动作上，犯了一个常规性的错误——信息对立的错误，即想拉拢另类消费者，却忽视了另类消费者的潜在心态。

品牌文化应该贴近消费者的真实生活，这种看不太懂的文化，对消费者的吸引力能有多大呢？这是第五季以后在进行品牌文化与资产积累时必须面对的问题。品牌经营如果让理想与艺术取代了系统与科学，那将是一件非常危险的事儿。

第五季倡导一种精神文化，想在情感上做到差异，思路很好。但有一个问题被忽视了，这文化与消费者相关吗？如果与消费者的现实生活偏离太远，对他们产生的吸引力又有多大呢？

三、品牌管理

健力宝当初靠其功能饮料与差异化优势，迅速取得了消费者的认同与信赖。

但第五季的营销思路，却似乎与走细分市场的专业路线背道而驰！试想，一个概念下的4个领域近30个产品，何谈专业与专注呢？

第五季要用一个概念吃遍所有品牌，似乎过于理想化。

宝洁虽然品牌众多，但坚持一个品牌有一个品牌的概念与诉求，彼此除了相互竞争之外，绝不相互借用资源，海飞丝就是海飞丝，潘婷就是潘婷。

第五季在品牌管理上，包括了维C可乐、热带水果宾治饮料等几十种，这给品牌管理增加了难度，如何保证每一个产品都有自己的个性与差异，是管理中最头痛的问题。

对于第五季的未来，我们不敢妄自评论，但第五季要想成为一个真正的长线品牌，就必须考虑如何从粗放式的创意与营销思维中跳脱出来，对品牌核心竞争力方面，就更不能忽视。

第七卷

形圆篇

孙子曰：纷纷纭纭，斗乱而不可乱也；浑浑沌沌，形圆而不可败也。

译文：

孙子说：旌旗纷纷，人马纭纭，要在混战中保持军队不乱；浑沌迷蒙中，（要部署周到，组织严整）使阵形像『圆』一样灵活运转，从而保持态势才不会被打败。

“形圆”，是孙子军事思想中的一个重要概念。这一概念，内涵丰富，博大精深。它与“分数”、“形名”、“奇正”、“虚实”等紧密相联，是“形”与“势”的融会贯通。“兵法”学者认为，“形圆”中的“圆”字，甚耐琢磨，认为“圆”是形象与抽象、人文与科学、柔与刚、整体与部分、智胜与力胜的融汇。

在营销传播范畴里，能与“形圆”相仿佛者，当属“整合营销传播”(IMC)。IMC这一概念，卢泰宏与李世丁自1995年起，即在《国际广告》杂志等刊物著文评介，随后又有系列著作阐述研究心得。进入21世纪，IMC概念已为业界炒得沸沸扬扬。时下，几乎所有传播业者都声称自己是IMC的行家里手。其实，真正了解IMC精髓者，少之又少。省广是这少数中的一个。虽说省广对IMC的所有核心概念的认识，不见得都那样透彻，但是，可贵之处在于他们根据中国市场的实践，提出了行之有效的解决之道。

7.1 整合营销传播的基础与内容

整合营销传播（IMC）已成为国内营销界走红一时的理论。营销和广告界人士动辄将整合营销传播作为市场营销的代名词，似乎只有整合营销传播才是营销，只要用了这一方法，一切营销问题就会迎刃而解。事实果真如此吗?

美国广告协会和舒尔茨教授对整合营销传播定义为："这是一个营销传播计划要领，要求充分认识用来制定综合计划时所使用的各种带来附加价值的传播手段——如普通广告、直接反应广告、销售促进和公共关系，并将之结合，提供具有良好清晰度、连贯性的信息，使传播影响力最大化。"这一定义的关键在于使用各种促销形式使传播的影响力最大化的过程。

让我们来看如下两个案例：

1907年的IMC案例：美国加州1907年的"新奇士"与铁路部门联合而做的整合传播。诉求点："吃柑橘利健康，到加州赚钱忙。"这个合作了几十年的广告案例现在还在继续。

另一个是大家都非常熟悉的万宝路"西部牛仔"：这是李奥贝纳公司自上世纪70年代就开始采用的视觉形象元素整合，直到在美国已经找不到牛仔的今天，李奥贝纳每年仍投入费用，拍摄各种并非现实中的牛仔形象广告。这个案例，可以说既是整合营销传播（IMC）的最好范例，同时也是定位理论的最佳诠释。

让我们以案例对比理论的推出："科学的广告"是1923年，"定位"是1972年，"营销战争"是1986年，而"IMC"是1992年的概念。从中我们可以清晰地发现，这些营销理论具有明显的滞后性。IMC仅仅是对营销现象中的一类进行归纳与总结，在前瞻性与可操作性方面并不领先于实践，而不恰当地运用这些理论，不但不能对我们的实践产生正面的、积极的、推动性的影响。对于盲从理论的企业而言，更是会带来灾难性的后果。

"拥有市场比拥有工厂更重要"，而拥有市场则需要一个强势的品牌。市场跟随者可以模仿一种技术，一种产品，甚至模仿别人的营销手段，但是，不能模仿品牌在消费群体心目中的特殊感受。判断品牌的惟一标准就是这个品牌被市场、被消费者接受的程度，整合营销传播的确是一种让品牌更快速被消费者接受的传播手段。

但是，我们同样不能忽视：整合营销传播不是吸引眼球的工具，更不是曲高和寡的高雅音乐，而是一种实实在在解决企业传播问题的思路与方法。体现在企业层面就是保持企业持续长期赢利，并能够通过品牌获取更高的品牌增值收益。因为，赢利是企业生存的惟一目标。

到底什么是整合营销传播？就方法论而言，它只是传播方法的一种，目的在于传播资源的有效化，传播效益的最大化。整合营销传播不可能涵盖营销的全部环节，其更大意义在于对传播的充分利用。

整合营销传播的范围既不能简单化、单一化，停留在“对不同媒体发出同一种声音”的媒介整合上；更不能无限扩大到企业计划、生产等等营销的各个环节上，这种盲目的扩大化会导致企业营销的导向性偏移。所谓的整合营销传播，绝不仅仅是成立个相应的部门，专门拨出几个人，改换整合营销传播的名头的工作。更为重要的是，如何在一定基础上进行适度整合。我们认为，想要真正发挥整合营销传播（IMC）的作用，必须“具备三个条件，整合两个内容，解决两个问题”。

整合营销传播，与其他的各类方法论相同，都不是“包治百病”的灵药，都有一定的“适应症”，结合其理论自身特点与营销传播的工作实践，我们认为真正意义上的整合营销传播，首先需要具备以下三个条件：

一是企业传播历史。对于一个没有历史的新企业，或者是完全没有知名度的新品牌，其需要的是整合营销传播的观念，但是，并不需要展开所谓的整合营销传播。因为，其根本不具有可供整合的纵向资源。至于“各渠道传播声音的一致性”，这并不能称之为整合营销传播的核心，而只是其形式，也并不能真正体现IMC的先进性。反观国外整合营销传播的成功案例，无一不是对企业的传播历史进行了很好的、系统的整合，通过对过去的整合，得到正确的品牌定位，并且能够一贯坚持，而使定位得到彰显，传播理念更为清晰。

二是具有整合的思路。没有一个明确的整合思路，传播起来就失去了方向。整合的核心只能是一个，如果同时有多个核心，就不是真正意义上的整合营销传播，试想如果万宝路不将其形象全部整合在西部牛仔下，并且持续不断地坚持这一思路，怎么可能取得今天的品牌印象?

在对整合思路的把握上，国内的大部分营销机构会出现这样的问题：只要中了标的客户，只要拿到手的客户，就想办法换他们的广告语，换广告主题，换广告片等，总之一个字：“换”。换得越多说明代理公司越成功，这是营销整合的误区。换一个广告语或者广告片并不难，难的恰恰是对核心主张的坚持。以国内花生油第一品牌鲁花为例，其“滴滴鲁花，香飘万家”是从1998年就开始坚持的品牌主张，通过相应的广告主题，将品牌清晰地与“香”产生关联，并且这个主张是与“食用油”这样的产品紧密关联的，是消费者的最大利益点。对比有些其他食用油品牌把“健康”、“环保”、“时尚”作为品牌核心而言，首先这一品牌主张是十分有利的，是把握了行业市场发展的最大利益点。其次，由于长期不懈的持续传播，反而给各种资源均丰富于鲁花公司的合资和外资品牌带来了威胁，让这些品牌的主张无所适从，这样的经典品牌主张，坚持得越久越见成功。

三是明确整合的方法。整合不是推倒重建，背叛历史，也不是墨守成规，一成不变，而是一种扬弃。在这样的整合方法下，任何假大空对整合都是大忌。

如李奥贝纳公司对万宝路的品牌整合，既不是“信天游式”的整合，更不是国内某些大师“金手指、金点子”般的随心整合，而是以一整套规范与合理的整合方法为基础的。任何人只要进入李奥贝纳，只要服务这个客户，就必须按照这个规范来，你是再大的营销大师也不能胡改乱来。这样的规范体系保证了品牌的有效整合。当然，这需要成熟的客户与成熟的传播机构相匹配。从这个角度上看，整合方法的科学性与系统性需要一定时间的磨合与调整，以国内某些企业一年一换营销或广告代理公司的做法而论，没有可能达到科学整合的效果。

科学、规范体系保证下的营销传播系统，才不会成为一个无用官僚机构。因为这样的系统将营销传播形成一个环环相扣的锁链，每一环节都有自己的负责机制，这样的机制，能够保证整合营销传播源源不断地向前推动。

在符合三个条件的基础下，营销传播需要整合以下两个方面的内容：

一是横向的整合，这是浅层次的传播整合。过去企业习惯于使用广告这一单一的手段来促进产品的销售，但今天处在信息高度发达的时代，传播手段纷繁复杂，传播渠道本身的信息传递与不同渠道的有机整合就要求企业在营销传播过程中，注意整合使用各种载体，达到最有效的传播影响力。

一个消费者能够接触到多少种企业信息呢？在各种新闻报道中，他能够接触到企业赞助社会各种活动的报道；在生活中，看到了该企业各种各样的广告；在卖场，产品与品牌有机地进行了展示；与朋友的交谈中，互相传递着企业与品牌的各种信息。这样，尽管每家媒体同时在传播其他各种各样信息，但企业的信息都是连贯的，并且科学地整合了各种媒体、不同时间段，并突出了同一主题。这样一来，消费者就会对品牌形象产生情感上的认同，从而激发购买产品的欲望和动机，这也是整合营销传播抓住消费者、打动消费者的核心问题。

只有通过传播渠道的整合，一个品牌的鲜活形象才能够展现在大家面前，对于一个新品牌，一个新产品，如何最大限度地扩大知名度与影响力，关键在于对传播渠道与网络的充分利用，"抓住每一次成名的机会"。

二是纵向的整合，即深层次整合，这才是整合营销传播的精髓。因为只有深层次地、对企业的传播进行了整合，才能将品牌的可接受程度最大化。而品牌的美誉度与忠诚度都需要通过深层次传播整合而来。

分析一下为什么爱多能够在短短时间内脱颖而出？一定意义上说就是爱多将其品牌传播效果发挥到了极致，对浅层次产品与品牌信息进行了很好的整合营销传播，取得了良好的传播效果；再看爱多最终的垮台，当然有其企业内部的原因，可是值得传播界关注的是，为什么企业的内部问题会引起企业营销体系的全线崩溃？为什么消费者会对这个与产品和品牌相去甚远的资金问题这么关注，最终导致消费者信心崩溃？难道强大的整合营销传播会如此不堪一击吗？

反观一些成功的国际知名企业，其品牌的深层次营销传播整合已经基本完成。比如麦当劳在深圳出售的食品出现安全问题后，市场本应形成轩然大波，消费者应该反应激烈，毕竟食品关系到生命。但结果市场只是短暂地产生了一些波动，麦当劳品牌不倒，也许有人认为这是其公关策略的成功，而我们认为，公关只是抵抗品牌危机的一个方面，更重要的是品牌与消费者形成了血浓于水的关系，而这种关系是坚不可摧的。因为消费者相信，麦当劳品牌是值得信任的，他是我们的朋友与伙伴，我在这里是"更多选择，更多欢笑"的，也许他有缺点，但是，他是"好人"，我们爱他，永远信任他。而这些，恰恰是国内品牌营销传播所缺乏的。

在整合营销传播的过程中，还需要解决两个方面的问题与障碍：

一、在整合的的过程中，传播伙伴选择的问题。有些企业盲目选择国际化的合作伙伴，认为只要找个国际传播公司就代表国际化、专业化、科学化，这无疑是不可取的，许多没有选择国际化的企业，仍然能够取得很好的成绩就是明证。鲁花集团一向不以国际化作为选择传播伙伴的标准，但是其传播的效果却让国际化的企业胆战心惊。我们反思，如果国内企业真的选择了一家国际传播公司，外资企业反而放心了，因为国际传播公司的套路他们都很清楚，这些东西也只能骗骗国内的制造企业，只要你选择了他们，在品牌传播竞争中你就永远没有形成真正差异优势的可能。试想，如果鲁花选择了国际传播公司，他们有成为国内花生油第一品牌的可能吗？

二、对于处在不同营销阶段企业，传播策略差异性的问题。正如脑白金在上市之时能够取得很好的销售效果，并不在于其做了如何的整合，如何的传播，而是产品定位准确下的精确诉求，在抓住足够差异化的产品（品牌）的诉求下，攻心为上，快速占据了消费者心理——“送礼还是脑白金”。可以说整合营销传播不是灵丹妙药，更不能让重症的病人急病乱投医，比如科龙，在营销体系出现诸多问题的情况下，即使整合了营销传播体系，也没能救它于水火。

整合营销传播到底是什么？是一个各说各有理的东西，没有绝对明确的答案。但是有一点是确定无疑的，就是无论如何天花乱坠的传播整合，落在操作层面上都是细微的点滴，而这需要一点一滴的规范化去操控与把握；没有规范化与制度化为保证的整合营销传播必将是失败的、短命的，不但不能真正发挥整合营销传播的作用；还会把企业和品牌推向绝路！

7.2 克隆时代的DNA思想

我们沉浸在一个克隆的时代：

生命的世界，细胞可以克隆；绵羊可以克隆；人，也即将可以克隆。

行销传播的世界，产品可以克隆；功能可以克隆；最可怕也最可耻的，是品牌也可以克隆。只是因为受到诸如知识产权等因素的限制，克隆行径以所谓的擦边球表现出来：“保洁”听起来是否很耳熟？“金庸”看起来是不是也很像武侠大师？

克隆必定和DNA有关。

DNA是惟一的识别因素。

所谓的品牌管理，核心价值应该是对品牌识别的管理，而品牌的根本意义，其实就是识别：视觉的识别，品质的识别，价值的识别，心理的识别，情感的识别，顾客群的识别。

导致识别，必须有其独有的要素，可以遗传，可以重组，也可以突变。

这种“物质”，叫做品牌DNA。

D：Design，代表广义的“设计”，是品牌呈现于人们感官的东西。

视觉的设计：标识、颜色、VI体系、造型、包装、代言形象如和蔼可亲的“麦叔叔”。

听觉的设计：如intel的标版声、kodak的广告歌“这就是柯达！”

N：Nucleus，是品牌的“中心”、“核心”。在产品、技术同质化的时代，更应逼迫“N”的差异化。“N”可能是同行们常说的品牌概念、品牌理想、品牌主张、品牌内核，我更愿意把它视为“品牌灵魂”：无魂者是行尸走肉，无魂的品牌是过眼云烟。

“学我者死，似我者亡”，“N”应成为品牌独有的资产，如“科技，以人为本”、“让我们做得更好”，各自为其品牌独占，历几年十几年而不变。

A：Action，是品牌的“行动”、“行为”。如PR行为、SP行为、DM行为、创意表现行为、媒体的选择行为。诸多行为无非是为了体现和加强“品牌与人们的关系”，最终拉拢人落入品牌圈套。

这样一种DNA思维工具，关键词当然是其中之“N”。有“N”之后，才有其“D”其“A”。

DNA分析便成为我们进行品牌规划时的第一个动作。分析一定能找出其可供遗传的要素，以及需要清除的杂质。

DNA重组自然也成为我们进行品牌规划时的最要害内容。

作为与品牌亲密接触的人，对品牌的DNA负有崇高而艰巨的责任。

7.3 品牌导航概念图说

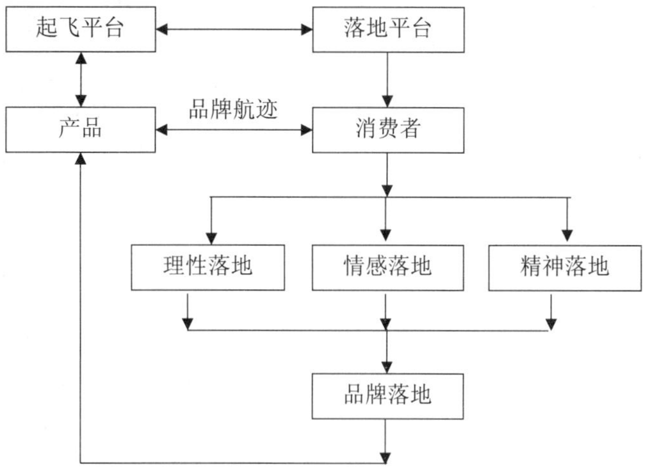

正如我们所了解的，产品是从企业起飞，降落到消费者手中完成销售的。但是，在这个过程中，产品如何才能到达企业所期望的消费者手中，如何才能让消费者允许产品降落（接受产品），如何才能让产品及其本身附带的有形部分和无形部分安全着陆（为消费者所理解，满足消费者的期望），并且通过一系列的交流得到消费者对企业的认同和反馈，从而建立产品到消费者的航线（产品忠诚度）却是制约企业长远发展的主要因素。

将这些因素综合起来，就是如何利用品牌来沟通产品与消费者的问题。那么，广告公司在其中应该发挥的作用则是为品牌导航。

首先，每一种产品都有其固有的功能和特有的文化内涵和服务理念，这决定了没有一种产品能够满足所有消费者的需要，除非有朝一日空气也变成了商品。即是说产品通过品牌而与消费者形成了一一对应的关系。所以产品可以到达消费者，大部分原因是由于品牌捕捉到了独特的消费者。这就涉及到广告公司应该为所代理的品牌在从产品到消费者之间确立一条或开发多条明确的品牌航迹，以便稳定现有的、特定的消费者群，发现潜在的消费者群，为产品的长远发展提供清晰的脉络和足迹。

其次，当品牌到达特定的消费者时，并不意味着销售已经完成，事实上品牌带给企业最大的优点是引导消费者对产品进行重复购买。但是，如何让品牌成为促进销售的积极因素又涉及到让品牌在消费者手中平稳着陆的三个层次：

一、理性落地。

消费者选择一个品牌首先选择的是这个品牌所代表的产品的功能特性，如同饿了便会去购买食品，渴了便会去购买饮料一样，品牌只有在符合特定消费者的特定需求时才会对消费者产生吸引力。所以品牌导航的首要因素就是有针对性地让功能特性安全着陆——让消费者认同所宣传的功能和实际功能的一致性，继而为下次有目的的购买打下基础。

二、情感落地。

随着社会生产力的发展，产品种类得到极大的丰富，同时具有相同功能的诸多产品也应运而生，为了区分这些产品，企业积极开发出产品的许多延伸功能，形成了产品的第二特征，从而导致在相同的基础上衍生出不同的品牌个性，不同的品牌个性又为产品牢牢地把握住固定的消费者群。可以说，消费者正是基于品牌给予他们的喜好或者说直观感受来区分同质产品进行购买的。所以，品牌导航应该不断完善和创新现有的品牌个性，有目的地切入消费者的情感感受，让情感安全落地。

三、精神落地。

产品因其被赋予了更高层次的文化内蕴和服务理念等无形价值而在被消费者使用时具有辐射的影响力，即它能为消费者制造一种归属感和感召力，满足消费者衣食住行以外的需要，就是说品牌要通过其固有的文化带给消费者一种特殊的区别于其他产品的附加价值，为消费者提供一种具有优势的社会定位，以完成消费者的差异化、高标准的心路历程。当然，品牌建设的精神落地最为复杂，但是最难被竞争对手模仿，同时也是让企业以及产品具有长久生命力的关键所在，所以指导品牌落地的关键是精神落地。

只有在理性落地、情感落地、精神落地的基础上，品牌才会落到实处，成为联系产品和消费者的纽带，促成产品的战略发展。

综上所述，品牌导航不仅仅是将产品引向消费者手中，而且是运用一系列的手段将消费者引导回产品，从而实现企业长远发展的有力支持。

案例22：广东电信的品牌管理大纲

2000年，省广通过竞标，从以“品牌管理”行家为标榜的某国际4A广告公司手中夺得广东电信的代理权，开始对广东电信实施全方位的品牌管理。

通过品牌诊断发现：广东电信只有“中国电信”企业品牌；没有从受众角度理清产品线；上百种业务的对外传播呈无序状态。

一、广东电信原业务体系构成一览(见下表)。

序号	类别名称	主要涵盖业务
1	传统电话业务	长途电话、本地电话、卡式公话等
2	程控电话新业务	千里眼（来电显示）、语言信箱、呼出限制、转移呼叫、免打扰服务、会议电话、遇忙回叫等
3	电话增值业务	200、300、800、声讯服务台（160、168）等
4	数据业务	帧中继等
5	综合类业务	商业网、一线通、189电话受理台、180电话投放台、特服台（114、117）台、电子信箱（E-mail）、电子商务（EDI）

二、广东电信品牌管理发展方向。

确立六大业务分类品牌概念为中心的三级品牌管理架构，围绕六大业务分类品牌展开有序的品牌传播。在坚持三级品牌管理架构的前提下，以用户群体的需求为核心，进行电信产品的个性化组合推广。

三、广东电信三级品牌管理模式。

一级品牌（企业）：中国电信集团广东省电信公司。它是二、三级品牌的形象资源。

二级品牌（六大业务分类品牌）：公众服务、本地电话服务、长途电话服务、电话卡服务、数据多媒体服务、网元服务。这是体系的核心与枢纽，是电信内部管理产品的依据所在。

三级品牌（各项具体业务）：略。它是直接和消费者接触并与之建立关系的品牌。

三级品牌系统，互动循环，生生不息——从上而下，是支持；从下而上，是支撑。

四、核心服务理念：品牌管理，创意快递。

在这一核心理念下，为之建立标准工作程序、组织架构以及相关制度等。

案例23：广东电信降好雨

——广东电信资费调整系列广告诞生记

进入2001年后，中国电信市场不断爆出猛料。年初，中国铁通宣布进入电信市场，这是继中国联通、中国吉通、中国网通后又一家“杀入”电信市场的电信运营商。中国电信业呈现空前激烈的竞争态势，广东电信资费调整广告活动正是在这个背景下展开的，但它不是一般意义上的促销广告，而是具有新闻性、事件处理、危机公关等深层面的时效意义。特别让人赞赏的是，“好雨”创意与事件发生的春天时节相当吻合，十分贴切，可谓天作之合。

早春，2月21日，中国（广东）电信在广东强势媒体以公告的形式，条理化、表格化地公布了电信资费调整的全部内容，从而撩开了电信资费调整的面纱，一场沸沸扬扬的电信资费调整尘埃落定。3月初，广东电信借势推出“好雨知时节”系列广告，恰似一场春雨滋润消费者的心田，《南方都市报》专版点评这组广告是“难得的好设计，好创意，它与众不同，让人记住”。其实，“难得”的背后，的确不易。

满城风雨说资费

年初，国家信息产业部、国家计委和财政部正式出台了酝酿已久并几经修改的电信资费结构性调整方案。此次资费调整涉及面广、调整幅度大，是新中国成立以来最大的一次资费结构性调整，这无疑将对我国国民经济起到积极的促进作用，使我国电信资费结构趋于合理，从而推动电信和第二、第三产业的快速发展。但由于资费结构调整有升有降“动作”过大，社会舆论和广大电信消费者众说纷纭，莫衷一是。一时间，众多媒体热炒资费调整话题，有独具匠心者用算账方法，认为中国电信市话调整“明降暗升”，并翻出行业“垄断”的老账，有的媒体还将手机话费调整、寻呼机资费调整与电信调整三者结合报道，导致受众将手机不单项收费、寻呼机资费调整等不满转嫁到广东电信，其负面影响显而易见。如何引导受众从大局出发，冷静、

客观、公正地看待此次资费调整，淡化片面、孤立、偏激的言论，塑造新世纪广东电信改革进步的良好形象，资费调整策略的运用决定着此次推广活动的成败。

和风细雨塑姿态

广东电信的固定电话网络规模在全国首屈一指，在这次资费调整中，广东被列为重中之重，外界对资费调整“过敏”的神经，更加大了传播的难度，可谓“一着不慎，满盘皆输”。由此，在广告促销、公关等各方面整合推广中强调统一思想、统一主题，姿态先行。

从市场调研的结论看，由于信息时代的消费者越来越离不开日常电信服务的便利，从而对电信服务总是心怀期待。对于此次资费调整，消费者在意的不只是与个人利益的关联，更在乎电信商的姿态，某种意义上讲，姿态代表着电信形象。在姿态先行的原则下，推广策略分为三个层次，即公告广告、形象广告、功能广告，由权威性到亲和性再到实用性的循序渐进、层层推演，力求在平和中亲民。于是人们发现广东电信首先亮相的是姿态，这有别于一般的传播活动，广东电信抓住这个万众瞩目的表达时机，向社会展示一种“志存高远，胸襟广阔，既不失亲和，也不卑不亢”的姿态。这个定位为后续推广敲定了基调，于是请出了电信专家和权威人士等三方，中立地评价此次电信资费调整的主要内容及其重要性、必要性，讲述广东电信日新月异的技术发展使运营成本不断降低，为资费调整提供了空间和可能，意见中肯，内容翔实，说理充分，并同样用算账的办法，告诉消费者如何使用电信业务才会让“荷包”不缩水，跟进祭出扩充“180”、新开“8008300315”、试点“1000”等多项创新服务的猎猎旌旗，提升核心竞争力，体现广东电信在资费调整中大气、亲和的形象，借势传达了广东电信“每天前进一步，永远真诚服务”的企业精神，广东电信品牌跃上了一个新的平台。

听雨观雨赏好雨

广东电信所表达的姿态最终还是要回归到与消费者的沟通中来，将广东电信形象、理念转化为具体的、物质性的利益，沟通得当就会如鱼得水、左右逢源。

“好雨”是沟通的点睛之笔，创意过程颇有点戏剧性。开始时大家围绕电信资费总体下调，都在降价上做文章，苦思冥想怎么表现降呢？于是想到了降落伞，降压灵……但停留在“降”字上，未免又太实了，且降与投降的降字同形，一时间，大家无语。不知那个鬼灵精捣鼓：“下雨好不好？”有人不以为然：“下雨有什么好心情？”不知谁冒了一句：“好雨知时节啊！”众人如梦方醒，拍案叫绝，“好雨”不温不火，不讲降价，意境亲和。

“好雨”主题一经敲定，以《伸手迎雨篇》为统领总稿，一气呵成推出了“好雨”系列，画面采用风格画竖构图，渲染一种好雨润万物清新、雅

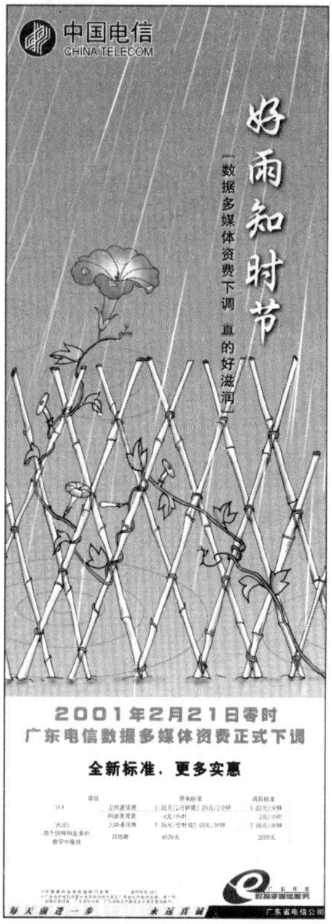

致的春的感觉，唤起“广东电信的春天到来”的联想。

继而在常规广告推广进程中采取了分四步走的策略。

第一步，出租电路资费下调《春芽破土篇》先行。广东电信的电路基础设施是许多电信运营商，甚至是竞争对手的电路基础，这与广大消费者虽然没有太大的利益关联，但通过《春芽破土篇》表现广东电信不惧内外竞争，主动降低出租费用的胸襟，给人们感受到的是电信资费下调滋润万物的大气和生机，为后续稿子打下良好的形象基础。

第二步，跟进推出长途资费下调《男女同伞篇》。雨中男女共伞，表现了一种美好沟通和交流。长途资费下调符合消费者的利益，从市场反应来看，也普遍被消费者所接受，在出租资费调整广告推出之后启动《男女同伞篇》，使消费者得到实惠，巩固了前期广告所要达到的效果。

第三步，推出因特网资费下调《花上篱笆篇》。这是根据电信资费调整方案中“为了促进竞争，各互联网服务提供商可针对不同需要的市场情况，自行制定网络使用费标准”的规定，有针对性地下调。《花上篱笆篇》巧妙地运用藤爬篱笆，花开在上，编织了一张“上网”图，多媒体资费的调整如同春光在网上流淌，带给消费者美好的上网感受。

第四步，最后推出本地固定电话计费单元调整《儿童戏水篇》。基于前期系列广告突出的都是资费下调，积累了受众好感，把争议最大的市话资费调整放在最后压轴，减缓了受众对“明升暗降”的抵触情绪。《儿童戏水篇》呈现的童真情趣，宣示“多一些沟通和交流，远离猜疑和复杂，人与人之间心灵距离可以更近”的哲理。

3月中旬，国家统计局中国经济景气监测中心对北京、上海、广州三市的电信消费者进行的调查结果显示，对于这次资费调整有95%的消费者持肯定态度。

真个是“好雨知时节，润物细无声”。

案例 24：当时，我和她之间的距离只有 0.01 公分

——中国电信 17909《占便宜》系列广告备忘录

数字

2002 年 8 月客户方 17909 手机服务第二阶段广告效果调查——

周期：2002 年 5、6、7 三个月。

用户量：17909 手机服务 5、6、7 三个月用户数新增一倍，达到 87 万（原有用户 43 万）。

通话量：6 月份缴费卡充值比上月增长 6 倍，通话增长 2.5 倍。

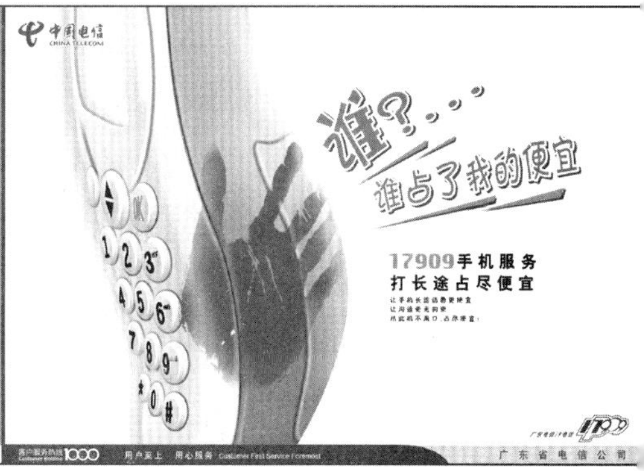

缘起

2002 年，广东地区电信市场格局在悄悄地发生变化。华南地区的龙头大哥广东电信的消费群开始和移动的消费群发生重叠。数据显示，截至 2002 年 2 月，中国电信的固话用户是 1.9 亿，而中国移动的用户已经达到了 1.2 亿了。这个比例到了广东，数字会更高一些。竞争不可避免，2002 年 3 月，移动 IP17951 甚至借助 IP 充值卡，打出了“登陆固话”的广告。

广东电信认为，要保持其强势品牌地位，出手必须“快、准、狠”！两大电信公司第一次正面交锋，从IP充值卡开始。

而现状是：电信IP17909是IP中的质优产品，知名度和美誉度都很高；移动推广其省钱“金三角”17951以来，已经有品牌效应。

演义

2002年4月初。

金广大厦东11楼，广东省广告有限公司广东电信品牌组会议室。

为了打响反攻第一击，大家已经祭出了所有的法宝。

传播策略定出：打造17909省钱新形象——幽默一点，人性一点，有趣一点，一致认同。

表现执行：围绕“省钱”，有正统刻板的图片式，有离奇出位的行为式，有精灵古怪的卡通式……都“咔嚓”掉，都不行。脑汁搅尽的时候，也是接近沸点的时候。大家都知道，我们要的东西离我们只有0.01厘米了。

“‘占便宜’这个概念怎么样？”一个不可抑制的概念冒了出来。水烧开了。“谁占了我便宜？”“占尽手机便宜！”后面的东西就变得顺利起来。定出了卡通风格来表现，定出了“谁，谁占我便宜？”的平面稿和FLASH电视片。提案，一次通过。

市场效果，反击成功，就是本文开篇的那组数字。附加效益也相当不错，平面作品拿到了2002年广东省和全国的广告作品展的一些奖项。

反思

一、我们每天做的，真的都是广告吗？

我们发呆，我们郁闷，我们亢奋，我们沮丧，我们喜悦。我们掏空自己的知识和经验，我们编造欺骗自己或打动别人的故事，我们闭门造车每天工作10小时连周六周日都搭上编造的——那些东西，那些我们每天做的东西，真的是广告吗？

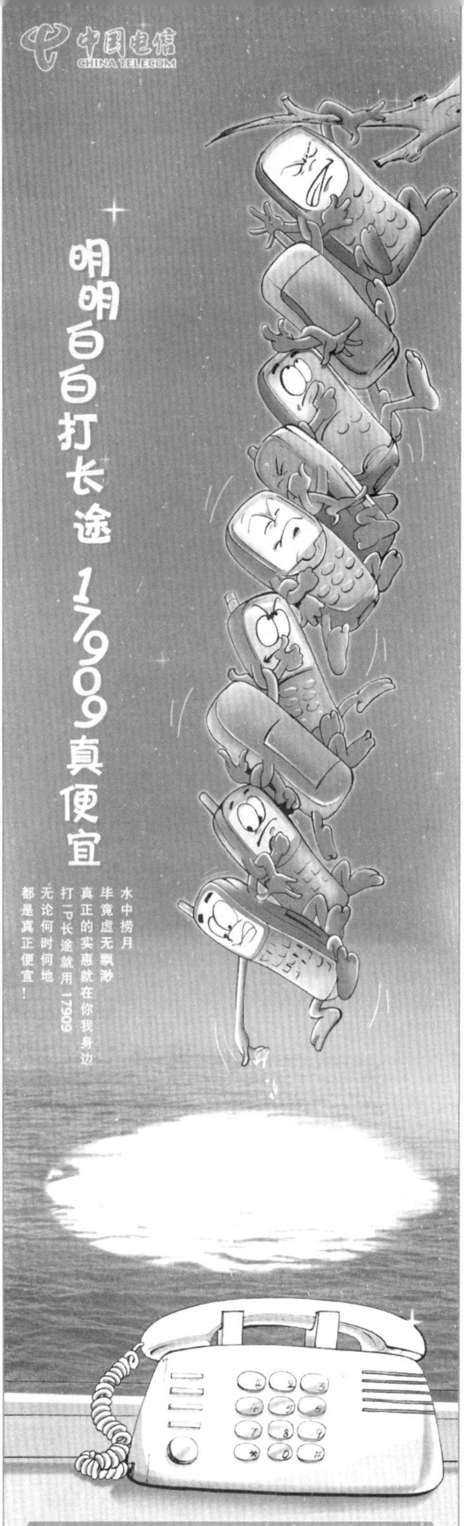

17909 清清楚楚打IP长途，便宜占得明明白白

拨打IP长途产生的费用：

主叫基本通话费用+IP长途通话费用+被叫基本通话费

拨打电话的方式	主叫基本通话费用	IP资费	主叫支付的费用	被叫基本通话费	共支付费用	备注
固话—固话	0.11*	0.30	0.41	0	0.41	* 固定电话接入费，资费模式为3+1，前三分钟资费为0.22元，以后每一分钟为0.11元，此处按最贵的资费计算。
固话—手机	0.11	0.30	0.41	0.40	0.81	
手机—固话	0.40"	0.30	0.70	0	0.70	" 手机通话的基本通话费用以各运营商公布的为准，漫游手机、预付费手机，费用相应增加。国内长途IP标准资费为0.30元/分钟，某些电信运营商在一定时间内有一定的优惠，以IP五折优惠计算，则费用为：0.40+0.15+0=0.55元/分钟。
手机—手机	0.40	0.30	0.70	0.40	1.10	IP资费，某些电信运营商在一定时间内有一定的优惠，以最低0.01元/分钟计取，则费用为：0.40+0.01+0.40=0.81元/分钟。

注：1. 上表IP资费为国内长途IP资费。 2. 上表中计费时间为1分钟，资费单位为人民币(元)。

客户服务热线 10000 用户至上 用心服务 Customer First Service Foremost 广东省电信公司

孙大伟把只管自己的风格、创意而不顾及客户利益的作品统统叫做“自己爽”的，那还远远不是广告作品。单单有创意是不够的，能够有效地帮助销售的，才是合格有效的广告作品。构思的时候自己爽，推出的时候消费者爽，营销的时候客户爽，大家爽才是真的爽，哈哈！

通常，我们与合格的广告作品的距离总是存在着0.01厘米。抓住了，一个真正意义上的广告作品就诞生了；错过了，也就有了许多擦肩而过的遗憾。

二、这0.01公分在哪里?

这个0.01公分，存于我们和创意之间；

这个0.01公分，存于我们和消费者之间；

这个0.01公分，存于我们和客户之间。

理论总是在实践之后。回顾“省钱”到“占便宜”的概念转换：

满足创意：省钱是17909的利益点。“省钱”，是一个中性的，没有性格的词。它无法使17909和移动的17951造成任何品牌形象的区隔，更无法具备一个好概念的“延展性”的基本指标。省钱是利益点，但缺乏打动消费者的传播力，“占便宜”做到了。创意既然最终的指向是消费者，那么就让我们“从群众中来，到群众中去”，用他们的话语，说他们感兴趣的事情。“占便宜”是市井俚语中经常遇到的元素，它发生在我们生活的方方面面。这个概念可以做无限接近消费者的扩散性创意。

满足消费者：广告已经融入生活，生活正在复制广告。现在，已经是消费广告的年代。消费者在接受广告信息的同时按照自己的喜好对广告的表达方式进行解读。符合他们口味的，不仅会引导来认同品牌的观点，更会人口相传，扩大和强化品牌的传播力；不符合口味的，则会反过来破坏品牌自身。“省钱”，落脚点还是对着消费者说，最后必然是灌输观点给他们；而“谁占了我便宜？”消费者做旁观者，让他们又爱又恨的手机做主角，笑声戏谑背后，帮他们出被移动压榨之气，给他们支长途省钱之招。

满足客户：做广告，最终要满足的还是客户。而客户所在意的两个方面——“好名声”与“高利润”，正是通过对创意和消费者的满足来达成的。一个能满足创意和消费者的广告，最终一定会满足客户。从另外一个角度来说，手机问“谁占了我便宜？”，电信回答“17909”，这样的回答已经超出了市场竞争的层面而到了对客户心理的另一种满足。

三、我们靠什么抓住这"0.01"公分?

靠天性秉赋?

靠经验丰富?

靠博览群书?

呵呵，这已经不是我们能在这里分享的了。广告运动是由科学指引的，而广告创意是没有规则可循的。我们必须承认，"占便宜"是一个蹦出来的概念，但是，我们也必须看到，它是在"省钱"的一个大方向下和众多被毙掉的意念基础上不可逆转不可阻拦地蹦出来的。

所以，我们永远无法确定自己能不能抓得住下一个0.01厘米，

所以，对于我们，每一个IDEA都是新的。

所以，亲爱的，套用《重庆森林》里面的第一句话结束吧：

"每天你都有机会和很多'创意'擦身而过，而你或者对他们一无所知，不过也许有一天他会变成你的朋友或是情人。

我们最接近的时候，我跟她之间的距离只有0.01公分。"

案例25：双城决战宽带之巅

——中国宽带互联网"实时互动"娱乐行销攻略

美国最大媒体与娱乐顾问创办人迈克尔·沃尔夫认为：人类即将进入娱乐经济时代，"娱乐因素"将成为产品与服务竞争的关键，消费者不管购买什么，都在其中寻求"娱乐"的成分。

引子

公元2002年8月中旬至10月初的7个周末，

广州、深圳等14个城市商业广场相继响起枪声，
一场没有硝烟的“反恐大战”在霓虹闪烁的夜色中开打。
这是一场捍卫中国互联网荣誉的战役，
目标是推广宽带运用。

事件缘起，都是免费惹的祸

有人说，中国互联网是一个梦。在经历过纳斯达克泡沫之后，这个梦终于到了醒来的一天。2001年，网站从镜花水月中回归理性，开始小心翼翼涉足收费领域。于是，263打响了邮箱收费业务的第一枪，但享受惯免费的网民并不买账，双方形成了僵持局面。造成这种对峙的起因是，产业链的各个相关环节孤军奋战，单打独斗，大家都没有找到一种有效的盈利模式，各市场主体不能做到优势互补从而产生规模效应，最大限度地发挥ICP/ASP各方潜力，达到各方受益的目的。如何整合优势网络资源，又保持健康的盈利方式？中国互联网生存还是毁灭？就在互联网前路迷茫的时刻，中国电信再一次挺身而出，担当了调停人的角色。2002年5月7日，第34届世界电信日，广东电信在这一天强势启动“vnet互联星空计划”，以客户聚集者的身份架起ICP/ASP与用户之间的桥梁。一方面为网站减压，降低它们的运作成本，一方面为消费者减负，以较低的价格和便利的服务提供精品网络内容，实现用户、ICP/ASP共赢为目的，开宽带盈利新模式的先河。

颠覆传统，挑起双城争霸

宽带有多宽？2001年由广东电信命名，广东省广告有限公司电信品牌组策划的“极速之旅——中国互联网广东巡展”活动，澄清了宽带的利益点是“快”而不是“宽”，广东电信宽带用户由此激增至40万户，但现在消费者的疑问是：“宽带究竟能做什么？”面对消费者的疑问，“互联星空计划”2002年巡展必须做出明晰回答：中国宽带互联网能够实现“实时互动”。

一个是网络精品应用，一个是宽带应用，vent互联星空计划与宽带宣

传重点不谋而合，整合推广已是大势所趋。

接到任务后，省广品牌小组并没有急着开始新一轮头脑风暴，他们请来了全球知名市场调研公司盖洛普，委托他们进行一次全面深入的调查。调查结果发现，网络应用功能推广不足已经成为制约互联网发展的瓶颈，而对各项应用要求比例最高的依次为聊天、游戏、下载影视音乐、浏览等。与此相对应，宽带新开发出功能的则有：视频聊天、宽带游戏、MP3 下载、影视点播，同时，这些也是 Vnet 互联星空计划合作伙伴正在或将要向市场上推广的拳头产品。

经过一轮轮激烈的讨论，一个具有颠覆力的设想浮出了水面。互联网最大的功能就是打破了时空的壁垒，缩短了人与人之间的距离。既然新的技术已经可以让相隔很远的人们通过宽带进行面对面的交流，为什么不可以让两个城市的人们在沟通中体会互联网的无穷魅力呢？此观点一出，群情激昂。的确，如果能在网上实现两个城市的实时互动将会是中国互联网水平的一个里程碑，有人笑言方案要么是绝对的浪漫主义，要么是魔幻现实主义。不过，既然是两个城市同时上演一出好戏，不妨来个双城争霸，以娱乐互动的形式，通过网络竞赛，来演绎与消费者的沟通，给消费者多重感官的体验，在潜移默化中接受宽带传播的资讯。

互动主题定了，怎么推？娱乐内容有了，怎么比？怎样才能吸引观众的眼球，同时达到最大的宣传效果？2002 年 7 月一个炎热的上午，品牌小组向广东电信汇报了双城争霸巡展方案。

实时互动，不可能的任务？

一石激起千层浪。广东电信的专家们在听取了娱乐行销的方案之后，不禁为这个大胆新奇的构思拍案叫绝。双城室外展场同步对抗争霸的形式可以把“实时互动”这一概念形象地表现出来，而比赛“娱乐因素”将引导现场消费者在强大的心理驱动下，去认识和熟悉中国宽带互联网的实用功能，将众多潜在消费者转化为实际消费人群，提高宽带的放号量。方案得到了与会所有专家的认可。现在的工作就是如何将这个美丽的宽带之梦变为现实。

然而，会议接下来的热烈程度却大大出乎品牌小组的预料：广东电信各个部门的工程师们被临时召集起来参加会议，他们就方案每一个细节的可执行性进行激烈的争论。随着“双缆、铜轴、16点PDS”等艰深的术语的出现，品牌小组渐渐感到自己的肩头沉重起来。本次娱乐行销决不会只是一个好的策划那样简单，它的成功取决于执行方案的完美，方案中最为精彩的创意点一定是执行中最大的操作难点，它取决于网络技术、影音技术、电脑硬件和电脑软件天衣无缝的配合，任何一个微小的纰漏都是致命的。因为，让两个不同城市完全同步，紧密互动地进行同一场展示，这需要强大的技术保障和分秒不差的精确执行力。虽然他们几乎个个都有活动行销执行的丰富经验，但这一次的确太特别了：街头秀的吸引力、大型比赛的组织流程、同步直播的现场效果，每个单项的顺利执行都会是一个巨大的挑战，而把它们合在一起，几乎就是不可能完成的任务……

上图各行分别为2001、2002年巡展广州站、深圳站、顺德站、珠海站

电信搭台，ICP们同台唱戏

在经过视频传输测试，远程电脑控制程序测试，室内全真模拟彩排等严密的组织程序后，巡展闪亮登场。广州、深圳、东莞、惠州、韶关、清远、肇庆、佛山、珠海、中山、汕头、湛江、江门14个城市14个展场演示区以城际争霸主舞台为中心，同时开辟宽带应用展示和业务受理区，加强现场促销力度。主舞台中央为15平方米的LED显示屏，用以显示对方城市现场的视频信号，技术环境采用了中国电信新产品“WLAN天翼通”作为活动支撑点，利用无线上网卡和无线AP，所有的电脑没有连接网线却能够直接上网，使上网用户摆脱了“线”的制约，真正实现自由上网自由冲浪，而演示娱乐内容更是切合“互联星空”服务的各大主题——在线游戏、视频通信、视频聊天、网上教育等，实实在在、真真切切，让用户亲身体验互联星空的真实魅力。这使营销行为具备了很高的附加值，也正是娱乐的力量。

大创意带来大制作。仅广州展场设备就有5台集装箱车，动用了80个装工，装了8小时，电信线路运用了3个区局接专线，10余双对接线路，省数据通信局、PICO展览公司、广东电视台、中兴公司、音响设备公司、礼仪公司等悉数就位。这阵仗让一位见过大场面的电视台导演也啧啧称奇：“这是一个系统工程。”

中国电信互联星空的合作伙伴网易、盛大、腾讯、中国游戏中心、世纪前线、南卫（迪士尼网站）、中广网、飞行网等友情联手激情演绎，这不仅体现了互联星空“强强联合、优势互补”的合作理念，也真实地上演了一出电信搭台、ICP们同台唱戏的皆大欢喜的经典剧。

四轮较量，演义七场对撼

双城争霸分为“反恐精英大战、千里眼——宽带视频V体验、大开眼界——宽带影音V体验、决战宽带之巅”等四个精心设计的游戏环节。双方均是派出尖端网络精英进行双城对决，除了型男靓女是必备条件，还须侠胆柔情，艺高胆大，网络七十二般武艺样样精通，赫然网络大虾级才能上阵闯关。

第一轮“反恐精英”又被称为“半条命”，英文缩写“CS”，是风靡互联网的大型网络游戏。比赛采用的是团体战，每个城市派出五名高手，最先赢满五局的队伍获胜。随着攻防双方各有斩获，台下拉拉队的加油声此起彼伏。如果说第一次较量展示了宽带游戏的无穷魅力，那么第二个回合“千里眼”则体现了宽带视频系统巨大的发展潜力，一向处于神话状态中的实时互动技术终于掀开了神秘的面纱。在摄影机的协助下，两地的观众通过宽带定点视频传输技术进行了面对面的沟通和交流。看着相隔 100 多里的城市从天涯变成了咫尺，人们为中国宽带互联网日新月异的发展而欢欣鼓舞。

“千里眼”规则很简单：每队派出一名参赛选手，轮流品尝两样外观完全一样的食物，但其中一样混合了非常辛辣的调味，如芥末等。另一城的选手就要通过现场大屏幕观看他的表情，猜中即获胜。

这项活动看似简单，其实凝聚着执行人员最多的心血，由于活动类似于电视台的现场直播，所以对两地时间调度，画面切割和画面质素有着极高要求。为此，品牌小组请来经验丰富的电视台导演，用两地分别设立特技台，主会场总控的方式进行双城同时直播，广东电信也组成一个技术团队跟进和监控。

第三个比赛环节如同它的名字一样让人“大开眼界”。这是一个网上影视点播项目，考察选手对宽带应用的熟练程度。影片涉及喜剧、文艺、武侠、战争等各种题材。选手在规定的时间内搜索到指定影片后才有观看影片、参与答题的资格。

由于各大网站都是新推出宽频节目，所以菜鸟级的选手在这道问题上容易栽跟斗。不过这个比赛起到了非常好的宣传效果，很多观众对于网络视频直播充满了兴趣，纷纷打听影视点播的不同站点，有专家预言，广东省很快就会掀起在线影视电波的浪潮。

经过诙谐幽默的“大开眼界”，双城争霸已经决出了城市优胜方。然而，要成为真正的网络英雄，就必须经过第四轮“决战宽带之巅”。最后一个比赛环节是在获胜城市的五个队伍中进行，电脑随机抽取五道与网络、时事、百科知识等有关的题目，选手可以通过 QQ 向伙伴询问，也可以通过网络搜索找到答案。回答最多最快者就能拿走 1000 元的现金大奖。也就是说，过了这一关，才真正成为无坚不摧的网络高手、宽带霸主。

参赛除了网络游戏高手全城总动员之外，双城也使出美女攻势以求胜算。在“千里眼”比赛中，珠海市一位超级美眉放出高能电波，中山市应战的男选手招架不住，败下阵来，“网上无美女”的断言也随之灰飞烟灭。尽管这只是一场游戏，但两个城市的参与者都为了捍卫各自网络荣誉而全情投入，甚至有一位小伙子输了比赛之后还流下男儿泪，让现场的工作人员都有些不知所措。

数字巡展，宽带放号飙升

“实时互动”娱乐行销，引起各级媒体及社会各界当地政府的广泛关注，羊城晚报更是派出记者全程采访。两地的网民通过中国电信互联网“面对面”地进行网络知识和网络技术的城际大比拼，参加争霸赛的网民均表示，中国宽带互联网高度的实时互动使分居两地的对手几乎没有了距离感，感觉上就像同在一个地方面对面地一搏高下。

宽带推广盘点，广东电信惊喜地发现，这一次数字巡展，活动历时2个月，跨越广东省14个城市，双城对决宽带之巅，58家地市级以上媒体关注，电视、报纸、电台、网络全方位报道，得到28万用户参与支持，下到5岁的孩童，上至70岁的老者，都饶有兴味地投身其中，1890名选手参与竞赛，素质之高，热情之烈，投入之深超过了预期，巡展期间放号数达52138，现场放号数达2381，用户开通宽带业务飙升。

双城争霸，广东电信是真正的赢家。

第八卷 因粮篇

孙子曰：取用于国，因粮于敌，故军食足也。

故智将务食于敌，食敌一钟，当吾二十钟，秆一石，当吾二十石。

译文：

孙子说：（善于用兵的人）武器装备从国内取用，粮食饲料在敌国补充，这样军队粮草供给就充足了。

明智的将领务求在敌国解决粮草供应问题。消耗敌国的一钟粮食，相当于从本国运输二十钟，运用敌国的一石草料，相当于从本国运送二十石。

“因粮于敌”，是孙子关于远程作战后勤保障思想的首创，其精髓在于快速反应。这一思想为古今兵家所尊崇。“因粮”，不只限于粮草，甚至不限于物质。换成现代的话，就是硬件、软件都要“因”。后人在这方面多有创新之举，有趣的当数赵国将军李牧的“美马计”。赵国不堪匈奴侵扰，而雁门关守将李牧又苦于兵马不足。一日，匈奴浴马于河。李牧发现数百匹匈奴马皆为公马，于是心生一计，让己方母马隔河嘶鸣，遂尽收匈奴马匹为己有。最为壮观的，则当属解放战争我军靠蒋介石这个“运输大队长”“送”来无数美式装备之举。

推而广之，从竞争对手那里吸取理论、方法、技术、设备、资金以武装自己，从而实现跨越发展，则可视为现代“因粮”之道。省广，是一家颇善此道的公司，它以客为师，以友为师，以对手为师，求知于敌，求知于客，求知于史，靠着这“因粮”之道，成就了辉煌。

8.1 日本"孔夫子"坦言WTO

稻垣正夫于1956年创立旭通信社，担任社长，现任会长。经过45年的艰苦奋斗，ASATSU-DK已经成为注册资金375.8亿日元（人民币26.3亿元）、营业额3400亿日元（人民币238亿元）、员工2060人、下设76个分支机构的国际性广告集团；名列日本广告业第三位。

稻垣正夫先生十分关注中国广告业的发展，先后在广州、北京、上海成立四家合资广告公司，即广旭、上旭、华闻旭通和铁旭。由于他在日本广告业的卓越贡献，多次获得日本政府及广告业界的奖赏。

中外合资公司基轴不会改变

省广高层和ASATSU-DK高层在日本

日本ASATSU-DK会长稻垣正夫可能是广告业年龄最高的广告人。今年3月初，他以79岁高龄，第61次来到中国，与合作伙伴广东省广告公司总经理温卫平磋商发展大计。在广州期间，笔者从这位精神矍铄、谈锋敏锐的老者身上解读了创新是不老的基因。

稻垣先生是个中国通，与中国政府高层人士一直交往甚密，特别尊崇孔孟之道，其经营理念源自儒家思想，这有别于日本其他大广告公司，在日本广告界独树一帜，由此而得"孔夫子"雅号。稻垣先生不止一次在各种场合讲到："广告学本身是从美国传到亚洲来的，是从市场学发展起来的，但作为广告的生命——创造精神，在儒学中却一点也不缺。”

这次稻垣先生莅穗时，正值中国加入世贸谈判进入最后阶段，中国对外贸易经济合作部部长石广生就加入世贸话题答记者问在各媒体纷纷报道，中国品牌决战后WTO，中国本土广告公司应战WTO，已成定局。目前，中国广告业形形色色的合资公司，既有中外双方专业广告公司的合资，也有外方广告公司与中方媒体的合资，更有外方广告公司与中方非广告公司的合资，这些运营了近10年的中外合资公司，有的迅速膨胀。目前，在中国广告业排序中已占据了前五位，他们对中国 加入世贸存有什么微妙的心理？入世后前景如何？将会是一种什么状态？成为业界悬念。

日本ASATSU-DK先后在中国广州、上海、北京成立四家合资广告公司，即广旭、上旭、华闻旭通、铁旭。稻垣先生认为中国入世后，由中外双方专业广告公司合资的公司仍是市场主流公司。这些公司经过近10年的磨合，已奠定了良好的基石，加入世贸后，中外双方合资的基轴不会改变，也不应该改变。因为中外双方越发展越需要紧密合作，另起炉灶可能性不大，独资公司进来，并不影响合资广告公司的运作，而中国本土广告公司不但要在本土做大，最终也将走向世界。对这点，稻垣先生十分看好广东省广告公司。就目前在中国的合资公司经营而言，稻垣先生强调要以中方为主导，外方为辅助，按这种公司框架才能适应中国市场，才会发展起来。反之，则不达。合资公司多年经验告诫我们，中外双方是一种相互学习、相互合作、相互依存的关系，一味引入“洋化”，在中国市场行不通。稻垣先生说，中国有句古话，“虚心使人进步，骄傲使人落后”，这条古训更适用于当今现代发达的信息产业。

优秀的广告人能创造客户的需要

日本ASATSU-DK实行“全员经营”，这个理念是稻垣先生用孔子哲学“治理”ASATSU-DK的生动体现。在东京总部，稻垣先生别出心裁地将其办公桌设在一层开放式的大办公室内，办公桌的规格与员工同样大小，他与部下同坐一室，只是位置不同，这种从形式到内容完全融入“全员”的概念，颇得股民欣赏（ASATSU-DK是日本广告业惟一的上市公司）。稻垣先生强调企业经营就是要让员工把自己当作一个经营者来实现自身的价值。因为，每个员工都要有经营者的意识，才能深入了解客户所需，但一个优秀的广告人不是以了解客户的需要为满足，而是要创造客户的需要。创新是变被动服务为主动服务的利器，不是见招拆招的应战，而是知己知彼，百战不殆。《论语》中说"吾日三省吾身"，就是讲生活每天都应创新，这是广告人必备的素质，从长远、多方面、革新地看，经营者意识最重要的，一是使命感，解决为什么要创造性工作的问题；二是浪漫主义，只有创新才能拓宽胸怀、亲疏能容；三是无私寡欲，广告人的最高境界是植福，即从享福到分享幸福再到在别人的心灵里播下幸福；四是实战能力，没有能力，知识再好也没有用处。

稻垣先生反复强调信息产业的基本，归根结底是团队精神。这样才能由同知悉（经营信息）、同讨论（有人情味接触）、同劳动（工作的世界）、同决定（权限下发）、同责任（承担负责）、同感受（分享喜悦）的无限循环中使企业得以发展。交谈中，笔者注意到稻垣先生多次引用儒家思想精髓，释解经营之道。这是否给中国广告人提了个醒，加入世贸前，我们可否在自己的国粹里先钻研一下呢?

8.2 解码台湾华文广告

编前语：

阳春三月，广东广告考察团一行6人飞抵台北，对台湾联广、汎太、意识形态广告公司及动脑杂志社、中国时报社作了为期五天的考察，考察团成员有省广总经理温卫平、副总沙宗义、广州黑马广告公司总经理张小平、中国广告网总经理毕玉强、广州中合广告公司总经理张鼎健、前科龙营销副总裁屈云波、TOM.COM销售总监张彬。台湾广告界盛情款待来自广东的同仁，业界精英忙中抽暇前来聚会，海峡两岸广告人在台北亲密接触，心灵共振。

提及台湾省的联广、汎太、意识形态这些本地广告公司，在华文广告圈里数得上是“出类拔萃”。为之效力或执掌门户的孙大伟、陈薇薇、郑松茂、许舜英在台湾算得上与艺人明星“等量齐名”。这些出众的公司和出彩的主儿，目前状态如何，从某种意义上讲，代表了台湾华文广告的发展走向。于内地广告人而言，关注、研究今天的台湾华文广告，是颇有裨益的吸纳和赏鉴。

联广：用创意创造生意

联广是大陆广告人熟知的公司，也是台湾本地广告公司的“龙头老大”，在台湾广告业初遇国际竞争的年代，守住经营主导权，建立了一个百分之百中国人的广告公司，一时间，曾为海峡两岸广告人传为佳话。

联广是我们此行拜访的第一家公司。刚迈出电梯门，总经理陈薇薇满面春风迎候着我们。宾主在会客间落座后，陈薇薇为我们介绍了联广概况，陈薇薇十分自信地讲述当今联广的品牌经营之道，一是运用 ACR 长期对本地消费者广度与深度的调查资料，发掘消费者新的渴望，27 年来从未间断；二是运用 VOTA 网络策略性思考工具，找出行销问题的核心关键，对症下药，使广告具销售力；三是运用全传播行销架构（IMC），CIS、公关、网络、活动行销，直效行销服务。

我们注意到，陈薇薇介绍联广的作业信念是“用创意创造生意”，这一新锐口号与多年前联广提出的“广告公司不只是广告主的创意伙伴”相比有了微妙的变数。这个口号演进过程要追溯联广早年的背景，台湾广告业大变动始于 1988 年。从这一年起，台湾经济正式迈入自由化、国际化，众多外商广告公司陆续进入台湾，面对国际公司的竞争，当时任联广总经理，现为董事长的赖东明感叹道：“联广才了解到真正的竞争刚刚开始，而且是国

联广总经理陈薇薇在讲演

际性竞争。"当年作为创意总监的陈薇薇坦承，联广的创意声誉不及奥美，"联广的创意不够新颖，比较传统，具本土味道"。联广决定一次下猛药，以团队运作方式迎战，这就是影响深远的"和信传播"。同时联广研发ACR商品消费的年度形态调查及VALS（价值与生活态）系统，在经营理念中创造"绿手指"人才观等鼎新机制，将自身的角色由"广告主的创意伙伴转换为广告主的行销伙伴"。现今联广提出"用创意创造生意"这一口号，在直觉上有了表述的倚重。

因考察时间所限，我们对"用创意创造生意"的口号未能探究，耿耿于怀，回广州后拨通了联广经营企划总监梁静蓉的电话。梁小姐快人快语作了解答："用创意创造生意"是联广2001年才提出的口号，它与之前的"不仅是创意伙伴"的内涵一样，是对行销的提升；因为行销面向很多，这是更精准的表述，也更强调创意部分，强调创意的速度，强调创意的贡献；当然，创意包括市场的行销创意、策略创意。看来，联广在与国际公司竞争中加重了创意的速度及精准度砝码，作为广告公司的灵魂，最终的价值——创意，昭然若揭。

广告人流徙无常，跳槽频繁是全球通症。联广对此保持一种宽容心态，对那些在联广成才然后离去的人，联广仍以宽厚待之，因此有不少人才去而复返。陈薇薇就是由联广到奥美，再由奥美回联广的局中人。就此，我们问及陈薇薇回联广的感受时，陈薇薇坦言："我是回娘家的，外商公司的价值观不同，人的特质也不一样，更主要的是文化不一样。"接着，她加重了语调："广告公司很容易造就个人英雄，但现在的市场，整个产业结构都在改变，必须重新去思考广告人扮演的角色，这需要一个好的团队。"可能是跻身于总经理职位的缘故，陈薇薇很注重广告公司的生产力成本，强调成本控制，指出效率高低是衡量成本的标准，广告公司员工承担的营业额，应用国际标准计算工作量承担，广告公司生产力成本必须与国际接轨，才有竞争力。最后，我们请这位广告界"大姐大"谈谈对京、沪、粤三地广告环境的看法，她矜持地作答："广东广告很现代，不会输给北京、上海，但大客户集中在上海，广州会有客源局限性。"

2001年联广营业额为30亿新台币（约6.9亿人民币），在台湾前10位广告公司（其中九家外资）占有一席地位，联广依旧长袖善舞。

汎太：有趣的“传播精品店”

孙大伟给人最初印象是趾高气扬、神气活现，这可能有我们到汎太公司电梯门口被公关小姐“挡驾”片刻的偏见。当孙大伟将我们当成“自己人”时，其实他挺可爱的。

早闻汎太是一间充满创意、很有情趣的公司，此次果不虚行。在孙大伟的陪同下参观汎太，我们像“探子”查案，搜罗汎太各个角落，手中照相机频闪“取证”。汎太以中国园艺风格为装饰主调，花木怪石点缀其中，幽雅别致，每间工作室都没有门，用一块或两块云南蜡染花布遮掩，在橘黄色灯光的衬映下，显现淳朴恬静，最有趣的是公司中心位置设有充满温馨情调的酒吧，悬挂着的明净高脚酒杯与一些洋酒很有序地排列，但不像是有员工闲来自酌消遣过。当我们移步到孙大伟工作室前时，他提醒我们“要有心理准备”。此话确无虚言，步入这位台湾广告教父、内地广告人偶像的工作室，立马让人“晕眩”，是杂货店，还是旧品收藏库？一时难辨泾渭。在约30多平方米的空间，四壁挂满“破铜烂铁”，这是孙大伟从世界各个角落收购的“军用物资”，书台、饰柜肆无忌惮地堆满书刊、工艺品、纪念物，令人眼花缭乱！中国有句民俗，说话听音，锣鼓听声。看了汎太工作室，对汎太英文FUNTASTIC是指“一个有趣的工作环境”，也就是霍然醒悟。汎太追求的是有趣，不要太苦，在有趣的环境制造出好的作品，这是对广告属性就是苦累活的行为叛逆。孙大伟与我们交流也不是西装革履、正襟危坐，在栽满绿色植物的大阳台一隅，就着一张日晒雨淋的矮方几和四条长板凳，我们与才华横溢的孙大伟促膝而坐，谈笑风生。

问：汎太选择客户的标准？

孙：要慎重选客户，客户要懂得用广告公司，知道他能做什么，不能做什么。选择客户的标准，第一是让你发挥，第二是让你赚钱。一般很难两者兼得，当然最好两个都有。他又能让你发挥，然后你又能赚钱，这是好客户。次好的是两个只有一个，一个是能让你发挥但是赚不到什么钱，或者是赚钱但不太能发挥。如果两个都没有，那就再见？不是哦，外商公司在台湾有很多是两个都没有的，那是“父”（国际客户），包办指婚，你不能离呀。真折磨人哟，真恨不得“毒死”对方（众笑）。

问：汎太怎样与客户进行沟通？

孙：我做客户通常是客户的负责人找我，我跟他做。如果他的商品经营的科长找你做，你就完了。因为我想这是跟交换一样，对我们广告公司来讲，如果每个计划从客户的小兵报告起，一级级报告到总司令，总司令再把他的命令传到小兵，那就问题多了。此外客户那里很容易出现一个新人，可能只有两年经验，但我帮客户服务已经有20年的经验了。我要跟他报告，他随便说了不行，我要按他的去改。改了之后我知道他的老板也不同意啊，但我又不能去捅他，他老板后面还有老板呀。（众乐）

问：怎样看创意和销售的关系？

孙：创意俯拾皆是，我们绝对不能空口讲创意。我们做水莲山庄（房地产项目）共187个案子，卖不出我们就死了。巨额广告费是我们花的，现场销售的人是我们公司的人，我们比客户还像客户啊。能卖多少，我们都有统计，这组广告出去，吸引了几个电话，来了多少人，成交了几套，我们都清清楚楚。水莲山庄前年是我们公司请人在现场卖，一年卖了300多套吧。我们做前期广告，哪里都要求创意啊，好的创意能帮助客户销售商品，我们没有忘掉我们的广告目的，我们的广告目的是销售。

问：成功后，现在有什么感觉？

孙：做广告的人，很想实现自己所追求的收入、职位，拼命做，可是当你真做到了自己追求的目标，你也累得半死。这个时候，你就会想，还是回到原来的状态上去吧，可是，回不去了。告诉你，我很喜爱潜水，可买的那套潜水设备只用了一次。

看来，在汎太公司这“有趣的工作环境”里，其压力并不有趣，汎太公司营造有趣的环境既是为制造好作品，也是减压的一种调节。孙大伟这位天才创意家，功成名就，也难得偷闲潜水。这就是创新的魅力，竞争的宿命，汎太和孙大伟身在江湖，概莫免俗。

孙大伟与考察团成员亲切交谈

意识形态：只有华人，才能把华文广告做得精彩

去年，大陆广告界谈论意识形态的广告，谈论郑松茂、许舜英的文章，举办专题讲座，似乎一下多了起来，意识形态领导潮流、创造潮流，而非迎合潮流，受到广告人的膜拜。

意识形态作为一家具开创性、颠覆性和实验性的广告公司，在广告界独树一帜，锋芒直逼国际 4A。其广告作品够前卫、很另类，又极具民族性，因其影响力超越了华文广告圈，又极具国际性，也因其“看上不仅仅是广告”，在业界极具争议。拜访意识形态也平添了诸多悬念。

走进意识形态公司，但见陈列在装饰柜上、摆放在会议桌旁的各种形态的奖杯，琳琅满目，有目不暇接之感。细看方可分辨，有“龙玺广告奖”、“时报广告奖”、“亚太广告奖”……仿若是一间生产奖杯的车间。

看意识形态的作品，容易让人兴奋，话题也很广泛。意识形态执掌人郑松茂先生介绍佳作时，如数家珍：“这样的作品，国际公司能做得出来吗？”言语中带有几分傲视，几许自恋。的确，意识形态的广告风格鲜明，卓尔不凡，作品以博大精深的中国传统文化为支撑，仿佛感受到楚辞的意境，特别是一些以中国古典工笔画与现代电脑技术合成的唯美主义作品，更是精美绝伦，它不光愉悦消费者，其作品本身藏有思考空间，让你去考量消费形态和生活情趣。笔者欣赏其佳作时，向郑松茂先生提出了一个疑惑：“意识形态的作品很另类，有震撼力，是怎么卖给客户的？客户能认可吗？”郑先生没有直接作答，他狡黠地说：“这样的作品你们喜不喜欢，你们都喜欢，客户为什么不喜欢，这就是答案。”郑先生有些怜香惜玉地说：“许舜英小姐每大都是中午 12 时

意识形态广告作品

上班，工作到凌晨 3 时，做得也很苦，生产好作品不容易。”由此，我联想起孙大伟对广告高手的素描，不是男人留辫子、蓄胡须就代表很有创意。真正有创意的人是不显山露水的，就像江湖的高手在隐，武功是藏在眼光中。我想，许小姐就是属于这种高人，她与我们聚会，从不多言语，你可以感到她冷静中的敏感灵动。

台湾智威汤逊广告总监曲培芬曾讲过：“最钦佩也最无缘参与的就是意识形态广告公司的提案。”关于提案过程，郑先生很慷慨地和盘端出：第一次提案，当然需要很多条件配合，有些客户不知道以后我们要怎么配合，进来以后就完全按照我们的生产品质去执行，所以客户跟我们开会的时间也比较少。广告公司提案要十分准确，策略及创意品质俱佳，使客户用最少的参与时间得到最好的作品与广告效果。像一些老客户，前面大家坐下来聊 30 分钟，提案 10 分钟结束，再聊 30 分钟，这是你在客户面前建立的信赖。一般说广告公司的提案没通过，才会抱怨客户，甚至骂客户。其实，客户也很可怜啊，他花了钱跟广告公司做生意，要跟你开会，赔了时间还挨骂，所以我们追求的目标是所有作品客户都喜欢，这是最快乐的。现在的广告人大多还停留在自我意识方面，就像他做了一个他认为最好的东西，那客户非接受不可，否则就是一个烂客户。郑先生认为，一个广告公司应该有一个很复杂的客户，这样，做工作态度就不一样。如果你的客户大部分是软塌塌的产品，就是饮料、方便面、卫生纸，客户要求做得稍微复杂点，你就烦，这对员工没好处。一旦做了最繁杂的客户之后，其他客户就好做了。

就眼下广告公司年轻人想去国际 4A 公司镀镀金的趋向，郑先生如是说：年轻人在国际公司上班，不能讲崇洋，如果做创意的人，应当在本地公司做，迁就生意，文化就失败。

郑先生还以他独具的眼光，期待内地媒体多进行一点对广告业未来能产生重要影响的讨论。郑先生直率地说：“不要老是在那边谈品牌，我觉得很奇怪，品牌是奥美谈的。每家都有武器，你是耍大刀的，我是耍枪的，我跟着你说耍大刀的厉害，这不对嘛。”此腔衷肠，耐人寻味……

海峡那边的兄弟能做大做强吗?

从整体上看，台湾华文广告融会了日本、欧美广告风格，呈多元化；

表现手法比较“隐”，注重民族文化内涵；对当地市场针对性强，行销沟通到位。同时，成熟的台湾市场，也带给广告人创意空间。许舜英就说过，比较台湾和大陆，市场、消费意识都不同。在台湾，商品竞争激烈，已呈饱和状态，必须通过广告塑造去形成商品价值的差异，创意人比较有空间，创意起来比较过瘾；而大陆消费意识没那么成熟，创意空间会受局限。此话确是客观，我们在台湾耳闻目睹，切身感受到这一点。在酒店看电视，播出的广告整体水平都较均衡，不像内地电视广告参差不齐，有的

台北街头形形色色的广告

耐看，有的惨不忍睹。两岸经促会刘家仁总经理与我们聊天侃广告，就很专业，很有门道，据他说，在台湾，每个企业老板张口就能谈品牌。我们乘坐的汽车在郊外路边油站加油，油站广播里也在大谈品牌促销，真个是品牌无处不在。可以说，较成熟的台湾市场造就了一批优秀的本地公司和广告奇才，但海峡那边的兄弟能做大做强吗？

巧合的是，从台北回广州仅一周时间，笔者又随省广温卫平总经理等人赴日本东京参加日本旭通 ADK 和省广合资经营的广东广旭广告公司董事会。在旭通 ADK 大楼顶层宽敞的会议室俯瞰银座，繁华街景尽收眼底，旭通 ADK 中国室室长张国平先生指向一幢即将竣工的 50 层高楼，告诉我们那是电通新建大厦，据悉电通准备近期股票上市。在全球地价最贵的东京银座，电通大兴土木，国际“恐龙”其势如虹。国际公司之大与本地公司之小形成强烈的反差，令人唏嘘不已，并由此想到台湾本地公司想做大做强有四大“硬伤”。

一是市场大环境的局限性。目前台湾经济滑坡，投资环境不佳，导致美国戴尔、荷兰飞利浦等一些跨国公司从台湾转移到香港或大陆；台商到大陆投资热更是一浪高过一浪，投资由劳动密集型产业转为技术密集型产业，

由中小企业转为上市公司等大型企业。台湾岛内市场逐渐萎缩，广告不可以超越经济发展，2001 年台湾广告营业额为 500 亿新台币（约 115 亿人民币），负增长 18%；联广、汎太、意识形态这些优秀的公司营业额指数都呈降幅走势，市场就那么大，纵有浑身解数也徒叹奈何。

二是客户资源的局限性。除了市场容量因素外，只能做本地客户，国际客户都操纵在国际公司手中，本地公司无缘染指，也是主要因素。联广、汎太、意识形态的客户群大部分为本地的食品、日用品、电信及家电企业，如“黑松”、“统一”、“和信电讯”、“中兴百货”、“新禾家电”等。郑松茂先生就很羡慕大陆的市场和客户，他说，在大陆有更大舞台，台湾 70% 是国际公司，30% 是本地公司，而大陆 90% 是本地公司，在大陆做广告，空间比台湾大得多，从台湾到广州或是上海，感觉是从池塘里到海洋。

三是品牌结构的局限性。台湾企业可谓多如牛毛，但绝大多数是个人及中小企业，没有一个过得硬，叫得响的国际品牌，自然就没有国际品牌的全球化行销战略，本地公司也就不能像国际广告公司那样，客户的市场到哪里，广告公司的服务就跟到哪里。本地公司在岛内日出而作，日落而息，为主流营运方式。从大市场、大广告的概念来讲，台湾某些本地广告公司似乎是有战术，没有战场，赢了战役，输了战争。

四是公司领导人个性风格的局限性。台湾本地公司大多很精致，但无规模。除广告环境等主要因素外，公司领导人个性特征、管理风格亦有牵涉，公司领导人学识广博，具有造诣，也很敬业，但受岛内经济环境制约，眼界受阻，对产业认知时有飘忽。时下，台湾广告人来大陆发展，大约有三种可能，其一在国际公司打工，其二在内地公司打工，其三自己开公司，自己开公司在大陆几乎没有成功的范例。

目前，台湾不景气的经济使整个广告环境正在改变，特别是国际广告集团倾向财务导向，仰赖财务专家管理，从而合并广告公司，扩大市场占有率，导致“广告地震”。这必将影响台湾本地广告公司的经营模式和发展空间，能否突破这个转折点，台湾本地公司正在寻找行销灯塔。

8.3 2001，戛纳之旅

1954年，戛纳国际电影广告节，因电影广告媒体代理商的发起和组织而成立。47年后，省广一行七人来到了这被誉为世界广告人“奥林匹克运动会”的殿堂，了解世界广告盛会。坐落在蓝色而浪漫的海湾旁的电影宫内，到处闪耀着来自各个国家、各种文化背景的广告人的智慧与灵性。无数的闪光亮点照亮了戛纳海湾，使之变成了广告人表现创意的天堂与圣地。七天六夜，为了感悟当今世界广告潮流的真谛。以省广人为主的中国戛纳代表团创意团，以无比的热情聚集在每一幅入选作品前，记录、分析、吸收着创意的精华，其执著的学习态度与团队精神，使中广协的领导与其他国内代表叹服！

创意无边际，也没有硬道理，但是，能并联于各种不同文化背景和跨越国界的精彩的情感创意就一定能获得国际间的认同，并成为今年戛纳宠儿。相反，对于侧重于功能创意、形象创意所追求的“相关性、原创性、震撼性”的表现手法已略显过时。以小汽车类为例，BMW（宝马）参赛影视作品中的，《火箭试车篇》。片中开始画面是在一片一望无际的试车场：一小黑点，从小变大，呼啸而来。镜头特写，原来是一辆黑色的火箭飞车在高速试车，镜头一直特写火箭飞车，飞车的轰鸣声一直刺激着观众紧张的神经。但飞车一直都无法超越镜头，最后，飞车打出了减速伞，停了下来，镜头后拉，画面出现了一辆宝马轿车，原来，刚才是摄影师开着宝马轿车拍摄火箭飞车的过程。该片的创意是单一的，功能诉求——速度，火箭飞车也赶不上宝马轿车。整条片拍得气势磅礴，相关性、原创性、震撼性都表现得淋漓尽致。但没获奖！再看获奖作品，PASSAT的《失忆篇》。影片画面一开始，一位医生对病人的妻子说：“您丈夫，得的是失忆症。”……妻子带着丈夫回家。路上，途经初恋的地方，丈夫说记不起来；结婚的教堂和邻居的朋友，甚至回到家，丈夫一点东西都记不起来，妻子绝望了。可是当丈夫走到窗前，看到楼下停放着一辆PASSAT时，他忽然高兴地说：“我记起来了！“妻子一脸惊喜，丈夫用手指着 PASSAT 说："这是我的 PASSAT！"镜头特写，妻子失望地说："这不是你的 PASSAT。"这条广告影片中既没有功能诉求也没有具体的品牌或产品形象诉求，却以平实简单的故事，通过妻子渴望丈夫康复并记起他们之间的情爱，但丈夫却只回忆起那不属于他的 PASSAT 这一小段着重描写情感变化的故事，赢得无数的掌声！

通过这次戛纳之行，我认为现代广告已经发生变化，已不再强调产品功能，能给消费者带来什么好处，而是刻画什么样的情感是产品传递给消费者的。创意的表现已经从"言归正传"到"闲话家常"，从"立即交易"到"细水长流"转变了。

今届戛纳广告节最令人鼓舞的莫过于，广州盛世长城《头皮安息篇与头皮投降篇》系列稿获得一个铜奖。其意义在于，国内首家获得戛纳金奖的广告人还将有机会是省广人。努力吧！省广人。

8.4 考验，广告节上的嘘声

2001 年 6 月 14 日，省广又做了一件让中国大陆广告界大吃一惊的一件事：不惜重金，派出了有史以来以公司为单位的、最大阵容的法国戛纳广告节考察团。

在北京临行前的一个晚餐会上，中广协的领导发出这样的感叹："看到省广派出的超年轻阵容，和省广进军世界的决心，看来中国广告是大有希望了！"

省广创意团一行 10 人（包括北京捷先广告的两位），在戛纳共呆了一个星期。前三天和行政团共同参观广告节，在中广协配备的翻译不够的情况下，省广人于是乎自然地担当了场内解说和场内点评二职（整团大部分为各省市广协会、工商部门的同志）。省广人发挥自己的聪明才智，竟也能绝妙地阐述创意的核心理念，广告协会的很多团友不禁竖起大姆指："省广的年轻总监们有脑！有料！有水平！"

在接着的三天内，行政团70人前往罗马（他们就是在那里开始演变成购物团的）。我们则一头扎进电影宫，几百条、几千条、几万条影视广告循环放映，顾不上吃饭，顾不上喝水，在黑暗中拼命地记笔记，依靠不多的单词量和超量的执著，来感悟世界高水平广告的冲击。

观者的眼光是极其挑剔的，当出现一些欧美、亚洲的产品广告只诉求产品功能时，全场会"嘘"声多一些；日本选送作品较多，但大都毫无创意，"嘘"声最大；而中国能获"嘘"声的都不多。

创意是不分国界的，欧美的一些广告也会遭受惨运！但凡生活味浓的，趣味性高的，频频获掌声。后来的事实证明：掌声越热烈，获奖的概率越高！说明大会评审是客观的。

在几百条的家电广告中，很多国家选送的作品依然没有逃脱描写产品功能细节的惨运，屡获"嘘"声，当然，其中也不乏精彩之作：

（小家电类）《咖啡机·2分钟做爱篇》（金奖）：（兴奋的声音）一名男子气喘吁吁地从爱侣身上翻身而下/　疲惫，仿佛久旷之战/ 女人起身，走进厨房，只见咖啡机正在煮咖啡/　液晶显示屏上的时间定为2分钟未到/　"叮"的一声，咖啡煮好，看来兴致索然/　喝点咖啡吧！

简简单单的描述，已经把产品快速、高效的功能表现得淋漓尽致！既具当地生活情趣，又耐人寻味。当然，中国《广告法》不能允许这种诉求，但也许，我们从中学到：可以让生活细节为创意增色。

再看CANNES，（酒精 or 非酒精饮料）《喜力啤酒·火机篇》：（银奖）回到披头士的年代/　舞台上、舞台下一样的疯狂/　标识性的"爆炸头"/ 台下两个青年，低头找寻摆于地上的喜力啤酒/　黑暗中点着了打火机/ 当他们站起身时，奇迹发生了：全场的观众跟随他们也都点着了打火机/（他们刚刚创造了一种潮流）/ 场内的人们也因为喜力啤酒而找到了抒发感情的最佳方式/ 永远的喜力啤酒。

也许这个潮流并不是喜力啤酒创造的，但是这并不是最重要，喜力啤酒创造的是一个国际大潮流。它的拥护者每年都在增加，而且跨越了年龄的界线。

《喜力啤酒·DJ篇》（银奖）：同样的披头士年代/ 舞厅/"爆炸头"/ 人们手拿喜力啤酒，跳着山猫步/ 这时，一位拿着喜力啤酒的DJ，一不小心，将酒洒在转动的音乐唱片上/"吱啦"/ 全场呆住/ 黑人DJ慌忙用手擦拭，弥补过失/ 于是，他又创造了一个潮流：因为他擦出了最前卫的现代音乐/ 全场欢呼/ 永远的喜力啤酒。

喝喜力吧，也许你一不小心领导了潮流！这就是创意的最高境界：来源于生活，再创造于生活，升华生活。

饮料产品（酒精or非酒精饮料）在中国市场竞争最激烈，打开电视机，每天看到无数新新人类、大小明星们倾情演出，力图刮起另类潮流的“玉兔台风”，但往往事与愿违，X、Y、Z一族太有个性，不为此潮流所动。因为他们本身就是潮流主导。

再举个洗涤用品的例子：我们每天都要被无数的洗衣粉、洗衣液的广告包围：不是两个女人比谁洗得干净，就是小分子钻入布料纤维，高科技手段瓦解污渍等等，令人疯狂转台……再看这一则：《洗衣粉•雪仗篇》（银奖）：

两个男孩，在雪地里打雪仗/ 大男孩恶意地用雪球打击小男孩的脖子，打完便逃。突然，他被画面上白茫茫世界中一个不知名的物体碰倒/ 仔细一看，原来是晾在绳上的床单。 这则广告已经单纯到了令人害怕的地步，最直接的追求，再加上最情趣化的生活场景，令人信服，挑不出毛病。

其实，这样的创意，也许刚刚就在我们的眼前走过，只是不够胆量，不敢肯定罢了！我们再来看一则阿根廷的获奖作品：

《通信服务类•打呵欠篇》（金奖）：街上一个小孩打了一个呵欠/ 传给了他的父母/ 再传给了路上的行人/ 一个一个地传下去/ （熟悉的生活景象）标版“沟通是简单的”。

在这次广告之旅中，我们学到的不仅是如何做创意，更多的是，客观辩证地看待广告，看待市场传播，看待广告这份事业。

当我们选择了广告，那么就热爱这份事业吧。

因为未来的路很坎坷，可能需要我们几代人的努力，让我们来看清自己的差距，找出不足，加以改善。随着市场的成熟，我们的创意空间会越来越宽广。

希望省广人能早日蜚声海外！

8.5 创意与宠物

走出戛纳广告作品展示大厅时，疲惫的身躯上顶着一个因“暴食”过度而沉重的头颅，脑袋里面有一个比头颅还大的困惑：这样的创意在这里为什么会有存在空间，为什么在我的世界里是狭缝中挣扎？这似乎是很愚蠢的问题，愚蠢的答案当然也有很多种。

当看到一位瘦小的妇女呵护着两只比她还大的长毛狗，悠悠地坐在展厅广场上的草地时，问题似乎有了聪明的答案。是啊，在一个发展中的国家，哪有每一刻都与宠物在一起的“幸福时光”。按一位官人的话来说，连自己都喂不好，怎么能养好宠物呢？的确正确！创意在发展中的国家，正像宠物一样，人们可以去喜欢它，但却没有心情去消受它，因为那是一种“奢侈品”。养宠物，是饱暖后的一种休闲消遣。宠物娱乐主人，给主人轻松愉快。自然，主人心情好了，宠物也可活得像人一样，但哪一天主人心情坏了，宠物也就成了出气筒了，苦不堪言。要是碰到哪位广告主开恩，给百姓们看看他的宠物，被称之为创意的“宠物”，也就有机会溜溜了。我们也有人养宠物，但只是当做“动物”来养，“生产”创意的人，也就是“宠物之母”了，自然也是动物了，哪能跟人争一席之地。在我的世界里，创意就是这样生存的。

8.6 卖点戛纳

众所周知，在素以创意至上的戛纳广告节里，作品的原创性与视觉冲击力是赢奖的最大卖点。那么，今年的广告节是否有一些新的卖点呢？

近五天的时间，欣赏了来自世界各地近万件平面、影视作品，眼睛看酸了，口水流干了，肚子胀痛了，收获还是很大的，难免有点消化不良，且将已消化的部分现学现卖，卖上几点戛纳心得吧（仅以平面为主）！

创意更纯一点

我们知道，创意是有法则可依的，如各种创意宝典中提过，诸如“生活形态式”、“比较式”、“借喻式”、“报道式”等多种创意模式，本届戛纳入围作品仍延续往年的夸张、幽默、精简的创意法则，只是在创意上表现得更纯一点。

这系列作品，不需要更多的方案支持，已充分地把可配牛肉、猪肉、鱼肉就餐的葡萄酒的卖点清晰地传达出来了。

葡萄，可想而知，已经变成瓶中酒，而剩下的梗应该是多余的了，但创意人并没有把它丢掉，而是巧妙地把梗变成了动物形状，使“它”再次成为葡萄密不可分的“伙伴”。一切都因葡萄而起，多么单纯！

两种海洋生物——鱼同龟分别用自己的身体语言做着两种姿势，是什么意思呢？让人困惑，这时，文案一语道破天机：“9:15”和“12:30“，原来是Swatch表在卖具有灵性设计的潜水表。多绝！

远看，以为是耐克的广告，近看，用“白粉”堆成的“耐克”标志，下面打着广告语“Just Don’t”，原来是一条公益广告，以家喻户晓的耐克为引子，告诫人们千万别参与吸毒这一毁灭一生的行为。

诉求辣的产品广告见得实在是多，有吐舌头的，有喷火的……这则诉求辣的广告则另辟蹊径，以司空见惯的“买一送一”为诉求点，买一小瓶辣酱，送一大支纯净水，用水来干吗呢？不言而喻。

不妨让我们也想一想还有什么好创意来诉求“辣”，用于“海天”或“致美斋”的产品上。

苹果让人咬了一口，便成为苹果电脑的标志，那么被咬了两口的苹果标志又意味着什么呢？原来是苹果机二手市场打的广告。欢迎来苹果市场咬上第二口吧！

见惯了正话反说的广告，这则公益广告却反语正说：一位被打得鼻青脸肿的小孩子，差点成了独眼龙，一看就是儿童受虐的题材，感觉文案应当是怎样地呼吁怎样地抗议社会对儿童受虐的关注的……可标题却打出这么一句话——“我父亲比你父亲强壮”，让人完全没想到。图文的强烈反差真的让人为之震撼：“强壮”的父亲们，把“强壮”用在该用的地方吧！

一幅画面要把一个卖点诉求明白已经是很不容易的一件事，有的甚至要用系列广告来诉求一个卖点，同国外广告相比，多点诉求应该是有中国特色广告的卖点吧！

执行更精一点

创意的概念决定一切，好的执行救不了坏创意，但我深信，再好的创意也需要执行来完善、拔高他，使好创意更具创意。

今年戛纳平面广告的全场大奖——DIESEL 服装系列广告，就让我们看到了什么是平面广告的最佳执行效果。

国内的设计师一般都回避用人物作为创作主体，通常采用一些静物来做道具，如果非得用人物的话也尽量只出现局部等，为什么呢？是创意的需要吗？不完全是，是执行麻烦啊！模特的物色很考人，要花很大的精力与时间，更不用说服装、道具、化妆、场景、摄影。最主要的原因是，客户人员认为没有必要，能省就省，能免则免，理由是没费用。所以一切从简，最后出来的广告效果自然缩水。

广告的执行需要资源来支撑，在硬件方面，我们一点都不比欧美差，我们拥有与世界同步的电脑设备，我们缺的是软件，缺的是广告人的一份敬业精神。在创意的执行方面，我们在制作上一定要坚持一丝不苟，要对自己提出更高的要求，不能大概就完事，更不能马虎了事。还有，为了执行到最佳，希望客户人员也多支持，让创意设计人能有足够的子弹上战场，不要一上战场就拼刺刀。

在戛纳的电影宫内，欣赏每一幅广告作品，抛开创意不谈，单纯看其执行这一环节，每幅作品都是制作精良的艺术品，或很美，或很具冲击力，绝对没有视觉垃圾。从这一点就看出西方社会对广告的欣赏水平有多高，更能看出外国广告人的敬业和高素质。

媒体运用更巧一点

在互动的社会中，灵活巧妙的媒体运用，使消费者参与广告之中是非常讨巧的宣传手法。

耐克公司与户外垃圾箱结合的媒体创意，运用得非常巧妙，用垃圾筒代替投篮板上的篮框，让人们自觉地把垃圾准确地投入垃圾箱时，就像投篮得分一样，很有快感，同时又做了公益事业，真是一投两得，当然要继续“just do it”。

翻阅杂志时，其中一页被粘住了，是怎么回事？仔细一看，原来是吸力强劲的吸尘器把纸吸住了，互动的杂志广告往往让人觉得出乎意料，让读者饶有兴味地记住了产品。

这是口气清新糖在公交车体上做的广告。车门打开时，车门两侧的男女主角的侧面像隔得很远，这表示两人在没吃清新糖之前的状态。当车门关闭时，男女主角正在接吻，这表示在吃了糖之后的状态。车门一开一闭，男女主角的分分离离，不正说明吃清新糖的妙处吗？真希望车门一直闭着。

最后，如果你要问我在戛纳最大的收获点是什么，我会说：会生活，才会做广告，广告源于生活，而高于生活。

8.7 没有创意，就没有发言权

在戛纳广告节的作品展场，尤其是影视广告放映厅，任何在场人士除了强烈感受到上一年度广告创意的可爱成绩，还可强烈地感受到存在于观众中的“民意”取向。满场的文明人士，竟然也会在目睹了某些作品之后立即毫不留情地大肆嘘之，与我们曾经在校园里做过的被校方明令禁止的以嘘起哄的举动同出一辙，完全没有汉语、英语、法语的分别。

嘘别人的创意，自然是件好玩的事，两片嘴唇微合，充分发挥肺活量的功用即可；而被嘘的创意人，因此绝对需要练就厚如城墙的脸皮，适当时候还得养成心如止水的心境，即使被人嘘，也要面带微笑，临危不惧。

在对待创意品质的态度上，人们绝对是势利的，惟好创意是图。因此在满场偶尔响起嘘声之后，更多的声音来自于鼓掌。那一些优秀绝伦的好创意，除了用掌声表达自己对创作者智慧的尊重和佩服之外，似乎没有其他好的途径。

在此记录若干，看是否有身临其境之感：

印刷广告个案之一：画面正中是一个最平常的快递公司包装盒，显眼的FedEX标识；盒盖打开，装着一个稍小的盒子，不知其中是什么，但隐约看见小盒子上竟印着DHL的标识！

整个作品只配一行小字——“The world’s largest air express company”，却把“最快速的快递公司”表达得不张扬又淋漓尽致，不想得金奖都不行。

印刷广告个案之二：黄昏的郊外公路，空空如也；路左静立一辆Harly摩托车，看起来很乖，毫无威风可言，一行标题，却真正应了画龙点睛的伟大意义：“Why farmers with daughters own shotguns.”

如此一个创意，是否令你的眼前立即浮现出酷车酷哥引无数辣妹垂青、而憨厚的辣妹之父们无可奈何，只好怀抱shotgun以防harly把爱女拐走的可爱情景？

印刷广告个案之三：画面极其单纯，没有任何杂物，只有一个所有广告业人士都熟悉的Apple标识。但它与平常不同之处是，苹果的左半边也被咬去一口。

它在传达什么样的商业信息呢？“二手商品服务”，是不是够绝？

这样的一些创意，如果有人嘘之，更多的人一定嘘他。虽然在安静的平面广告展场，人们无法为之鼓掌喝彩，但心里一定会为之而起些波澜，至少我们这几个细细琢磨的中国人为之激动了几分钟。

影视广告则在阵阵嘘声中，赢取了更多充溢放映厅的掌声。

影视广告个案之一：一次非常普通的家庭晚餐之后，主妇收拾碗碟入了厨房。厨房里，她没有洗碗，却侧耳听了一下餐厅的动静，然后把冰箱抽屉拉出，紧接着竟然跳了上去，故意把冰箱抽屉踩烂。餐厅里家人闻声冲进来，见到烂冰箱和故作惊恐的主妇，莫名其妙，反安慰之。出字幕：“She wants a

Brandt."

原来对 Brandt 品牌电器的渴望程度可以导致主妇故意毁坏已有电器，从而实现中国人常说的"旧的不去，新的不来"。一段生活场景，却让人看到了 Brandt 在人心目中的地位。

影视广告个案之二：白茫茫的雪地上，有雪人；两个男孩互掷雪球，在白茫茫的世界里追逐。突然，"嘭"一声，跑在前面的孩子似乎被什么东西撞了一下，倒伏在地。镜头推进，看见雪地里隐隐约约地悬挂的一排衣服的投影。出洗衣粉标版。

原来如此！当观众屏息观看前 25 秒的时候，可能因为不知所云而嘘声待出，但看完之后双手不鼓掌都不行，否则一定被人视为没有鉴别力。

影视广告个案之三：黑夜，远处迎面而来的是两盏车灯，似乎一辆轿车正驶近。字幕随车近前而变化——"有车顶"，"ABS"，"安全气囊"，完全在平静而不花哨地介绍一款新轿车。又出字幕"只有两个车轮"，两盏车灯在黑夜中分道而行。原来是摩托车！ BMW！

这种作品，不需一言一语，已经尽得风流。

在此无法一一尽录典范之作，揭示它们之所以赢得众人喝彩的原因，却想把强烈的由此而生的"没有创意，就没有发言权"的感觉传达给所有视创意为生活、为挑战、为乐趣的人。寥寥数语列举的几个例子，拿奖非金即银。尽管对于广告商而言，"拿奖不是万能的"，但"没有拿过奖是万万不能的"。当这些创意的主人把它们呈现于新的客户面前时，再多的话都已经显得多余，它们已经是广告商最好的发言；同样，当这样的一些创意呈现于所服务的客户面前时，除非他们真的迟钝，真的对广告一窍不通，否则也会如同我们这些观众一般对其赞不绝口，同时爱不释手。

曾经有个导师批评在班上模拟向客户提案而遭嘘声而耍脾气的同学，苦口婆心却一针见血地告诫大家，电通曾把广告人列入三六九等人群中的末等，是典型服务业，是不允许向客户发脾气的。言外之意，是在客户面前要"忍耐，忍耐，再忍耐"。此论固然重要，但当客户对如此显而易见的好创意也无动于衷时，天下的广告人大概都会鼓动创作者无须忍耐吧。好创意是广告商最好的发言，客户连这种发言都不能辨别优劣高低，广告商大概也没有什么说服客户的高招了。

跋：只有强者才是赢家

编著者

编罢《广告兵法》，掩卷长思，我们找不着一句话为之作结。

询及温卫平对《广告兵法》的评论，他只抛出一句话："广告兵法，只有强者才是赢家。"

温卫平的意见，始而令人突兀。在省广的大会上，他几乎每会必讲"只有强大才能得到尊重"，"只有强大才会有安全"，对《广告兵法》也这样讲，是不是讲顺口了？

继而思之，温卫平的意见确是深思熟虑的意见。这意见，深谙"一句话定义问题"之道，亦深谙《孙子兵法》的精髓。孙子军事思想，最为后人称道者是"不战而屈人之兵"。当然，这必须以实力、威慑力、利诱力为前提。换句话说，也就是只有强大才可能成为赢家。而种种"以小搏大"、"以弱胜强"的战例，则是暂居弱小地位者抓准强者的弱点、软肋，集中优势兵力歼敌之一部，从而取得局部胜利，并不断积小胜而成大胜，最终变弱小而成强大。军争如此，商战亦概莫能外。十年前的省广，并不强大。不要说国际4A，就连本土广告公司也不怎么把省广当回事。今日的省广，无论在经营规模、核心竞争力，还是行业影响诸方面，都成了令人注目的强者。而省广由弱变强之道，也成为业界的话题。

省广是怎样做强的？我们用了一部《广告兵法》来解读。如果要用一句话定义问题，省广之所以成为强者，是省广找到了他能成为强者的地方，并聚焦他所有的资源，向着他能成为强者的地方奋力前进。

1997年，当省广度过生存期转而步入高速发展期之际，毅然亮出了做"本土广告扛旗者"的旗帜。当时，中国广告界言必称欧美，"旗"必冠"国际"、"亚太"，甚至"环球"。因此，省广之举，不少人认为是不智、不合时宜之举，并质疑"红旗能扛多久"！

今日，"本土化"已是涛声滚滚。人们蓦然回首，才明白了省广聚焦本土的深意：

聚焦本土，是深具智慧的谋略，甚合孙子“上兵伐谋”之道。其实，当时省广比所有本土广告公司都具有更多的国际资源，但省广深知，无论是“国际化”或者什么“化”，作为一家本土公司，首先都必须本土化，必须深耕本土，在本土扎根、成长、壮大。

聚焦本土，也是一种态度。这种态度，是一种脚踏实地的精神，自强不息的意志，放眼世界的胸怀。扎根大地，大地则回馈以源源不断的养分，让省广枝繁叶茂，茁壮成长，直到长成参天大树。今天，中国的本土企业、跨国企业、国际4A，与省广的亲善之举，应了这句话：

“只有强大才能得到尊重”，“只有强者才是赢家。”

我们为扛旗者的风采喝彩，同样为扛旗者的胸怀而感动。省广，把他们的成功之道开发出来，与业界分享他们的知识与经验，于是，才有了这部《广告兵法》。这是一部探讨国际广告理念与本土市场文化对接与融洽之道的兵法，也是一部攻略的指南。窃以为，想成为强者、成为赢家者，这部兵法是值得一读的。

附：作者索引

（按文章先后排列）